MARABOUT ***SAVOIRS***

En hommage à

Monsieur **Jean-Paul Mathieu**,
professeur émérite à l'Université Pierre et Marie Curie,
physicien éminent, pédagogue, historien des sciences,
humaniste et homme de culture
dans le sens le plus complet du terme,

qui nous a quittés en janvier 1993.

Jean ROSMORDUC
et Dominique l'ELCHAT

25 mots clés de la culture scientifique

Jean Rosmorduc est l'auteur de :

Une histoire de la physique et de la chimie, de Thalès à Einstein, Paris, Seuil,

La Polarisation rotatoire naturelle, de la structure de la lumière à celle des molécules, Paris, A. Blanchard,

Matière et énergie, Paris, Messidor/La Farandole,

Il a dirigé le tome I de *L'Histoire de la Physique (La Formation de la physique classique)*, paru aux Éditions Technique et Documentation, et participé au tome II du même ouvrage (dir. MATHIEU J.P.) *La Physique au XXᵉ siècle*, ainsi qu'à :

L'Espace et le Temps aujourd'hui, Paris, Seuil,

Roemer et la vitesse de la lumière, Paris, Vrin,

Huygens et la France, idem,

Histoire littéraire de la France, t. 6, Paris, Messidor/Éditions Sociales, 1982,

Europa (1700-1992), Il trionfo della borghesia, Milano, 1992.

Nous tenons à remercier tout particulièrement

Madame **Françoise Balibar**, professeur de Physique à l'Université Pierre et Marie Curie,
Monsieur Pierre Brézel, maître de conférences d'Électronique à l'Université de Brest,
Monsieur Michel Gravelle, professeur de Géologie à l'Université de Brest,
Monsieur Jean-Yves Guinard, conseiller d'orientation à l'I.U.F.M. de Bretagne,
Monsieur Jean-Yves Monnat, maître de conférences de biologie à l'Université de Brest,
Monsieur Max Schvoerer, professeur d'Archéologie et de Physique à l'Université de Bordeaux III.

pour leur aide amicale et leurs conseils.

SOMMAIRE

Les articles Écosystème, Gène *et* Vie *sont de Dominique l'Elchat.*

INTRODUCTION

Nos ancêtres de la préhistoire vivaient dans un univers qu'ils ne comprenaient pas, entourés d'objets étranges, soumis à des phénomènes naturels mystérieux pour eux. Nous n'en sommes, fort heureusement, plus là. Ceci étant, l'évolution des sciences et des technologies peut mener certaines personnes à des situations un peu analogues. Les physiciens appellent *boîte noire* un système dont ils ignorent le contenu et le fonctionnement. Il a une entrée, une sortie (par exemple les deux fiches d'une prise électrique), et quelques boutons. Ils savent qu'en appuyant sur le bouton A, ils obtiendront un résultat déterminé, par exemple un écran cathodique appartenant à l'appareil s'illuminera, mais sans qu'ils sachent obligatoirement ni comment, ni pourquoi cet effet se produit.

Nous sommes aujourd'hui entourés de « boîtes noires » de différentes origines. Certaines résultent des avancées technologiques, d'autres sont d'une autre nature. Ce que l'on appelle la politique agricole européenne commune, par exemple, en est une pour moi (peut-être pas pour vous).

L'objectif du présent ouvrage est, pour ce qui concerne les sciences et les techniques, d'expliquer le principe — mais aussi l'histoire, la raison d'être, les implications éventuelles... — de quelques-unes de ces « boîtes ».

Vous y trouverez vingt-cinq articles qui, partant de termes du vocabulaire des technosciences contemporaines, vous permettront d'**approcher** une partie du savoir qui se rattache à ces termes. La lecture d'un article vous donnera aussi quelques *clés* pour — si vous le désirez — aller plus loin dans le domaine concerné.

Il ne s'agit pas d'un manuel (c'est-à-dire d'un outil traditionnel du système éducatif) de physique, ou de biologie, ou de chimie... C'est plutôt une *porte d'entrée* dans une culture, laquelle comporte bien sûr des connaissances relevant des disciplines d'enseignement, mais qui ne s'y limite pas.

Aucun bagage scientifique préalable n'est nécessaire pour comprendre ce livre. On peut d'ailleurs (et même sans doute le doit-on) *le lire à différents niveaux successifs*. Le premier (mais non le moins important) consiste à s'attacher surtout au sens général de l'article abordé, en laissant momentanément de côté les aspects plus techniques. Le lecteur peut ensuite, si tel ou tel point a éveillé sa curiosité, revenir sur un paragraphe, abordant donc un deuxième niveau de lecture. L'inclusion d'encadrés dans le texte facilite ce type d'approche. Certains ne sont destinés qu'à préciser des points de détail. D'autres sont consacrés à une compréhension plus poussée de la question.

25 mots, fussent-ils choisis de manière très pertinente, n'épuisent évidemment pas le vocabulaire scientifique fondamental et ne suffisent pas à résumer le contenu des articles qu'ils annoncent. Nous terminons donc le volume par un index, outil précieux de travail, qui permet de trouver rapidement les passages où une notion (qui ne figure pas parmi les 25 mots clés) est abordée.

A la suite des articles proprement dits, un court chapitre donne quelques indications pour que, une fois ouverte la « porte d'entrée » mentionnée plus haut, le lecteur puisse, dans les domaines qui l'intéressent plus particulièrement, poursuivre l'édification de sa culture scientifique amorcée par le présent ouvrage.

LA CULTURE SCIENTIFIQUE

Les mots *culture* et *scientifique* étaient jadis rarement associés. Un jeune homme poursuivant des études (les jeunes filles dans ce cas étaient nettement moins nombreuses), *faisait ses humanités*, c'est-à-dire s'intéressait à la littérature, aux arts (pour son plaisir)... C'est au bagage acquis dans ces domaines que l'on reconnaissait une personne cultivée. Les disciplines scientifiques avaient une fonction utilitaire — voire utilitariste — et servaient à l'exercice futur d'une profession. La « bonne société » persistait de plus à entretenir un mépris certain à l'égard du savoir-faire des artisans et des ingénieurs, même si cet aspect s'était quelque peu atténué au XVIIIe siècle, autour de cette grande aventure que fut la publication de l'*Encyclopédie* de Diderot et d'Alembert.

Cette mentalité n'a pas disparu. Quelques départements universitaires enseignent encore surtout les *Belles lettres* à des étudiants qui, par la suite, auront à enseigner le français courant dans des collèges de banlieues défavorisées. Et il reste de « bon ton », chez quelques-uns, d'affecter d'ignorer les connaissances scientifiques.

Ce type d'attitude est cependant marginal. La classe prestigieuse est devenue la terminale C et la mathématique a, comme instrument de sélection scolaire, remplacé les langues anciennes. Ce n'est ni moralement ni socialement préférable. Ce n'est pas, non plus, l'effet d'une mode passagère. C'est un reflet — parmi beaucoup d'autres — d'un bouleversement de la société qui, amorcé il y a plus de 200 ans, s'est accéléré au cours du XXe siècle.

Les « Trente glorieuses » sont largement dépassées

Les cinéphiles connaissent ce film plein de charme du cinéaste français René Clair, *Les Belles de nuit*. Le héros, Gérard Philipe — symbole de toute une jeunesse et d'espoirs aujourd'hui disparus — remonte le temps en rêvant, passant de son époque au XIXe siècle, à la Révolution, au temps des mousquetaires, pour en arriver aux âges préhistoriques. Son époque à lui, c'est 1950. Son environnement, c'est un petit quartier de ville, presque encore un village.

C'est au cours de la même période que le sociologue et économiste Jean Fourastié fait débuter ce qu'il appelle les *Trente glorieuses*, en comparant une petite ville au lendemain de la Deuxième Guerre mondiale à ce qu'elle était devenue trente ans après. Il est difficile de faire un parallèle entre les images de René Clair et les tableaux de chiffres, les volumes de production, les statistiques de Fourastié. Compare-t-on la poésie et l'économie politique ? Cependant, le film comme le livre illustrent de grandes transformations. Plus importantes, écrit Fourastié, au cours de ces trente années qu'elles ne le furent pendant le siècle précédent. Il a peut-être raison, encore que ce que les historiens appellent la *première Révolution industrielle* ait marqué une profonde rupture dans l'histoire. Mais il est vrai que les sociétés étaient quand même restées en majorité rurales (et donc en grande partie inchangées) et que les modifications avaient affecté essentiellement les régions industrialisées (celles qui possédaient, en général, des mines de charbon et/ou de fer) et les grandes villes.

La phase historique étudiée par Fourastié se termine en 1975. Il y a dix-huit ans de cela. Situons-nous par rapport à l'histoire politique française : le général de Gaulle était mort depuis cinq ans, son successeur (qui s'appelait Pompidou, vous en souvenez-vous ?) l'était depuis un an ; M. Giscard d'Estaing jouait alors le premier rôle (nous ne portons ici aucun jugement, ce rappel est uniquement chronologique !). Les hommes avaient mis le pied sur la Lune six ans auparavant, les premiers microprocesseurs avaient quatre ans. Les vols commerciaux de Concorde commençaient. Le T.G.V. ne serait inauguré que six ans plus tard, l'année où disparut physiquement Georges Brassens. Le nombre de chômeurs en France était de quelques centaines de milliers (il dépasse aujourd'hui trois millions de personnes). Les petites calculettes commençaient à se répandre, mais les micro-ordinateurs familiaux n'étaient pas encore d'actualité. Le gouvernement français avait mis en place depuis peu un plan de suréquipement du pays en centrales électronucléaires et le *Club de Rome* annonçait que les réserves de pétrole seraient quasi épuisées avant la fin du siècle.

Un individu, qui se serait complètement coupé du monde en 75, serait-il complètement désorienté s'il réapparaissait maintenant ? Il serait souvent étonné, un peu perdu dans quelques occasions, mais pas paniqué comme pourrait l'être celui qui aurait disparu vers 1950. La plupart des grandes évolutions technologiques étaient prévisibles (ce qui n'était pas le cas des relations politiques internationales), même si, dans plusieurs secteurs (et notamment dans tous ceux que les technologies informatiques concernent) les changements ont été plus profonds et nettement plus rapides que prévu.

Les grandes lignes de l'évolution, au cours des décennies à venir, sont à peu près définissables, du moins dans le domaine des technosciences. Et, sauf catastrophe ou découverte extraordinaire, nous pouvons déjà dire que l'ère Fourastié paraîtra bientôt aussi désuète que celle des crinolines. Elle l'est sans doute déjà.

Une nouvelle aliénation

« Vous êtes dans ce siècle comme des étrangers » clamait Victor Hugo à ses adversaires politiques en 1850, au cours d'un débat à l'Assemblée nationale. C'est déjà le cas d'un grand nombre d'individus que l'utilisation du progrès scientifique et technologique par le système économique a mis en marge de toute vie sociale. Ce peut le devenir — et concerner de plus en plus de personnes — dans un univers, dans une société, où l'exercice d'un grand nombre de métiers et d'activités diverses, où les modes d'information et les loisirs, où de multiples outils culturels, où la vie affective elle-même dans certains cas, où certaines formes de raisonnement, sont étroitement dépendants des évolutions scientifiques et technologiques.

La remarque vaut pour la vie civique, politique si l'on préfère. Tout programme politique comporte obligatoirement des choix scientifiques et techniques. Aucun candidat, aucune liste, ne peuvent aujourd'hui ignorer (comme ils l'auraient fait il y a trente ans) les problèmes que les activités humaines entraînent pour le maintien et la gestion de notre environnement et — partant — pour l'avenir de l'espèce humaine sur notre planète. Face à de telles questions, plusieurs réponses sont possibles. Le citoyen peut se prononcer subjectivement (ou en privilégiant d'autres critères ou d'autres aspects d'un programme) pour tel parti ou pour tel candidat. Il peut faire confiance à des « experts », d'autant plus péremptoires que leur « spécialité » sera étroite ou — ce qui est bien pire — qu'ils auront des intérêts personnels à défendre. Dans l'un et l'autre cas, il s'agit d'une délégation aveugle de pouvoir, non d'un acte relevant d'une véritable citoyenneté.

L'héritage de la philosophie française des Lumières et de certains philosophes allemands du XIXe siècle (Hegel, Marx) nous apprend que l'une des spécificités de l'être humain est sa capacité à comprendre son environnement (au sens large : naturel, social...), pour agir ensuite sur lui. Quand ce n'est pas le cas, il est « aliéné », c'est-à-dire privé d'une partie de ce qui fait sa particularité. En utilisant le mot de Victor Hugo, il est *étranger* dans son époque, dans son milieu. Nous le sommes tous à certains égards, dans de multiples domaines. Les changements intervenus depuis un siècle, et davantage encore les mutations en cours, pourraient « aliéner » ainsi une part grandissante de la population. Le règne des « experts », au service toutefois des catégories sociales qui détiennent réellement le pouvoir, est déjà en place. Il pourrait bien s'accentuer au cours des décennies à venir. Avec, comme corollaire, un retour aux pratiques irrationnelles chez tous les exclus, surtout si les sciences et les technologies s'avéraient incapables de résoudre leurs problèmes.

Une culture scientifique pour tous

Une tendance actuelle, chez les enseignants de langues, prône ce qu'elle appelle « l'immersion linguistique ». Tel individu, voulant par exemple apprendre l'anglais (après un minimum d'apports sous une forme traditionnelle), sera amené à vivre pendant quelque temps dans un milieu où toutes les personnes ne parlent que l'anglais, devra s'y « débrouiller » seul, etc.

Dans les faits, nous vivons aujourd'hui en *immersion scientifique*, mais un peu comme un Français que l'on abandonnerait dans une ville chinoise, sans qu'il connaisse un seul mot de la langue du pays. Il pourra probablement subsister, en utilisant le langage des gestes, mais son intégration sociale n'ira guère plus loin. Celui qui, chez nous, se trouve dans cette situation, pourra, dans certains cas, subir de graves préjudices sur le plan professionnel. Et, en de multiples circonstances, il sera environné d'objets qui, pour lui, seront « magiques ». Ses choix civiques pourront aller à l'encontre de ses intérêts, etc. Il sera incapable de s'adapter aux modifications inéluctables de ses activités professionnelles. Et — sauf s'il a les moyens financiers et la capacité psychologique de s'enfermer dans un cocon confortablement protégé — il vivra de plus en plus en marge d'un monde se transformant sans lui et donc, pour une part, *contre* lui.

L'aliénation, ainsi engendrée, est intolérable. Chacun a le droit de choisir l'existence de l'anachorète sur son piton, de ne vivre que pour la musique ou la peinture, ou de se réfugier dans une ferme abandonnée de l'Ardèche pour y élever des chèvres ! Ce ne sont sans doute pas là des drogues bien dangereuses. Encore faut-il qu'on l'ait effectivement choisi. A quelques originaux près, les milliers de personnes qui, dans notre pays, sont en voie de clochardisation, ne s'y sont pas engagées volontairement !

La culture — dans le sens le plus exhaustif et le plus profond du concept — est un élément de choix, et donc un facteur décisif de liberté individuelle et collective. Et, comme nous l'avons exposé au début de ce chapitre, la partie de cette culture qui est relative aux sciences a aujourd'hui un rôle considérable.

Le grand anthropologue et ethnologue Claude Lévi-Strauss (dont le livre le plus connu est *Tristes tropiques*) explique, dans *La Pensée sauvage*, que ce système intellectuel (que certains appellent aussi *pensée magique*) constituait une représentation cohérente et globale du monde chez les peuples que l'on dit quelquefois *primitifs* (non sans une connotation méprisante chez certaines personnes). Sans encenser le mythe du *bon sauvage*, cher à Jean-Jacques Rousseau et à ses disciples du XVIIIe siècle (et à quelques courants écologistes du XXe), ces groupes humains étaient en relative harmonie avec leur environnement, du moins quand celui-ci n'était pas trop hostile. Celui qui savait rechercher les plantes comestibles, fabriquer les objets socialement utiles, qui croyait pouvoir interpréter tant soit peu les phénomènes naturels, était cultivé.

Le grand physicien français Paul Langevin écrivait :

> **« On peut dire que la culture générale, c'est ce qui permet à l'individu de saisir pleinement sa solidarité avec les autres hommes, dans l'espace et dans le temps, avec sa génération comme avec les générations qui l'ont précédé et avec celles qui le suivront. Être cultivé, c'est avoir reçu et développer constamment une initiation aux différentes formes d'activité humaine, indépendamment de celles qui correspondent à la profession... »**

La culture scientifique est aujourd'hui une part de cette culture générale. Sans comparer l'homme du XXe siècle à celui de la préhistoire, ou le Français de maintenant aux Indiens Gayakis observés par Pierre Clastres, il est difficile de mettre sur le même plan l'*homo sapiens*, bien adapté à sa tribu et à la zone géographique dans laquelle il vivait, et celui qui, actuellement, vit dans l'ignorance complète de ce qui conditionne pour une large part ce que Marx appelait *« le niveau des forces productives »*, c'est-à-dire l'état des sciences et des technologies. Le premier était en osmose avec sa société, le second ne participe que très accessoirement à son fonctionnement, mais il vit tout de même au XXe siècle. La conclusion que l'on peut tirer de ces quelques considérations rapides est que celui qui correspond à ce que l'on appelait au XVIIe siècle *l'honnête homme*, se doit, en cette fin de XXe siècle, de posséder aussi une culture scientifique.

Outils et moyens

Personne n'attendrait d'un individu qui a une culture musicale qu'il soit un virtuose du piano, et moins encore qu'il compose comme Mozart. De la même manière, posséder une culture scientifique n'implique pas que l'on manie les théories et les instruments comme un chercheur, ou que l'on soit capable d'exposer une hypothèse et sa validation comme le ferait celui dont le métier est d'enseigner les sciences.

On peut, par contre, attendre de l'intéressé qu'il saisisse le sens général des éléments les plus importants de la science de son temps, qu'il ait une vue relative de son évolution, qu'il en comprenne les enjeux, qu'il sache qu'**elle ne constitue qu'un moment de la connaissance de l'humanité** et donc qu'**elle est susceptible d'être remise en cause** (plus ou moins, selon les cas), qu'elle n'atteindra jamais la vérité (même si elle s'en rapproche progressivement), qu'elle ne résoudra jamais tous les problèmes, et même qu'il lui arrivera d'en créer de nouveaux, qu'on ne peut pas l'identifier au progrès en général (même si elle peut contribuer à certains progrès), que, maniée par certains hommes ou certains systèmes, elle peut être redoutable…

Les connaissances elles-mêmes — celles que l'on apprend dans les lycées et les universités — font partie de la culture scientifique. Elle n'en constituent pas, pour autant, la totalité. Telle personne, bardée de diplômes, peut avoir une faible culture scientifique. Telle autre, dont le savoir spécialisé est moins important, peut en avoir une vision culturellement plus profonde. L'on peut saisir la signification de l'œuvre de Galilée sans pour autant pouvoir résoudre un problème de mécanique rationnelle.

Il y a de multiples façons d'aborder le présent ouvrage. Le lecteur peut le lire du début à la fin. Il peut partir d'un mot clé dont il souhaite connaître la signification puis, ensuite, suivre les références rencontrées chemin faisant. Il peut commencer par un concept repéré dans l'index. Il peut, de temps en temps, rechercher une signification en fonction de ses souhaits. Il ira ensuite plus loin s'il le désire.

Certains passages, certaines notions lui resteront peut-être obscurs. L'outil mathématique, les équations, les notions abstraites sont, à partir d'un certain stade, nécessaires pour aller plus avant. C'est en partie parce qu'il l'a compris que Galilée a été, au XVIIe siècle, l'auteur principal de la révolution scientifique qui a conduit à la science contemporaine. Celui qui veut atteindre le stade d'aujourd'hui devra accomplir, en cela, l'effort indispensable. Mais il ne pourrait pas le faire — même s'il avait l'étoffe d'un Prix Nobel — dans tous les domaines. L'omnicompétence n'existe plus en sciences. L'intéressé devra donc se spécialiser.

Répétons-le : ce livre est une ouverture. On peut s'en contenter. On peut aussi s'en servir pour aller plus loin.

L'histoire des sciences permet souvent de comprendre comment les idées se sont formées. Elle en facilite aussi l'accès. Elle nous montre également que tout est compréhensible par la raison, même quand on n'y parvient momentanément pas. L'univers n'est pas magique. La magie est dans les têtes ou les pratiques des illusionnistes, non dans la nature. **L'esprit scientifique, c'est d'abord l'esprit critique.**

1. Accélérateur de particules

Les physiciens savent, depuis la fin du XIXe siècle, que l'atome est complexe, et composé de plusieurs particules. Pour étudier la structure de ces dernières (pour vérifier si elles sont — ou non — élémentaires), les expérimentateurs les ont bombardées à l'aide d'autres particules. Celles qui sont émises par les réactions radioactives n'ayant pas une énergie assez grande, ils ont accéléré celles qui possèdent une charge électrique, à l'aide d'accélérateurs de particules, de plus en plus volumineux et de plus en plus puissants (cyclotrons, synchrotrons, etc.).

Une foule de particules nouvelles (la plupart issues des noyaux atomiques) a ainsi été découverte depuis 1930, et il est probable que cette évolution est loin d'être finie.

Les lois de la physique subatomique sont en général très différentes de celles de la physique classique, et les travaux relatifs aux propriétés de l'atome et de ses différents constituants ont amené le développement d'une science qui est, sur bien des points, en rupture avec celle du siècle précédent.

La découverte de la **radioactivité naturelle** a montré concrètement que l'atome contient lui-même d'autres particules plus petites (voir art. 2, 6, 8, 13, 16, 18 et 21). Les physiciens et les chimistes ont eu dès lors, parmi leurs préoccupations, celle de les identifier. Par conséquent, de déterminer leur nature, leur masse (quand elles en ont une), leur charge électrique (quand elles en ont une), leurs propriétés, leurs mouvements éventuels, etc. Et, *chat échaudé craint l'eau froide* dit le dicton, ils se sont également souciés de leur éventuelle constitution. Pendant près d'un siècle, ils avaient débattu de l'existence de l'atome (voir art. 2), considéré comme une particule ultime et insécable. Puisque tel n'était pas le cas, il convenait de vérifier, type de particule après type de particule, si les nouveaux corpuscules découverts étaient — ou non — *élémentaires*. Une méthode, qui permet de le constater, revient à détruire (à casser) ladite

Masse et Poids

De nombreuses personnes ont eu, quand elles étaient au collège ou au lycée, beaucoup de difficultés à saisir la différence entre ces deux concepts. L'ayant mal assimilée à l'époque, elles l'oublient, et sont plus tard incapables de la reformuler. Les dictionnaires de physique spécialisés définissent la *« masse inertielle »* comme le *« coefficient d'inertie »* du corps. Ils définissent à côté la *« masse gravitationnelle »*.

Nous pouvons nous limiter à une définition plus intuitive, qui fut aussi celle que Newton utilisa quand il la précisa vraiment pour la première fois dans l'histoire. Il explique que **la masse mesure la quantité de matière contenue dans le corps**. Ce n'est pas conceptuellement d'une rigueur extrême, et l'un des problèmes est de déterminer comment on peut, dans tous les cas, mesurer une telle *« quantité »*. Par ailleurs, on conjecture maintenant qu'il puisse y avoir des particules qui n'aient pas de masse (ou avoir peut-être une masse nulle, ce qui n'est pas obligatoirement la même chose). De plus, l'équivalence masse-énergie, énoncée par Einstein (voir art. 20), peut aussi introduire des confusions. Ceci étant, tout en ayant conscience de son imperfection, nous nous contenterons de l'énoncé de Newton cité plus haut, qui permet de comprendre intuitivement la différence évoquée.

Le poids du même corps est alors **la force d'attraction que la planète** sur laquelle il se trouve (la Terre, donc, pour ce qui nous concerne) **exerce sur ce corps**. Il est proportionnel à la masse du corps et à celle de la planète (voir art. 11) :

En un lieu donné sur la planète : P = M.g

g est une grandeur physique qui mesure l'accélération de la pesanteur au lieu considéré. Elle varie selon la position du corps sur la Terre. Sa valeur est minimale à l'Équateur (9,7804 m/s²), maximale au pôle. Elle diminue quand on s'élève en altitude.

Un corps immobile a donc une masse constante, quel que soit le lieu de la Terre où il se trouve. De même, cette masse est inchangée s'il est transporté (à une vitesse faible par rapport à celle de la lumière) sur un autre corps céleste, la Lune par exemple. Par contre, son poids aura varié pendant le même temps et, rendu sur la Lune (dont la masse est environ 1/6e de celle de la Terre), celui-ci sera six fois plus faible qu'à l'origine.

particule et à la séparer en particules différentes… et plus «*petites*». Si l'on y parvient, la même question se repose à une échelle inférieure. Si cela ne réussit pas, le caractère élémentaire de la particule étudiée n'en est pas pour autant démontré. Tout ce que l'on peut dire, c'est que **ce corpuscule n'est pas fractionnable avec les moyens et les instruments dont on dispose actuellement**. Ce n'est peut-être que partie remise.

Le bon sens nous dit que, pour détruire un édifice, nous pouvons par exemple le bombarder de projectiles. Une boule de billard, projetée sur un groupe de ses semblables accolées, peut rompre l'unité du paquet central en le heurtant au bon endroit et avec une vitesse suffisante. Les illustrations que la Sécurité routière diffuse pour vanter les mérites de la ceinture de sécurité nous montrent que le corps d'un conducteur non attaché s'écrase d'autant plus violemment sur le volant et le pare-brise que sa vitesse est grande (et aussi que sa masse personnelle est plus élevée, mais ce n'est généralement pas évoqué, la différence étant jugée négligeable).

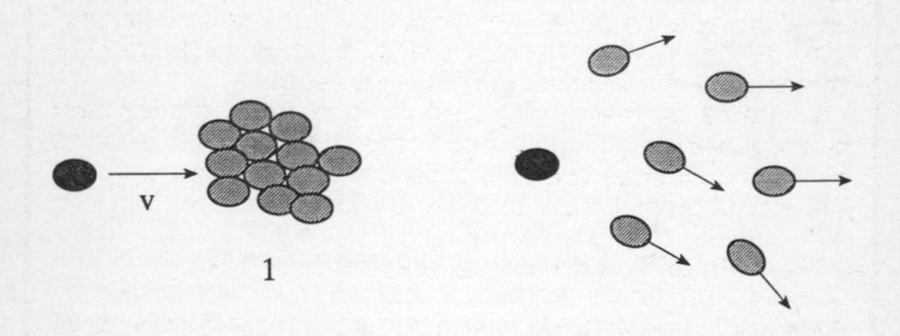

Dès les premières études sur la radioactivité naturelle (voir art. 2, 16, 18 et 21), les physiciens avaient constaté que les matériaux radioactifs émettaient de telles particules (parfois avec une grande vitesse et, par conséquent, une énergie relativement importante). Les rayons dits α, par exemple, ont rapidement intéressé les expérimentateurs. Ils sont constitués de noyaux d'hélium, c'est-à-dire de 2 protons liés (voir art. 2). Les particules constituantes étant lourdes, leur énergie cinétique peut être grande si leur vitesse d'émission est suffisante. Mais l'énergie de liaison, qui assure la cohésion des particules de certains noyaux, peut être élevée. Par ailleurs, les noyaux repoussent les particules positives (voir plus loin). Les physiciens ont donc réalisé des appareils permettant d'accélérer les particules-projectiles. L'on savait déjà bien manipuler les électrons (voir art. 14 et 18), mais ceux-ci, du fait de leur faible masse (ils sont près de 2 000 fois plus légers que le proton) n'étaient pas des particules bien efficaces à cet égard. Nous verrons (art. 16) l'intérêt présenté par le neutron, quand il fut découvert par Chadwick en 1932, mais les procédés d'accélération déjà envisagés ne convenaient qu'aux particules électrisées.

L'énergie cinétique

L'énergie acquise par un corps de masse m **du fait de son mouvement** est appelée son **énergie cinétique***. Elle vaut $E_C = 1/2\ m\ v^2$, en mécanique classique dont nous nous contenterons ici (même si le mouvement des particules relève, quand leur vitesse est élevée, de la mécanique relativiste). Quand le corps est brutalement arrêté dans son mouvement (sa vitesse passe, en une fraction de seconde, de v à zéro), l'énergie qu'il possédait entraîne la destruction de l'édifice constitué par le mobile. D'où le danger des chocs à grande vitesse (les lois des chocs ont été établies, pour l'essentiel, par Galilée, Huygens et Newton).

L'énergie cinétique d'un mobile peut, dans certains cas, être transformée en une autre forme d'énergie et utilisée dans la pratique. Soit par exemple une masse M d'eau, retenue dans un lac de barrage, à une hauteur h au-dessus de l'usine. Elle possède, du fait de son altitude, la possibilité de libérer une certaine quantité d'énergie (dite **énergie potentielle**, et qui vaut Mgh). Si les employés du barrage ouvrent les vannes et laissent arriver, par les grosses canalisations appropriées, la totalité de l'eau à la turbine (ou aux turbines) de l'usine, cette énergie Mgh se transforme en énergie cinétique (correspondant à la vitesse v de chute de l'eau) qui fait tourner la turbine ($Mgh = 1/2\ Mv^2$, aux pertes dues aux frottements près) (voir art. 11).

* L'énergie est exprimée en joules dans le système international, quand la masse est exprimée en kilogrammes et la vitesse en mètres par seconde.

Particules et charges électriques

Nombreux sont les *concepts* scientifiques dont l'origine est directement inspirée par l'expérience sensible, et même par une pratique courante qui était déjà séculaire quand (avant le concept) la *notion* est apparue dans l'histoire. L'un des textes considérés comme les plus anciens parmi ceux qui nous donnent des renseignements sur les connaissances scientifiques et techniques des Grecs de l'époque archaïque (entre le XIIIe et le VIIIe siècle A.C.), est le poème d'Homère, *L'Iliade*. Les notions de vitesse, de force, l'affirmation de l'existence d'une relation entre les deux grandeurs, celles de longueur (bien sûr), de durée, de surface, etc., font d'abord partie de la vie commune avant que d'être traduites dans un quelconque texte, généralement empirique et concret au départ. Dès lors, quand apparaît la formulation scientifique, elle doit souvent (pas toujours) être traduite par une expression dont le sens se différencie de celui du langage habituel et qui, quelquefois, s'y oppose (voir art. 5 et 15).

Notion et concept

Notion et *concept* ont des significations voisines. Le sens de *notion* est toutefois intuitif et assez vague. Celui de *concept* se rapporte à un objet mental plus abstrait et aussi plus précis.

Il n'en est pas de même de **la charge électrique**. Si l'on entreprend de décrire scientifiquement ce qu'est **la matière** (ce que sont **ses multiples formes**), sans se limiter à une définition philosophique, même très pertinente (telle celle de Lénine : *« La matière est la réalité objective qui existe indépendamment de notre conscience »*), une fois énumérées les caractéristiques mécaniques élémentaires (et liées à l'intuition), on est obligatoirement amené à les compléter par des concepts sans rapport direct avec l'expérience sensible. L'efficacité, la rentabilité dictent peut-être aux scientifiques de retenir alors la définition axiomatique, dûment précisée ensuite. Par exemple : *« **charge électrique :** caractéristique scalaire de la matière, associée à certaines particules élémentaires »* (J.P. Mathieu, A. Kastler et P. Fleury). Mais il paraît difficile de commencer ainsi, face à des auditeurs n'ayant pas une culture scientifique suffisante.

Les grandeurs physiques

Une grandeur physique est définissable par 1 ou 3 caractéristiques, 4 si l'on inclut le temps :

- Une grandeur **scalaire** est définissable par un nombre unique (accompagné d'une unité, évidemment). Ex. : la température, la pression, la masse…
- Une grandeur **vectorielle** est définissable par trois nombres (même remarque que ci-dessus). Ce peuvent être les trois **composantes** de la grandeur si l'on a déterminé un référentiel (voir art. 21), ou les caractéristiques géométriques du vecteur représentatif (origine, direction, sens et intensité). Ex. : force, vitesse…
- Les **quadri-vecteurs** s'obtiennent en ajoutant le temps, convenablement transformé en longueur, aux trois composantes précédentes.

Une approche historique permet de se faire quelquefois une idée satisfaisante. Les chroniqueurs racontent que le philosophe et mathématicien Thalès de Milet (VIIe-VIe siècles A.C.) avait observé que des morceaux d'**ambre**, frottés par un tissu, attiraient des corps légers. Le même résultat est obtenu grâce à quantité d'autres matériaux, notamment la plupart des **matières plastiques**. C'est ce que font les appareils électriques (ou les disques microsillons qui existent encore, ou les écrans de télévision) quand ils attirent la poussière. L'ambre est une *résine fossile* (rouge, jaune, quelquefois noire, parfois translucide, quelquefois opaque), qui servait (et qui sert encore) à faire des bijoux. Les principaux gisements connus sont au Nord de l'Europe, sur les bords de la Baltique, et un commerce régulier existait entre cette région et les pays méditerranéens. Ambre se dit *elektron* en grec, d'où *électricité* et tous ses dérivés.

Les connaissances sur ce sujet sont restées en l'état pendant près de 24 siècles. A la fin du XVIIe siècle, le bourgmestre de Magdebourg (auquel on doit également une pompe pneumatique pour réaliser le vide de gaz dans une enceinte fermée) a inventé une machine, multipliant les effets de l'expérience de Thalès, où une boule de cire, tournant autour d'un axe sous l'action d'une manivelle, remplaçait la tige d'ambre. La machine a été améliorée ensuite (Ramsden, Wimshurt...) et une expérimentation — empirique et qualitative — s'est développée au XVIIIe siècle, les effets spectaculaires obtenus (éclairs puissants, attractions plus importantes...) impressionnant un public mondain européen, à l'époque « très curieux de science ».

On a découvert aussi que, selon la nature du matériau frotté, le type de phénomène était identique, mais que dans certains cas, l'on avait une répulsion, dans d'autres une attraction. Il y avait donc, dirent les physiciens, **deux types d'électricité** : celle que l'on obtenait en frottant des matériaux résineux, comme l'ambre, et qui fut baptisée électricité *résineuse* (puis *négative* par B. Franklin) ; celle que l'on obtenait en frottant des corps tels que le verre, et qui fut baptisée électricité *vitrée* (ou *positive*).

Une tige d'ambre frottée attirait une tige de verre dans les mêmes conditions, mais repoussait une autre tige d'ambre. L'idée de l'existence de deux sortes d'électricité fut suivie — après la découverte de la pile électrique — par l'affirmation, chez certains auteurs, de l'existence de *deux fluides électriques* (qui fut abandonnée un peu plus tard).

Les expériences faites par l'ingénieur C. Coulomb vers 1785, sa mise au point d'un instrument de mesure (ou de comparaison) des charges, à partir de la détermination des forces d'attraction et de répulsion qu'elles sont susceptibles de produire entre elles, ont permis de passer de la description qualitative des phénomènes à la mesure des grandeurs mises en jeu et à l'établissement de relations mathématiques entre ces grandeurs. Coulomb a ainsi vérifié expérimentalement que deux charges q et q' se repoussent (ou s'attirent, cela dépend de leurs signes respectifs), proportionnellement à leurs valeurs et inversement proportionnellement au carré de leur distance :

$$f = k. \frac{qq'}{r^2}$$ (k est un coefficient, r est la distance des 2 charges)

On est donc amené à définir, à ce stade, la charge électrique comme une caractéristique de la matière que l'on peut notamment faire apparaître en frottant, à l'aide d'un objet approprié, un fragment de cette matière. Il en existe deux types dans la nature qui produisent des effets mécaniques opposés.

Un matériau courant est généralement **neutre** de ce point de vue, c'est-à-dire qu'il ne produit pas les effets précédents, ni dans un sens ni dans l'autre. Deux morceaux de verre, par exemple, sont parfaitement inertes quand on les met en présence. En les frottant avec des chiffons de laine, **on leur arrache des charges négatives** (des *électrons*) et ils se chargent positivement.

Les études faites au XIXe siècle (particulièrement l'électrolyse) ont montré que, dans diverses circonstances, des particules électrisées (de grosseurs, de structures et de charges diverses — les **ions**) apparaissent. C'est le cas, en particulier, pour de nombreuses substances diluées dans de l'eau. Et l'on a montré, au cours des dernières décennies du siècle, que ces charges sont des multiples d'une charge dite élémentaire ($e = 1{,}602189 . 10^{-19}$ coulomb). C'est ce qui a, dans un premier temps, conduit à la découverte de l'électron. Une substance quelconque contient donc de nombreuses charges électriques, qui apparaissent — ou non — selon les cas.

Ce développement ne nous a pas conduit à une définition formelle de la charge électrique, mais a sans doute permis de s'en faire une idée concrète, à partir des effets « électriques » observés dans l'histoire (et de leurs conséquences mécaniques).

L'accélération des particules chargées

Pour aller au-delà de ce que l'étude des noyaux et des *rayons cosmiques* avaient déjà apporté (voir p. 30 et art. 3, 6, 16…), les physiciens entreprirent de communiquer, aux particules chargées suffisamment lourdes, des vitesses de plus en plus grandes, de manière à augmenter l'énergie qu'elles posséderaient en percutant les particules à détruire. Les particules à accélérer circulent dans un vide très poussé et sont soumises à de très fortes influences électriques et électromagnétiques (ou **champs électriques et électromagnétiques** — Voir art. 11 et 17).

Il existe deux principaux types d'accélérateurs : **les accélérateurs linéaires** dans lesquels les particules gardent une direction constante et sont influencées par une série d'électrodes soumises à des tensions électriques alternatives ; **les accélérateurs circulaires** qui combinent des tensions électriques alternatives et des champs magnétiques, qui incurvent les trajectoires (elles peuvent être en forme de spirales, de cercles…), amenant ainsi les particules à passer plusieurs fois dans les zones d'accélération. Les particules qui se heurtent peuvent être accélérées les unes et les autres ; dans un autre cas, les « particules-cibles » peuvent ne pas l'être.

Le premier accélérateur — linéaire — fut réalisé par J.D. Crokfort et E.T. Sinton Walton en 1928. Puis vinrent le **cyclotron** (circulaire) de Lawrence en 1930, l'accélérateur électrostatique (linéaire) de Van de Graff, en 1931, des cyclotrons et **synchrocyclotrons** de plus en plus puissants, les **synchrotrons** à protons, etc. Le tout premier accélérateur linéaire pouvait communiquer une énergie de 4.10^5 électron-volt (eV) ; le synchrotron à protons du C.E.R.N. (de Genève), construit en 1976, fait 450 GeV (G, giga, 10^9, soit environ un million de fois plus que le précédent), le L.E.P., autre synchrotron du C.E.R.N., fait plusieurs centaines de GeV et 28 km de circonférence. Certains de ces monuments sont enterrés (à 100 mètres pour le L.E.P.) afin d'éviter les perturbations que pourraient amener certaines particules venant de l'espace (notamment les *neutrinos solaires*). Ce sont des exemples de la *Big Science*, sur lesquels des équipes entières viennent travailler pendant des semaines, avant de retourner exploiter dans leurs laboratoires les résultats obtenus.

L'électron-volt

L'électron-volt (eV) est une unité utilisée en physique nucléaire. Elle correspond à une énergie d'un électron sous une tension de 1 volt.

1eV = 1,602... 10^{-19} joule.

Aperçu sommaire et très provisoire sur la physique dite « des particules », ou encore des « hautes énergies »

Nous pénétrons dans une physique qui, pour le sens commun, prend un caractère quelque peu surréaliste. Les travaux sur la radioactivité y sont pour quelque chose ; de même que l'hypothèse formulée par Planck en 1900 pour essayer de résoudre les difficultés rencontrées dans l'étude du rayonnement thermodynamique (voir art. 18), et qui marque le début officiel de ce qui deviendra la **physique quantique**. S'y ajouteront l'étude des phénomènes photoélectriques (idem), l'interprétation de certains *spectres* et les problèmes posés par la lumière (voir art. 13). L'affirmation de la non validité, à l'échelle de l'atome et des particules qui le constituent, des

Mesure de la radioactivité

- Les montages utilisés au début de ce siècle pour étudier la radioactivité (voir aussi art. 16) ont notamment été les compteurs de Geiger-Müller (1908 et 1928). Une particule **ionisante** est susceptible d'arracher un ou plusieurs électrons d'un atome au passage, ce qui amène le déclenchement de petits signaux électriques qui produisent des craquements dans un détecteur. Un tel compteur est encore utilisé pour voir si une région quelconque est radioactive.
- **La chambre de Wilson** (1911-1912) contient de la vapeur d'alcool éthylique, brutalement comprimée. Le récipient est alors sursaturé de vapeur, c'est-à-dire que quand un ion la traverse, des gouttelettes d'alcool se condensent, en marquant ainsi la trajectoire.
- **La chambre à bulles**, inventée par D.A. Glaser en 1952, s'inspire d'un principe voisin. Le matériau est cette fois de l'hydrogène liquide sous pression et il est nécessaire de photographier les bulles d'hydrogène pour enregistrer le phénomène.

Dans le dernier dispositif comme dans le précédent (mais bien mieux dans la chambre de Glaser), l'étude du comportement individuel de chaque particule est maintenant faisable. L'analyse des clichés de chambre à bulles exige cependant un travail considérable.

« bonnes et belles lois de la physique classique » a mené — particulièrement à partir de 1927, date de la naissance de la nouvelle physique quantique — à un bouleversement complet de cette science.

Le spectre lumineux

Un spectre lumineux est constitué par une série de raies fines, de couleurs différentes, obtenues en séparant, en ses différentes composantes, un faisceau de lumière pluri-chromatique (par opposition au faisceau mono-chromatique, dont la couleur composante est unique) (voir art. 2, 3, 6, 8, 13, 16 et 19).

Au cours de la période précédente, les chercheurs pensaient que le nombre de types de particules, constituant l'atome, était assez limité. Avec l'électron, le proton que Rutherford avait identifié récemment (1919), le neutron que Chadwick découvre en 1932, la physique aurait pu disposer des composants de base de cet atome. De nombreux problèmes restaient toutefois à résoudre, les caractéristiques de certaines particules et de différents atomes étant à préciser. Des difficultés, en particulier, persistaient dans la détermination de la grandeur baptisée *spin* qui participe à la définition de diverses particules subatomiques.

Le spin

En physique macroscopique, *spin* désigne le mouvement de rotation d'une particule sur elle-même, abstraction faite de son mouvement autour d'autres particules.

En physique quantique, le spin désigne une des caractéristiques mathématiques de la particule vis-à-vis de l'ensemble des rotations dans l'espace et l'on doit abandonner l'idée d'une particule en rotation sur elle-même.

La physique des particules (essentiellement à partir de l'étude du noyau) a littéralement explosé à la fin des années 20 et le modèle à 3 particules de l'atome a été rapidement dépassé. Cela tient aux recherches des physiciens du noyau. Cela tient aussi à la découverte d'une particule jusque-là inconnue (le *positron* ou électron positif e+) dans *les rayons cosmiques*. L'essor de la physique des particules a repris, avec une très grande rigueur, à partir de 1960. **Ce domaine est particulièrement exemplaire de l'interaction dialectique** (de l'aller-retour, si l'on préfère, encore que le concept d'interaction dialectique implique des influences multiples et réciproques) **entre la théorie et l'expérimentation**.

Les rayons cosmiques

Les rayons cosmiques ont été détectés, à partir de 1912, quand on a commencé à utiliser la *chambre de Wilson* (voir p. 28). Les physiciens observaient des photographies de trajectoires de particules en forme de gerbes, dont ils ne s'expliquaient pas *a priori* la provenance. Hess a démontré qu'elles provenaient de l'espace. Leur étude (à partir de la période 1927-30) a été la source de la reconnaissance de différentes particules.

L'histoire de la physique des hautes énergies, depuis trente ans, est particulièrement mouvante et la découverte d'une nouvelle particule n'est pas un événement rare. Nous allons donc nous limiter à une classification restreinte en sachant qu'une recherche excessive de détails récents rendrait incompréhensible et, de plus, rapidement caduc notre article.

Le catalogue qui suit correspond à l'unification, au sein du **Modèle Standard**, théorie élaborée entre 1960 et 1970 par Gell-Mann, Zweig, etc. On peut, dans un premier temps, distinguer celles que l'on peut considérer comme de *vraies particules* (c'est moi — J.R. — qui utilise cette expression, la plupart des ouvrages de vulgarisation écrivent plutôt les *briques constitutives* de la matière). Cela veut dire qu'elles sont, pour l'essentiel, **de la matière au sens commun du terme**. Comme le sont, par exemple, des grains de sable. L'électron, le proton et le neutron en font partie, mais seul l'électron est une particule *élémentaire ou fondamentale* ; les 2 autres sont des particules *composées*.

Pour évoquer la deuxième catégorie de particules, un retour aux conceptions des Anciens est utile. **Pour eux, l'action à distance sans support matériel ne pouvait pas exister**. L'univers d'Aristote, par exemple, est plein d'une matière invisible qui joint entre elles les sphères cristallines portant les planètes et les astres. Le magnétisme (connu depuis au moins 7 siècles avant notre ère) est expliqué par l'existence d'effluves, ou d'une sorte de colle invisible entre l'aimant et le fer attiré. On verra, à propos de la gravitation, qu'un milieu de ce type (même s'il est moins sommaire) existe chez Newton (voir art. 11). **La deuxième catégorie de particules succède, à quelque chose près, au milieu intermédiaire qui, chez nos Ancêtres, avait pour fonction de transmettre cette action à distance.** C'est, pour reprendre le langage évoqué plus haut, le *ciment*, la *colle*, qui joint les *briques* constitutives de la matière. Mais ce sont **vraiment** des **particules**, au sens que la physique quantique donne à ce concept.

La première catégorie (celle des « briques ») est constituée par les **fermions**. Entre elles, peuvent exister **quatre types d'interactions**. Ce sont les interactions : nucléaire *forte* ; nucléaire *faible* ; *électromagnétique* ; *gravitationnelle* (voir art. 11). Les « briques » soumises aux interactions fortes sont les **hadrons**, eux-mêmes formés de particules actuellement supposées élémentaires, les **quarks** (les protons et les neutrons sont des exemples de particules soumises aux interactions fortes). Les interactions faibles et électromagnétiques sont regroupées en *interactions électrofaibles*. Les particules qui leur sont sensibles sont des **leptons** (électron, muon, tau…).

La deuxième catégorie (qui caractérise donc **la matérialité de l'action à distance**, ou de l'interaction) est constituée par des **bosons**. Il en existe, en théorie, un (ou plusieurs) par interaction. Celui qui décrit l'interaction électromagnétique est le **photon** (Einstein, 1905 ; mais la création de ce mot est postérieure). L'interaction faible (à l'intérieur des atomes) correspond au boson/W^-, au boson/W^+ et au boson/Z^0. La découverte de ces 3 bosons (dits *bosons intermédiaires*), par Carlo Rubbia en 1983, a été considérée comme une importante confirmation de la validité de la théorie d'unification. L'interaction forte (dans le noyau) devrait être due aux **gluons**, mais leur existence n'a pas encore été prouvée expérimentalement.

Nous nous limitons ici à une énumération qui ne se veut pas exhaustive (et en prenant quelques précautions de langage, car le nombre de particules actuellement définies par la théorie — mais dont l'existence n'est pas prouvée expérimentalement — est élevé et le non-spécialiste s'y perd un peu). Citons encore les **neutrinos** qui sont des particules de masse nulle (dans l'état actuel de nos connaissances, mais il n'est pas impossible qu'elle ne soit pas nulle), sans charge électrique, se déplaçant à la vitesse de la lumière et associés à chacun des leptons (voir art. 3).

Chaque particule élémentaire est affectée d'une masse (qui peut être nulle dans quelques cas), d'une charge électrique (même remarque) et de plusieurs **nombres quantiques**. Les interactions entre les particules élémentaires respectent *la loi de conservation de quelques grandeurs* : la charge électrique, certains nombres quantiques…

La théorie, formulée par Dirac en 1929, prévoit qu'à toute particule correspond une **antiparticule**, ayant même masse, même spin, même durée de vie, mais une charge électrique et des nombres quantiques opposés. Celle de l'électron (le positron) a été découverte en 1933 par Anderson dans les rayons cosmiques.

La vérification complète du **Modèle Standard** est loin d'être actuellement terminée. Et encore est-il peu probable qu'il mette, une fois clos, un point final à l'évolution de la connaissance intime de la matière.

REPÈRES

ASIMOV, I., *L'Univers de la science*, trad. franç., Paris, Inter-Éditions, 1986.

BALIBAR F., CROZON, M. et FARGE, E., *Physique moderne*, Paris, Messidor/La Farandole, 1991.

BATON, J.P. et COHEN-TANNOUDJI, G., *L'Horizon des particules*, Paris, Gallimard, 1989.
CARATINI, R., *Dictionnaire des découvertes*, Paris, Édition n° 1, 1990.
LABERRIGUE-FROLOW, J., *La Physique des particules élémentaires, de sa naissance à sa maturité*, 1930-1960, Paris, Masson, 1990.
NOËL, E., et coll., *La Matière aujourd'hui*, Paris, Seuil, 1981.

▶ **Atome, Big Bang, Doppler, Gravitation, Laser, Nucléaire, Onde, Photoélectrique (Cellule -), Relativité.**

2. Atome

Concept philosophique très ancien, l'atome fait partie du corpus scientifique à partir de la naissance de la chimie moderne au XIXe siècle. Il est alors le plus petit fragment possible d'un élément chimique *et — conformément d'ailleurs à son étymologie grecque — est jugé insécable.*

La physique de la fin du XIXe siècle et la découverte de la radioactivité naturelle *montrent qu'il a une structure complexe, et est constitué de diverses particules. Plusieurs modèles d'atomes se sont succédés au XXe siècle, jusqu'à ce que soit élaboré le modèle actuel qui est celui de la* physique quantique.

Il existe, dans le langage scientifique, des termes fréquemment utilisés dans le langage courant (avec quelquefois une très grande variété de sens). Le mot *atome*, par contre, est pour chacun une expression savante, et sans doute l'une des plus connues depuis quelques décennies. Tout au plus l'emploie-t-on quelquefois dans le cadre d'une métaphore (un *atome de sagesse*, par exemple, au lieu d'une *once de sagesse*, l'once étant une ancienne unité de mesure). L'utilisation ordinaire du mot est parfois erronée. Il ne faudrait pas, par exemple, parler de *bombe atomique* à propos de celle que les Américains larguèrent sur Hiroshima en 1945, mais de *bombe à fission nucléaire* (voir art. 16).

Si l'on excepte les concepts scientifiques qui dérivent de notions communes (la force, la vitesse, etc.), celui d'atome est l'un des plus anciens de la réflexion scientifique. Mais son sens, son contenu, ont changé au cours des siècles et en fonction de l'évolution des connaissances. Considérer les philosophes grecs comme des précurseurs des atomistes modernes serait certes un **anachronisme**. Cependant, leurs conceptions font partie de l'histoire des idées atomiques. Ceci étant, Épicure n'est pas le devancier de Jean Perrin, pas plus que la hache de silex n'est l'ancêtre de la bombe thermonucléaire. Et pourtant, dans ce dernier cas, l'une et l'autre figurent dans l'histoire des armements.

Anachronisme

En histoire des sciences, commettre un anachronisme revient à attribuer à des savants du passé des idées qui sont en réalité les nôtres et que les Anciens ne pouvaient pas élaborer, compte tenu des connaissances de leur époque.

Épicure et Jean Perrin

Épicure, philosophe grec de l'Antiquité (341-270 A.C.).

Jean Perrin, physicien français (1870-1942), Prix Nobel 1926 pour ses travaux sur la structure de la matière. Créateur du Palais de la Découverte, il a succédé à Irène Joliot-Curie comme sous-secrétaire d'État à la Recherche scientifique dans le premier gouvernement de Front populaire dirigé par Léon Blum (1937).

La matière : continue ou discontinue ?

Retenons, pour l'instant, l'acception courante du mot *matière* (voir art. 5). Les manuels élémentaires de sciences physiques en énumèrent trois formes (ou trois *états*, si l'on préfère) : les solides, les liquides et les gaz. Ce dernier état était baptisé *pneuma* par les Anciens. Le terme *gaz* est introduit au début du XVIIe siècle par Van Helmont, à partir de *ghoast* (*esprit*, en vieux flamand). Laissons, dans l'immédiat, de côté cette forme impalpable de la matière et dont nombre de propriétés ne seront connues que grâce aux travaux de Torricelli, Pascal, Boyle, Mariotte, etc., un peu plus tard.

Un objet solide (sauf s'il est très poreux, et encore !), ou un courant d'eau ont une apparence compacte. La limite de notre appréciation est la conséquence de ce que l'on appelle en optique le *pouvoir séparateur* de ces vivants instruments de physique que sont nos yeux. Il est loisible de supposer que, même si nos yeux distinguaient mieux qu'ils ne le font de petits objets proches, nous verrions un morceau de bois parfaitement continu.

Mais — nous aurons l'occasion de le répéter — **les hommes raisonnent fréquemment par analogie**. C'est ce qu'ils font en étendant à l'infiniment petit (qui englobe, au IVe siècle A.C., ce que nos yeux sont incapables de différencier), ce qu'ils constatent (ou croient constater) au niveau macroscopique (c'est-à-dire au leur). Il y a toutefois, dans le cas présent, au moins une analogie possible induisant une idée différente.

Nous connaissons des matériaux formés de grains : le sable, la poussière, etc. Nous pouvons supposer que la même structure existe chez des corps d'apparence compacte : le bois, comme le sable, serait formé de grains, mais la puissance de nos yeux ne serait pas suffisante pour que nous les distinguions. Une telle hypothèse, même au regard de nos conceptions actuelles, n'est en rien absurde : les progrès des lunettes astronomiques, par exemple, ont souvent permis de discerner plusieurs corps célestes là où, auparavant, les astronomes n'en voyaient qu'un.

Des philosophes grecs (Leucippe, Démocrite) ont ainsi admis qu'en fractionnant autant que possible un matériau compact, ils finiraient (quand ils auraient en leur possession des outils suffisants) par aboutir à une particule ultime, qu'ils ont baptisée **atome** (du grec *atomos* : *insécable*). L'hypothèse a été complétée par l'affirmation que **toute matière, quelle qu'elle soit, est formée d'atomes et de vide**.

Les propriétés des différents corps dépendaient dès lors du nombre d'atomes, de leur forme, voire de leur couleur et de leurs arrangements.

Le raisonnement valait pour les *quatre éléments* (le *Feu*, l'*Air*, l'*Eau* et la *Terre*) à partir desquels, pour les Grecs depuis le Ve siècle A.C., était constituée toute matière. Épicure a, avec quelques variantes, repris ensuite les mêmes thèses (c'est d'ailleurs surtout par ses textes que nous les connaissons) puis, bien plus tard, le poète romain Lucrèce.

Le débat sur cette question (la matière est-elle continue ou discontinue ?) est resté spéculatif pendant plusieurs siècles. Les penseurs pouvaient échanger des arguments (plus ou moins fondés). Aucun d'entre eux ne possédait les instruments (théoriques et/ou matériels) pour démontrer la validité de ses assertions.

Dans ce chapitre comme dans bien d'autres épisodes de l'histoire des sciences (et de l'histoire « tout court »), les éléments qui influencent le parcours des sociétés ne sont pas toujours (loin s'en faut !) d'ordre scientifique. Aux *intuitions atomistiques* (G. Bachelard) était resté attaché le nom d'Épicure. La philosophie de ce personnage incluait, dans ses conceptions sur la nature, l'idée d'un monde infini et éternel (voir art. 2 et 21). Elle comportait, dans ses chapitres sur la morale, une philosophie du plaisir (au demeurant fort austère). Condamnée par les Églises chrétiennes et par les différents courants de l'islam (rejetée, par conséquent, dans presque tous les pays où les sciences se bâtissaient au Moyen Age), l'hypothèse atomistique réapparaît sporadiquement chez des penseurs quelque peu hétérodoxes. Elle ne disparaît pas mais reste marginale.

A partir du XVIIe siècle, plusieurs physiciens ou philosophes (et non des moindres) la défendent, avec une vigueur plus ou moins grande. Il en est ainsi de Galilée (notamment dans *L'Essayeur*, 1623 ; il est possible que cette prise de position ait été l'une des raisons de sa condamnation par l'Inquisition en 1633), de Gassendi, de Newton, etc. L'on en reste cependant toujours à la « dispute » philosophique. En 1737, le savant suisse D. Bernoulli tente de comprendre les propriétés des gaz. En particulier, il veut expliquer la pression exercée par un gaz sur la paroi d'un récipient clos dans lequel il est enfermé, ainsi que l'augmentation de cette pression quand on élève la température. Son interprétation s'inspire de l'hypothèse atomique. Selon lui, la pression serait due aux chocs des particules de gaz sur les parois. Quand la température monte, l'agitation desdites particules s'accroît et la pression augmente.

L'œuvre de Bernoulli amorce ce qui sera plus tard nommé *théorie cinétique des gaz*. Sans influer directement sur le débat relatif à la structure de la matière, elle marque cependant un tournant dans ce domaine. Sans être totalement abandonné, le terrain philosophique devient secondaire. Par contre, des hypothèses relatives à d'autres sciences interviennent dans une discussion qui leur était jusqu'alors étrangère.

Les éléments chimiques

L'histoire de l'identification des matériaux, de leur caractérisation, celle de la connaissance des réactions qui sont susceptibles de se produire entre eux, sont de bons exemples de l'importance que revêt, dans le cadre d'une démarche scientifique, la précision que le chercheur (et/ou le technicien) est capable d'atteindre quand il tente de définir un concept, d'améliorer la définition d'une quelconque grandeur physique, ou d'expliquer les phénomènes observés.

Il est impropre (ou anachronique) de parler de **chimie** (au sens où nous l'entendons actuellement) avant la série de savants dont les plus prestigieux sont Lavoisier, Cavendish, Berthollet, Fourcroy, Priestley, etc. Depuis des siècles, de nombreuses substances ont été découvertes et utilisées. Les pratiques de diverses catégories d'artisans (les métallurgistes, les tanneurs, les doreurs, etc.) les ont conduit à mettre au point quantité de procédés empiriques, à utiliser ce que l'on appellera plus tard des *réactions chimiques*, etc. Mais dans tout cela règne une grande confusion. Pendant très longtemps, les procédés ont été transmis par voie orale et non publiés. L'apparition de l'imprimerie en Europe au XVe siècle, la publication ultérieure d'ouvrages et d'encyclopédies techniques (l'un des livres parmi les plus importants est le *De re Metallica*, 1556, de l'ingénieur allemand Agricola) modifient considérablement le contexte.

Les bouleversements économiques et sociaux qui ont accompagné la Renaissance, la *révolution copernicienne* (voir art. 21), sollicitent également cette *pré-chimie*. L'industrie naissante a besoin de produits multiples. Il faut les fabriquer, quitte à ne pas comprendre les réactions que l'on provoque et à se contenter de recettes, quitte à promouvoir des systèmes inévitablement obscurs (la théorie du *phlogistique*, l'*alchimie*, etc.), quitte à faire usage d'une *nomenclature* (c'est-à-dire un mode d'appellation des substances) pour le moins fantaisiste. L'acide acétique (composant principal du vinaigre) se nomme *Esprit de*

Vénus ; l'oxyde de fer est appelé *Safran de Mars*, le nitrate d'argent est le *Cristal de Lune*, l'acide sulfurique est l'*huile de vitriol*… Mais cette aimable imprécision ne peut, on s'en doute, durer. La rationalisation est à l'ordre du jour. Il n'est pas possible de maintenir inchangées les définitions des *Éléments* des philosophes grecs ; il faut que l'appellation d'un produit reflète, autant que possible, ses propriétés ; **il faut comprendre le mécanisme des réactions, ne serait-ce que pour en améliorer l'efficacité**… L'œuvre la plus significative de cette révolution chimique est le livre de Lavoisier, publié en 1789, le *Traité élémentaire de chimie*.

Parmi les notions introduites par Lavoisier et ses contemporains figurent, au-delà de celle de **mélange** qui est un peu plus ancienne, celle de **corps composé** (ou **combinaison**) et celle de **corps simple** (ou **élément chimique**). Quand on verse, par exemple, une quantité raisonnable de sucre dans de l'eau, quand on secoue le flacon, le sucre se dissout. Par des procédés simples divers (par exemple en chauffant l'eau sucrée jusqu'à ce que tout le liquide se soit évaporé), on arrive à séparer le sucre de l'eau. L'eau sucrée est **un mélange** ; ses deux constituants ne sont que très faiblement liés entre eux. Ils peuvent même ne pas l'être du tout : le sable, par exemple, est formé de très petits grains de différentes roches, que l'on peut trier à la main (en s'aidant, si besoin est, d'une loupe).

L'entreprise qui vise à séparer en substances différentes l'un des deux constituants de l'eau sucrée (l'eau, par exemple, qui n'est pas elle-même un mélange) est bien plus compliquée que la précédente. Elle est toutefois faisable, à l'aide de diverses techniques physiques ou chimiques inventées au XIXe siècle. Par exemple, l'eau, traversée par un courant électrique, est décomposée en deux gaz découverts au XVIIIe siècle : l'*hydrogène* et l'*oxygène*. (L'opération, fort bien connue depuis, est l'*électrolyse*. Elle a été mise en évidence en 1800 par Carlisle et Nicholson.) Par contre, d'autres opérations du même type, entreprises sur ces deux derniers gaz, ne donnent aucun résultat : l'hydrogène et l'oxygène restent inchangés. Les trois types d'opérations définissent **les mélanges, les combinaisons** et **les éléments (ou éléments chimiques)**. Nous avons ici un exemple de mot, utilisé dans un sens (qui a toujours cours, d'ailleurs ; un jour de tempête, on parle bien des *éléments* *déchaînés*), et qui reçoit une autre acception (c'est ce que l'on appelle, un *glissement sémantique* en termes savants actuels). L'expression héritée du grec demeure, mais le concept qu'elle désigne est tout à fait différent.

L'atome insécable des chimistes du XIXe siècle

A ce niveau de réflexion, **l'élément chimique est le stade ultime d'un matériau**. Il est *simple*, c'est-à-dire qu'il ne peut plus lui-même être subdivisé en corps encore plus élémentaires.

Le développement de la chimie du XIXe siècle a notamment été marqué par la reprise de l'ancienne hypothèse atomique par l'Anglais J. Dalton en 1808. *« Reprise »* est un terme non pertinent toutefois car, si le chimiste se recommande de Démocrite et d'Épicure, la justification de sa théorie est, cette fois, fondée sur une expérimentation et non plus basée sur une spéculation. Une masse donnée d'un élément chimique A est constituée par le regroupement d'un très grand nombre d'**atomes réels** de ce corps. Quand elle s'unit avec un autre élément B pour donner un troisième corps C (qui est, lui, *une combinaison*), le nombre d'atomes de A qui s'unit à un nombre constant d'atomes de B est toujours le même (conséquence déduite de *la loi de Proust*. En prenant l'exemple de l'eau, **2 atomes d'hydrogène** s'uniront toujours à **un atome d'oxygène** pour donner ce que l'on appellera **une molécule d'eau :**

$$\underset{\text{hydrogène}}{H_2} + \underset{\text{oxygène}}{O} \rightarrow \underset{\text{eau}}{H_2O}$$

La loi de Proust ou « des proportions définies »

« Les éléments ne s'unissent entre eux pour former une combinaison que dans des proportions pondérales absolument définies » (1806). Cette « loi de Proust » revient, pour l'eau, à dire que le rapport entre la masse d'oxygène qui s'unit à une masse d'hydrogène pour donner de l'eau est toujours de 16/2 = 8. Si donc, par exemple, 64 g d'oxygène s'unissent complètement à de l'hydrogène, la masse de ce dernier sera de 64/8 = 8 g.

Dans certains cas, plusieurs associations sont possibles entre les atomes de différents éléments. Citons le carbone et l'oxygène. Nous connaissons notamment le monoxyde de carbone CO et le dioxyde de carbone CO_2 (encore appelé gaz carbonique).

Les moyens de la physique et de la chimie du début du XIXe siècle ne permettaient pas d'atteindre la masse des atomes eux-mêmes, celle-ci étant bien trop faible. Les chimistes ont attribué arbitrairement la masse de 1 g à l'élément le plus léger identifié : l'hydrogène. La réaction connue avec l'oxygène donnait à ce dernier la masse de 16 g. Comme les chimistes connaissaient quantité de réactions entre l'oxygène et d'autres éléments (dites réactions d'*oxydation* ou de *combustion*), ils ont pu, de proche en proche, affecter de nombreux éléments d'une masse déterminée.

Pendant plusieurs décennies, une polémique a partagé les chimistes. Les uns (baptisés *équivalentistes*) affirmaient que les masses fixées représentaient seulement des notations commodes, mais en aucun cas la réalité. Les partisans de Dalton, par contre, défendaient la matérialité de l'existence des atomes. Et, pour eux, 1 g d'hydrogène contenait le même nombre d'**atomes vrais** d'oxygène, que 16 g d'oxygène celui d'atomes vrais d'oxygène, que 12 g de carbone celui d'atomes vrais de carbone, etc. Ce nombre — baptisé depuis *nombre d'Avogadro* — a été déterminé en 1865 par Loschmidt. Sa valeur, acceptée aujourd'hui, est $6{,}022098.10^{23}$. Malgré les réticences de quelques attardés (le chimiste français Marcelin Berthelot, par exemple), le débat est, dès ce moment, scientifiquement réglé. Mais l'atome des chimistes de la fin du XIXe siècle est, comme celui de Démocrite, une particule ultime, une sorte de petite boule que l'on ne peut briser.

Atomes et molécules - Les édifices moléculaires

L'atome est donc conçu comme le plus petit fragment d'un élément chimique qui puisse exister. Dans la réalité, il apparaît généralement en association avec d'autres atomes, soit identiques, soit différents (dans ce dernier cas, il s'agit d'une combinaison dans le sens indiqué plus haut). L'atome isolé se présente rarement, du moins de manière durable. Le gaz oxygène, par exemple, est constitué, à l'état naturel, de particules regroupant deux atomes. Ces associations d'atomes fortement liés entre eux sont des **molécules**. La formule représentant la molécule d'oxygène est O_2, celle qui représente la molécule d'eau est H_2O. Dans ce cas, seul un atome d'oxygène intervient, mais dans le cadre d'une combinaison avec deux atomes d'hydrogène.

Si, pour le chimiste de 1890, l'atome est un minuscule bloc indivisible, il sait par contre que les molécules, qui résultent d'une association stable d'atomes, ont une structure. Celle-ci peut être très complexe. De très bons exemples d'édifices de ce type existent en **chimie organique**. Cette branche de la chimie (qui s'est constituée surtout après 1850) s'intéressait à des substances qui provenaient, d'une façon ou d'une autre, d'une **manifestation de la vie**. C'est, du moins, sa définition initiale. Ces substances contiennent toutes du **carbone**. Les travaux de Pasteur, puis ceux de Le Bell et Van t'Hoff, ont (entre autres) conduit à ce que l'on nomme la **stéréochimie**. L'atome de carbone y est représenté par un tétraèdre ; quatre possibilités de liaisons, entre cet atome et d'autres atomes, existent. Dans la représentation du composé qui en résulte, le carbone est au centre du tétraèdre et — dans le cas où toutes les possibilités de liaison sont utilisées — les autres occupent les quatre sommets de ce tétraèdre.

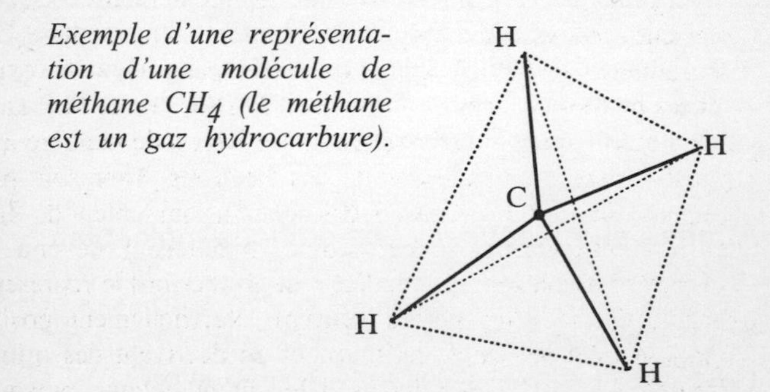

Exemple d'une représentation d'une molécule de méthane CH_4 (le méthane est un gaz hydrocarbure).

Les caractéristiques de l'atome de carbone lui permettent différents types d'associations avec d'autres éléments. Les développements de sa chimie ont notamment conduit à la confection de longues chaînes d'atomes, où le carbone domine, mais où sont également fréquents l'hydrogène, l'azote, l'oxygène. Un tel matériau est un **polymère**. Les propriétés de ce dernier dépendent des atomes supplémentaires introduits, de la structure du composé, etc. Couramment baptisés *plastiques*, ces produits sont aujourd'hui en très grand nombre et se retrouvent aussi bien dans les textiles artificiels que dans certaines pièces des automobiles et des engins spatiaux.

Modèles atomiques et explication des réactions chimiques

Venant à peine de triompher, l'atome insécable des chimistes du XIXe siècle est remis en cause par différentes avancées de la physique (voir art. 1, 6, 13, 16, 18). Ce que l'on conteste est, non l'existence de l'atome, mais son insécabilité. En 1881, Stoney montre qu'une particule, porteuse d'une *charge électrique négative*, existe dans l'atome. Il la baptise **électron**.

En 1903, Wilson mesure approximativement la valeur de cette charge. Elle est précisée en 1913 par Millikan (valeur actuelle : $e = -1{,}602189.10^{-19}$ coulomb). La découverte de la **radioactivité naturelle** de l'uranium détruit définitivement le caractère ultime de l'atome (voir art. 16). Ce dernier est électriquement neutre, c'est-à-dire globalement non électrisé. En l'occurrence, comme il contient des **électrons négatifs** (expériences de Stoney, puis de J. Perrin, J.J. Thomson et Millikan), il doit aussi contenir des **particules positives**, de manière à ce que leur charge compense celle des électrons. Thomson, puis Rutherford en 1911, proposent des schémas qui tentent de figurer la configuration de cet atome, maintenant devenu un ensemble complexe. Le « modèle » de Rutherford le représente sous la forme d'un **noyau central**, électriquement positif, autour duquel les électrons tournent en décrivant des orbites circulaires (c'est le premier modèle, dit *planétaire*, puisqu'il décrit l'atome comme une sorte de système solaire en miniature, dans lequel les électrons se comportent un peu comme des planètes, le noyau remplaçant le Soleil.

Mais le modèle de Rutherford n'est pas viable. Le physicien danois N. Bohr, faisant entrer en ligne de compte des données empruntées à la **spectroscopie**, reprend le schéma du physicien anglais en lui appliquant des considérations inspirées par l'hypothèse de Planck (voir art. 1, 13, 16, 18, 19). **Seules quelques orbites bien précises sont autorisées aux électrons.** Chaque orbite est affectée d'un numéro : n = 1, 2, 3, etc. Une orbite porte au maximum 2 n^2 électrons. Donc : 2, 8, 18, 32… Elle peut toutefois être incomplète. Ce sont les orbites les plus rapprochées du noyau qui se remplissent en général les premières. **Les propriétés chimiques de l'atome dépendent du nombre d'électrons sur les orbites extérieures**, et principalement sur la plus périphérique. Quand celle-ci est complète (c'est-à-dire qu'elle porte 2, 8 ou 18…, électrons), le corps est chimiquement inerte. Il s'agit de ce que l'on appelle un *gaz rare* : Hélium, Néon, Argon, Krypton, Xénon, Radon.

Certains de ces gaz (le krypton, par exemple) sont, à cause de leur inactivité chimique, utilisés dans les lampes électriques à incandescence : ils ne risquent pas, en provoquant une réaction avec le filament fortement chauffé par le passage du courant, de détruire le dit filament.

Le **modèle de Bohr** a rapidement été remplacé par celui de **Sommerfeld**, dans lequel les orbites sont elliptiques, et qui est fréquemment représenté dans les textes de vulgarisation.

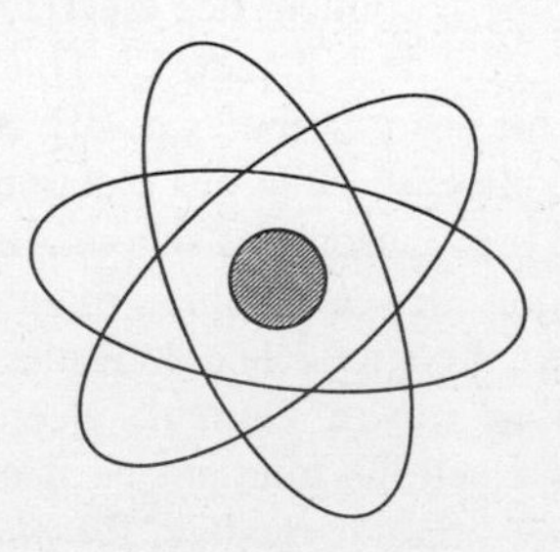

L'essor de la physique quantique après 1920 (voir art. 16, 18, 19...) a éliminé l'utilisation du concept d'*orbite* à l'échelle des dimensions atomiques. Les modèles atomiques actuels retiennent plutôt l'existence de **couches** successives autour du noyau, chacune d'entre elles pouvant contenir un certain nombre d'électrons. Si l'électron, pour une raison quelconque, passe d'une couche d'origine à une autre couche plus proche du noyau, il se produit une émission d'énergie (par exemple sous forme de rayonnement). Si, au contraire, il « passe » dans une couche plus éloignée, il faut lui fournir la différence d'énergie correspondante.

L'explication des phénomènes décrits dans cet article se suffit d'un nombre restreint de particules : l'électron ; le proton, particule positive contenue dans le noyau et dont la charge est numériquement égale à celle de l'électron (découvert par Rutherford en 1919) ; le neutron, particule sans charge électrique, constituant également le noyau (découvert par Chadwick en 1932). Un noyau est caractérisé par deux nombres : le numéro atomique Z (qui est égal au nombre de protons comme au nombre d'électrons ; l'égalité de ces deux nombres explique la neutralité électrique de l'atome) ; le nombre de masse A (N, nombre de neutrons + Z, nombre de protons, la dénomination s'expliquant par le fait que le proton et le neutron sont des particules lourdes par rapport à l'électron).

Les grandeurs caractéristiques d'un atome

- **Masse d'un atome :** de 10^{-25} à 10^{-27} kg
- **Dimensions :** de 10^{-9} à 10^{-10} m
- **Charge de l'électron :** – 1,602 189.10^{-19} coulomb
- **Charge du proton :** + 1, 602 189.10^{-19} coulomb
- **Masse de l'électron :** 9,109 4.10^{-31} kg
- **Masse du proton :** 1,67263.10^{-27} kg
- **Masse du neutron :** 1,67493.10^{-27} kg

(10^{-6} = 1 millionième = 1/1 000 000
10^{-9} = 1 milliardième = 1/1 000 000 000)

Au remplacement près du concept d'orbite par celui de couche, on voit facilement que les chimistes ne se sont pas, **dans ce domaine**, considérablement écartés du modèle de Bohr (alors que les physiciens l'ont complètement abandonné). Ce choix se justifie d'ailleurs parfaitement : **la fonction d'un modèle est d'être opératoire**, c'est-à-dire de rendre compte d'un certain nombre de propriétés, de permettre certaines explications et de favoriser quelques prévisions, qui devront être ensuite vérifiées par l'expérience. Quand un modèle remplit ces conditions, il n'est pas utile de le remplacer par une représentation plus sophistiquée (voir art. 21 et 23).

Le même type de modèle suffit du reste à rendre compte d'un grand nombre de réactions chimiques. Soient, par exemple, un atome de fluor et un atome de lithium. Le premier possède 2 électrons sur la couche K et 7 sur la couche L (donc un « manque » — ou un « trou » — d'un électron) ; le second possède 2 électrons sur la couche K et 1 sur la couche L (soit 7 « trous »). Les deux atomes s'associent, l'électron périphérique solitaire du lithium complétant la couche L du fluor, pour donner une molécule de fluorure de lithium *(cité par I. Asimov)*.

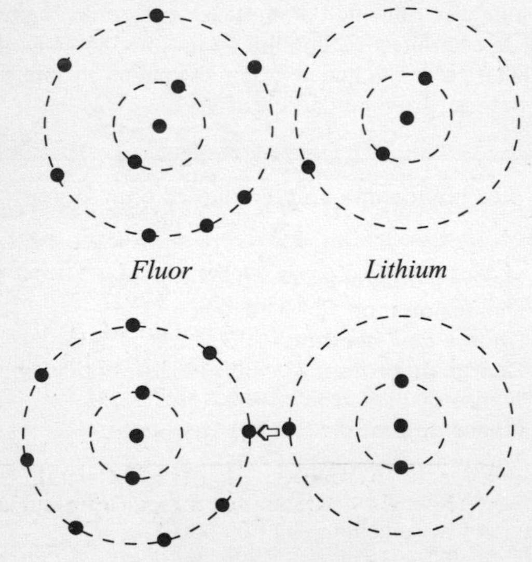

Fluorure de lithium

La classification de Mendeleïev

Les éléments chimiques ont été progressivement identifiés : quelques-uns au XVIIIe siècle (avant même, quelquefois, la définition même du concept *d'élément*) ; de nombreux autres au XIXe siècle, par l'intermédiaire de certaines réactions, grâce à l'électrolyse, etc. En 1860, les chimistes en connaissaient 63.

Le chimiste russe Mendeleïev les a, en 1867, classés **par ordre de masse atomique croissante**, en rassemblant dans des colonnes identiques des éléments de propriétés chimiques voisines. Certaines cases, restées vides sur l'instant, furent pourvues ultérieurement par des substances douées de propriétés que le **tableau de Mendeleïev** laissait prévoir. C'est le cas du gallium, celui du germanium, etc.

Les découvertes postérieures sur l'atome ont permis de constater que le classement correspondait à un ordonnancement par ordre de numéro atomique (Z) croissant.

REPÈRES

ASIMOV, I., *L'Univers de la science*, trad. franç., Paris, InterÉditions, 1986.

BALIBAR, F., et al., *Physique moderne*, coll. *La Science et les hommes*, Paris, Messidor/La Farandole, 1991.

BENSAUDE VINCENT, B., et KOUNELIS, C., *Les Atomes. Une anthologie historique*, Paris, Presses Pocket, 1991.

LECAILLE, C., *Le Monde de la chimie*, coll. *La Science et les hommes*, Paris, Messidor/La Farandole, 1991.

PERRIN, J., *Les Atomes*, rééd., Paris, Gallimard, 1970.

SALEM, L., *Molécule la merveilleuse*, Paris, InterÉditions, 1979.

▶ **Accélérateur de particules, Big Bang, Cristal, Laser, Nucléaire (Énergie-), Résonance magnétique nucléaire.**

3. Big Bang

Pendant des siècles, différentes sociétés humaines ont cru que l'univers — tout ce qui existe dans la nature, en fait — avait été créé par un Dieu (ou par des dieux). L'astrophysique a, depuis le XIXe siècle, montré que cet univers a une histoire et qu'il a connu, au cours des transformations ayant conduit à celui dans lequel nous vivons, plusieurs phases.

De l'observation du spectre *de la lumière des galaxies, l'astronome américain* Hubble *déduit en 1929 — en application de l'*effet Doppler *(voir art. 8) — l'hypothèse de* ***l'expansion de l'univers****. Notre univers actuel serait né (il y a environ 15 milliards d'années) de l'explosion gigantesque d'un « atome primitif ».*

C'est cette explosion que l'on appelle le ***Big Bang****. Elle donne lieu à différents scénarios sur l'histoire du monde depuis cet instant-origine : comment (et quand) les corps célestes (et ensembles de corps célestes) qui nous sont connus, se sont-ils formés, comment ils ont évolué depuis, qu'est-ce qui peut se passer dans un lointain avenir ?*

Le problème des **origines** (ici, celles de l'univers tout entier) a toujours préoccupé les sociétés humaines. Premières traces d'une réflexion sur ce sujet, les mythologies anciennes offrent généralement une esquisse de réponse à la question. Les sociétés occidentales — et toutes celles qui puisent pour une part leur inspiration dans la Bible, le monde musulman compris — gardent en mémoire (consciemment ou non) les premiers versets de la *Genèse* : *« Au commencement, Dieu créa le ciel et la terre »* ; ce qui signifie, ajoute le commentateur d'une édition française du livre, que Dieu, **à partir de rien**, crée la totalité de l'univers.

La majorité des astrophysiciens retient aujourd'hui l'hypothèse du **Big Bang**. Il ne s'agit plus de mythologie mais d'une théorie scientifique, découlant de l'hypothèse de **l'expansion**

de l'univers. Celle-ci est déduite de résultats inspirés par l'*effet Doppler-Fizeau* (voir art. 8). Cela n'interdit évidemment pas aux fidèles de l'exégèse biblique d'interpréter à leur manière les résultats de la science.

Petit glossaire des corps (ou des ensembles de corps) célestes

• **Amas :** — **d'étoiles** (voir ce mot et *astre*), ensemble d'étoiles qui se sont formées en même temps ;
— **de galaxies** (voir ce mot) : regroupement de galaxies.

• **Astéroïde** (ou petite planète) : corps solide de petites dimensions, gravitant autour du Soleil.

• **Astre :** traditionnellement, tout corps céleste. Serait plutôt maintenant utilisé pour désigner une *étoile* (voir ce mot).

• **Comète :** corps céleste solide, sans doute principalement constitué de glace (qui, en s'évaporant, donne l'impression que l'objet a une sorte de queue), tournant autour du Soleil sur une orbite très excentrée. La plus célèbre, la comète de Halley, passe à proximité de la Terre tous les 76 ans environ.

• **Constellation :** traditionnellement, un groupe d'étoiles semblant dessiner sur la sphère céleste des figures imaginaires (la *Grande Ourse*, etc.). Depuis 1927, les astronomes ont divisé le ciel en 88 parties qu'ils ont baptisées « constellations ».

• **Étoile :** le terme a longtemps désigné quantité d'objets célestes de nature différente. Il est plutôt réservé maintenant à un objet céleste émettant une importante quantité d'énergie. Le Soleil, par exemple, est une étoile moyenne qui rayonne une énergie due à la fusion thermonucléaire (regroupement de 2 noyaux d'hydrogène pour donner un noyau d'hélium).

• **Galaxies :** ensembles de grandes dimensions regroupant une très grande quantité d'étoiles, de planètes, et de matière spatiale de nature diverse (particules, etc.). Quand on met une majuscule au mot et que l'on écrit *la Galaxie*, cela désigne celle dont fait partie le système solaire, également appelée *Voie lactée* depuis l'Antiquité, à cause de son aspect.

• **Météorite :** solide appartenant au système solaire et qui peut percuter la Terre (ou une autre planète). Il est probable que certains objets en métal (ustensiles, outils, armes), datant des débuts du néolithique au Moyen-Orient (7000 à 8000 av. J.-C., c'est-à-dire bien avant l'apparition des métallurgies) sont d'origine météoritique (objets en fer, en particulier).

- **Nébuleuse :** à l'origine, amas de matière céleste confus, de contenus imprécis, et non identifiés (XVIIe-XVIIIe siècles). La puissance des instruments modernes d'observation a permis de reconnaître dans certaines de ces nébuleuses des galaxies, situées à plusieurs millions d'années-lumière de la Terre, dans d'autres des nuages de poussière et de gaz... L'une des plus célèbres, la *nébuleuse d'Andromède*, a ainsi été identifiée par Hubble en 1924 comme une galaxie.

- **Planète :** en toute rigueur, corps céleste du système solaire, décrivant une orbite elliptique autour du Soleil. Nous en recensons actuellement 9 : Mercure, Vénus, Terre, Mars, Jupiter, Saturne, Uranus, Neptune, Pluton (par ordre d'éloignement croissant du Soleil). Par analogie, on baptise aussi planètes des corps célestes du même type que l'on suppose tourner autour d'autres étoiles (mais aucune d'entre elles n'a, pour l'instant, pu être détectée).

- **Pulsar :** objet céleste qui émet des signaux électromagnétiques, relativement brefs (des « impulsions »), à intervalles de temps réguliers (donc périodiques). Ces signaux vont des ondes radio courantes aux rayons, en passant par la lumière visible et les rayons X.

- **Quasar :** objet céleste très lointain (le spectre de sa lumière est fortement décalé vers le rouge — voir les passages consacrés à Hubble dans le présent article et dans l'article 8), dont l'émission électromagnétique est très puissante. Sans doute, la partie visible du noyau d'une galaxie très active.

- **Trou noir :** objet céleste de très grande densité, dont le champ de gravitation est tel qu'il retiendrait tous les rayonnements et toute la matière passant dans son voisinage. Aucun trou noir n'a, pour l'instant, été formellement identifié.

- **Unités astronomiques :**
  — **l'année lumière :** unité de **longueur** = distance parcourue par la lumière en 1 année, soit $94.608.10^{8}$ km (9 460 800 millions de km = 9 460 milliards de km) ;
  — **le parsec :** unité de longueur astronomique. 1 parsec = 3,26 années-lumière = $3,08.10^{13}$ km.

La nébuleuse primitive de Laplace

Laissons de côté la longue histoire des conceptions religieuses et/ou philosophiques qui foisonnent de l'Antiquité au XVIIe siècle. Notons que la minutie et la patience de Tycho Brahé et ensuite les instruments astronomiques et les observatoires (conçus, réalisés et construits, à partir de Galilée et de Kepler) ont permis de découvrir quantité de corps célestes nouveaux (ou mal distingués auparavant) dont les astronomes n'ont pas, la plupart du temps, déterminé tout de suite la nature (voir art. 5, 6, 11, 13, 18, 20 et 21) : galaxies, comètes, nébuleuses…

La progression rapide de l'astronomie devait susciter de nouvelles hypothèses cosmogoniques, c'est-à-dire de nouvelles conceptions sur l'origine et (éventuellement) l'évolution de l'univers. On doit notamment une cosmogonie à Descartes, une autre plus intéressante à Buffon (Descartes est mort en 1650, Buffon a vécu de 1707 à 1788). Newton s'en tient au Dieu, *« grand architecte et mécanicien »*, devenu *« grand horloger »* chez Voltaire (voir art. 5, 11, 20 et 21). Le philosophe Emmanuel Kant rationalise en quelque sorte la construction. A l'origine est le Chaos, qui s'organise de lui-même sous l'influence de la gravitation universelle. Cela ne prouve pas l'existence de Dieu, mais ne la nie pas non plus.

S'inspirant des travaux de l'astronome anglais William Herschel (qui observait dans le ciel des *« nébuleuses »* dont il ne discernait pas la nature), le Français Pierre Simon de Laplace, adepte de la mécanique de Newton (voir art. 5 et 11), essaye de comprendre, à partir d'une théorie sur la constitution du système solaire, la manière dont l'univers s'est formé. Dans *Exposition du système du monde* (la première édition est de 1795), il envisage qu'une *nébuleuse primitive* soit à l'origine du système solaire. Son évolution ultérieure et son état actuel sont, dès le départ, inscrits dans sa réalité première, puisque **le tout est parfaitement déterminé** (voir art. 5) par les lois de la mécanique, de la gravitation universelle et de la nature en général. Cette conception, développée pour le système solaire, est extrapolable à l'ensemble de l'univers.

Les apports de la physique

Outre les instruments d'optique (lunettes astronomiques, télescopes…) devenus classiques depuis le XVIIe siècle et améliorés au XVIIIe, la physique a offert à l'astronomie en pleine expansion des techniques d'investigation qui, à partir du milieu du XIXe siècle, lui ont permis de faire un bond considérable. Ces techniques sont dérivées de la **spectroscopie** (voir art. 2, 8 et 13) et de la **photométrie**. Nous nous intéresserons surtout aux applications de la première de ces deux spécialités scientifiques.

La photométrie

La photométrie est la partie de l'optique qui s'intéresse à la **mesure des grandeurs caractéristiques de l'énergie d'un rayonnement électromagnétique** (puissance rayonnée ; flux lumineux ; éclairement d'une surface ; luminance ou brillance, c'est-à-dire ce à quoi l'œil est directement sensible).

Elle a été créée par le physicien français P. Bouguer en 1729.

Reposant essentiellement, pendant longtemps, sur des comparaisons entre sources grâce à la seule observation visuelle, elle bénéficie maintenant d'instruments découlant de technologies modernes (cellules photoélectriques, etc.).

Dès le début du XIXe siècle, Wollaston (1802) puis Fraunhofer (1814-15) étudient le spectre de la lumière solaire. Les physiciens vont bientôt pouvoir utiliser la **photographie** pour fixer des images, et notamment les spectres lumineux (la première photographie est obtenue par Niepce en 1822). En 1857, Swan montre que si l'on met un petit morceau de sodium dans une flamme, le spectre de la lumière émise par cette flamme contient **obligatoirement** deux petites raies parallèles et rapprochées (un *doublet*), d'un jaune très soutenu tirant un peu vers l'orangé. A l'inverse, la présence de ce doublet dans le spectre **démontre** la présence de sodium dans la source lumineuse.

Le sodium

Métal de numéro atomique **11**, de symbole **Na**, léger, liquide à la température ordinaire (son point de fusion est 0,8° C).

Lorsqu'il est en contact avec l'eau (même en faible quantité), il se produit une réaction violente avec formation de soude caustique (formule NaOH, jadis utilisée dans certaines lessives ou pour déboucher les éviers), qui est une substance dangereuse (voir art. 16, le paragraphe sur les surgénérateurs).

A l'état pur, il doit donc être conservé dans un liquide ne contenant pas d'eau (le pétrole, par exemple).

Le sodium est, avec le chlore, l'un des deux composants du sel marin (ou de cuisine, de formule NaCl).

L'étape décisive est franchie par deux savants allemands — Robert Bunsen et Gustav Kirchhoff — qui, généralisant l'étude de Swan sur le sodium, montrent que de l'étude d'un spectre on peut déduire la nature des éléments chimiques contenus dans la source, mais aussi celle des gaz traversés par la lumière dans son parcours, etc. (1859-1862). La technique peut servir l'**analyse chimique** des composés. Elle peut aussi conduire à **déterminer la nature des éléments constituant les corps célestes**, à partir de l'analyse du spectre de la lumière qu'ils émettent ou qu'ils réfléchissent.

Les savants ont ainsi réfuté une affirmation dogmatique du philosophe français Auguste Comte, décrétant que *« ...l'homme ne pourrait jamais connaître la substance des étoiles »*. Un exemple célèbre d'application de cette méthode est la découverte en 1869, grâce au spectre du Soleil, d'un gaz jusqu'alors inconnu sur la Terre, l'hélium (prévu par Mendeleïev dans sa classification — voir art. 2), et redécouvert sur notre planète en 1895 par Ramsay. La naissance de la discipline aujourd'hui baptisée **astrophysique** est concomitante de l'utilisation de la spectroscopie.

La meilleure connaissance de la lumière, celle des ondes électromagnétiques en général, ont permis à l'astrophysique de progresser notablement. L'étude des émissions de rayons infrarouges et ultraviolets, bien que techniquement et scientifiquement délicate, a apporté des connaissances supplémentaires. Après quelques tentatives dc détection infructueuses, suite aux travaux de Jansky (1933), les astronomes découvrent que les corps célestes émettent des ondes électromagnétiques de fréquences très inférieures à celles des lumières visibles. Après la fin de la Deuxième Guerre mondiale, les progrès réalisés lors de la fabrication des radars font de la **radioastronomie** un moyen d'investigation nouveau. La possibilité d'observer à partir de satellites artificiels, affranchissant ainsi les astronomes des perturbations dues à l'atmosphère terrestre, a amené une collecte d'informations et de données en nombre considérable. Les renseignements communiqués par les satellites mis en orbite autour de planètes autres que la Terre, par les sondes spatiales diverses, ont aujourd'hui beaucoup accru la connaissance de l'univers en regard de ce qu'elle était il y a quelques dizaines d'années. La physique quantique, la relativité généralisée font également partie des outils courants des astrophysiciens contemporains.

Effet Doppler-Fizeau et expansion de l'univers

En 1929, observant la lumière provenant de galaxies lointaines, l'astronome Hubble constate que les raies des spectres de ces galaxies sont *« décalées vers le rouge »*. Dans la théorie ondulatoire de la lumière, à chaque raie d'un spectre — et donc à chaque couleur — correspond une longueur d'onde (voir art. 13 et 17). Par exemple, une source lumineuse située sur la Terre et contenant du calcium ionisé émet une lumière dont le spectre contient une « raie », dite *raie K du calcium ionisé*, dont la longueur d'onde vaut 0,3934 micron. Dans le spectre de la lumière qui provient d'un amas de galaxies situé dans la constellation de l'Hydre, la même raie K du calcium ionisé correspond à la longueur d'onde de 0,4734 micron (1 micron = 1 millionième de mètre) (cité par R. Caratini). Donc, la longueur d'onde d'une couleur précise est plus grande dans la lumière qui nous parvient de ces galaxies que quand elle est émise par une source terrestre. Ce qui revient à dire que, sur l'écran ou la plaque photographique ayant fixé ce spectre, ladite raie K est plus proche de la raie rouge originelle qu'elle ne l'était sur le spectre obtenu en laboratoire à l'aide d'un tube approprié.

Le phénomène avait déjà été étudié par l'Américain Vesto Melvin Slipher entre 1912 et 1922. Il a été considéré comme une conséquence de l'effet Doppler-Fizeau : **si la longueur d'onde** de ladite lumière, **perçue par l'observateur terrestre** (à partir de l'étude du spectre), **s'accroît, c'est parce que la source qui l'émet** (l'amas de galaxies dans l'exemple cité) **s'éloigne de nous**. Hubble établit en 1929 que le décalage de la raie est d'autant plus grand que la galaxie est éloignée de l'observateur et en déduit une relation entre la vitesse d'éloignement de la galaxie et sa distance à la Terre.

C'est vrai de toutes les galaxies et la Terre n'ayant, en cette affaire, aucun rôle privilégié (sauf à revenir à la cosmologie géocentrique qui avait cours avant Copernic), cela veut dire que **les galaxies s'éloignent actuellement en permanence les unes des autres**. Ce qui a été traduit en disant que **l'univers** (ce que les astrophysiciens en perçoivent, du moins) **est en expansion**.

L'hypothèse avait été émise en 1917, à partir de la relativité généralisée, par de Sitter, et reprise en 1922 par Friedmann, puis Lemaître en 1927, mais tout à fait indépendamment des travaux de Slipher et de Hubble. Le rapprochement des deux composantes de ce qui va devenir la théorie de l'expansion de l'univers (actuellement reconnue comme quasi certaine par la très grande majorité des astrophysiciens, mais qui n'est quand même pas sûre à 100 %) sera effectuée ensuite, notamment par Eddington (dont il est aussi question dans l'art. 21).

Les décalages spectraux (vers le rouge) mesurés aujourd'hui sont beaucoup plus importants que ceux qui étaient détectés par Hubble. Ce qui, *a priori*, confirmerait l'hypothèse formulée. Mais il s'agit d'un problème extrêmement complexe pour lequel — on le comprendra aisément en songeant à la rapidité avec laquelle les moyens de l'astrophysique changent — **des revirements spectaculaires ne sont pas à exclure**.

Et, dans le cadre même de cette théorie, de multiples interrogations existent. Entre autres : cette expansion sera-t-elle indéfinie ? Autrement dit, actuellement, l'univers s'étend ; cela continuera-t-il à jamais ou, au contraire, sera-ce suivi d'une phase de contraction ? Le « poumon-univers » *se gonfle* maintenant, *se dégonflera-t-il* ensuite ? Depuis combien de temps est entamé ce processus, a-t-il eu un début, et quel est l'âge de l'univers sous la forme que nous concevons maintenant ? Dans quoi se fait l'expansion ?

L'âge de l'univers

E. Schatzmann précise qu'il ne s'agit que d'un *« ordre de grandeur »*, et conclut sur ce sujet en se demandant : *« la question* (celle de l'âge de l'univers) *n'est-elle pas elle-même un leurre ? »* A-t-elle un autre sens que celui de fixer la date de l'hypothétique *« Big Bang »* ? Par ailleurs, le nombre de milliards d'années est approximatif (on n'en est pas à un milliard d'années près) et dépend du scénario choisi.

Le chiffre le plus répandu est de **15 milliards d'années** (système solaire : 10,5 milliards d'années ; Terre : 4,6 milliards d'années...).

Le « Big Bang »

L'appréhension du temps (de la durée, non du temps qu'il fait) est — tous les pédagogues le savent — extrêmement difficile. Pour l'enfant, tout commence quand il naît. Et, malgré l'aide que peut lui apporter l'histoire, dans le fond de lui-même, l'adulte « sent-il » différemment ? Pouvons-nous, par ailleurs, accepter vraiment qu'il puisse y avoir un « après nous » ?

Toutes proportions gardées, il en est un peu de même en ce qui concerne l'histoire de l'univers, du moins tel que nous le connaissons aujourd'hui. La théorie de l'expansion permet, jusqu'à une certaine limite, de formuler des hypothèses valables sur le passé. Ces hypothèses sont fiables pour les quelques millions d'années qui ont précédé la constitution du monde que nous connaissons. Mais plus l'on remonte le temps, plus les incertitudes grandissent, même si les scénarios proposés demeurent crédibles.

A tout processus, nous dit le bon sens, il faut un début. Le chanoine Georges Henri Lemaître émet en 1931 l'idée de l'existence, à l'origine de l'univers, de ce qu'il appelle *« l'atome primitif »*. En 1948, un peu dans la même optique, le physicien américain d'origine soviétique, G. Gamow (également auteur d'excellents ouvrages de vulgarisation scientifique), formule l'hypothèse dite du **Big Bang**. A *« l'instant zéro »* (si l'on peut dire) de l'histoire de l'univers actuel (ou de l'expansion de cet univers, si l'on préfère), toute la matière (sous toutes ses formes) de ce qui constituera ensuite le monde (concentrée dans un espace extrêmement petit — 10^{-30} mètre — et donc d'une densité inimaginable) aurait *« explosé »* (le terme est très faible car le phénomène aurait été extraordinairement puissant, inconcevable pour nous ; le mot pertinent n'existe donc pas dans notre vocabulaire). Le « modèle standard » se déclare incapable de décrire ce qui a pu se passer pendant les 10^{-43} premières secondes. Il suppose seulement que, pendant ce temps, les quatre interactions fondamentales (voir art. 1) étaient indifférenciées (et regroupées dans ce que certains appellent la *superforce*). Entre 10^{-43} et 10^{-35} seconde, l'incertitude la plus complète subsiste. L'expansion commencerait à partir de 10^{-35} s. La température baisse (très relativement ; à 10^{-43} s. elle aurait été de 10^{32} kelvins). La taille de l'univers croît (elle doublerait toutes les 10^{-33} s.). Cela se traduit, entre autres, par un énorme dégagement d'énergie, la force de gravitation se distinguant alors des autres interactions fondamentales (voir art. 1, 11 et 20). A 10^{-32} s., l'ensemble atteint *« la taille d'une grosse orange »* (R. Caratini), les interactions forte et électro-faible se différencient, et des particules (quarks…) commencent à apparaître dans ce que les cosmologistes baptisent la *« soupe primordiale »*.

10^{-43} seconde

« *La durée d'un éternuement occuperait un milliard de milliards de milliards de fois plus de temps dans l'histoire entière de l'univers que 10^{-43} seconde n'occuperait dans une seconde* » (T.X. Thuan, cité par A. Hurwic).

Poursuivons ce survol : entre 10^{-11} s. et 10^{-5}, la densité a diminué et est de l'ordre de celle des actuels noyaux atomiques ; les particules existantes sont celles que nous connaissons. Au cours des 3 minutes suivantes apparaissent les noyaux d'hydrogène et d'hélium. 100 000 ans plus tard, les premiers atomes se constituent. Il faut attendre (environ) 1 milliard d'années pour que, du fait du rôle croissant de la gravitation, se forment l'ébauche de ce qui deviendra les galaxies (les protogalaxies) et les quasars. Le système solaire apparaîtrait vers 10,5 milliards d'années.

Ce récit, d'apparence quelque peu surréaliste, n'est pas la conséquence de la fantaisie de quelques astrophysiciens farfelus. Il résulte de l'application des théories quantiques, de la relativité généralisée, aux données dont on dispose actuellement. Plusieurs points ont été vérifiés, confirmant ainsi les aspects correspondants de la théorie. Il en est ainsi de ce que l'on a appelé le *rayonnement fossile*, qui baigne tout l'univers qui nous est observable, et dont Gamow avait prédit l'existence. Il correspond à l'émission d'un *corps noir* (sur ce concept, voir art. 18, encadré) dont la température serait de 2,734 kelvins (on dit indifféremment *kelvin* ou *degré kelvin* ; rappelons que, par rapport à l'échelle Celsius des thermomètres, l'échelle Kelvin a son zéro à – 273,16 degrés Celsius). Ce rayonnement proviendrait de régions de l'espace situées à la limite de notre horizon et d'une époque de l'histoire du monde où la température était de l'ordre de 4 000 kelvins. Ce rayonnement a effectivement été découvert par R. Wilson et A. Penzias, chercheurs américains, en 1965.

Les extrapolations idéologiques

La cosmologie, l'origine de l'univers et son évolution, etc., ont toujours donné lieu, notamment dans le cadre des religions, à des interprétations ésotériques, à des extrapolations mystiques, etc. *L'Harmonie du monde* de Kepler n'échappe pas entièrement à cette tendance, de même que le grand ouvrage de Newton, *Principes mathématiques de la philosophie naturelle* (voir art. 5). Le Big Bang peut être utilisé par ceux que l'on appelle les *créationnistes* (qui sont persuadés que l'univers, la vie, l'homme, etc., ont été créés, tels qu'ils sont aujourd'hui, par un Dieu, sans avoir évolué depuis cette création).

En 1951, le Pape Pie XII avait déclaré que l'*atome primitif* de Lemaître **démontrait** l'existence de Dieu. Plus récemment, le philosophe chrétien C. Tresmontant a exploité dans le même sens l'hypothèse du Big Bang. Les exemples de ce type sont légion. Ils se contentent, du reste, de substituer à des questions d'ordre scientifique (dont on aura peut-être un jour la réponse) des constructions irrationnelles qui sont, elles, par définition, des *mystères*. Nous retrouvons donc ici les questions posées précédemment : si la colossale explosion de la particule originelle constitue le début de l'édification de notre univers actuel, qu'y avait-il avant cet instant ? L'expansion s'effectue dans un espace (infini ou non ? Et, s'il est fini ; qu'existe-t-il autour ?). Comment était cet espace avant le Big Bang ? Comment est-ce au-delà de notre horizon ?, etc. Broder sur une exégèse de la Bible (ou d'un autre livre sacré) ne fournit aucune solution.

Notre horizon

Les signaux lumineux (et électromagnétiques en général) nous parviennent à la vitesse de 300 000 km/s. L'écart entre l'émission et la réception n'est que de 8 minutes pour le Soleil. Il est de 2,2 millions d'années pour Andromède et bien davantage pour des galaxies plus éloignées. Ce que nous voyons aujourd'hui d'Andromède s'est donc passé il y a 2,2 millions d'années. Il arrive que nous puissions voir des étoiles qui ont disparu depuis longtemps.

La limite de notre vision est fixée par un décalage spectral correspondant à la fuite d'une galaxie à une vitesse égale à celle de la lumière. C'est **notre horizon** : nous ne pouvons pas voir ce qui se passe au-delà, ce qui ne veut pas dire qu'il ne s'y passe rien ; seulement, **c'est hors de portée de nos instruments d'investigation** et, selon la théorie de la relativité, ça le restera !

Un avenir imprévisible

Comme le montrent les quelques hypothèses et événements récents évoqués, **l'astrophysique est une science en mouvement très rapide**. Il est donc possible — sinon probable — qu'une partie non négligeable de ce qui est exposé dans le présent article devienne rapidement caduque. Histoire à suivre..., comme il est écrit dans le cours des feuilletons, et à suivre attentivement. Les amateurs de surprises ont peu de risques d'être déçus. Si certaines sciences peuvent, dans leur déroulement, revêtir un caractère fastidieux et mornement logique, ce n'est pas le cas ici. S'il est un domaine qui se prête encore au rêve, c'est bien celui-là...

REPÈRES

ASIMOV, I., *L'Univers de la science*, trad. franç. Paris, Inter-Éditions, 1986.

BIBRING, J.P., *La Terre et les planètes*, Paris, Messidor/La Farandole, 1990.

CARATINI, R., *Dictionnaire des découvertes*, Paris, Édition n° 1, 1990.

GISPERT, R., *Étoiles et galaxies*, Paris, Messidor/La Farandole, 1990.

HURWIC, A., *50 mots de la physique*, Paris, Desclée de Brouver, 1990.

PECKER, J.C., *Clefs pour l'astronomie*, Paris, Seghers, 1981.

PECKER, J.C., *Le Promeneur du ciel*, Paris, Stock, 1992.

REEVES, H., *Patience dans l'azur*, Paris, Seuil, 1981.

SCHATZMANN, E., *L'Expansion de l'univers*, Paris, Hachette, 1989.

VERDET, J.P., *Une Histoire de l'astronomie*, Paris, Seuil, 1990.

WEINBERG, S., *Les Trois premières minutes de l'univers*, Paris, Seuil, 1979.

WITKOWSKI, N. et al., *L'État des sciences et des techniques*, Paris, La Découverte, 1991.

La Recherche en astrophysique, collectif, Paris, Seuil, 1977.

▶ **Accélérateur de particules, Chaos (Théorie du-), Cristal, Doppler (Effet-), Gravitation, Laser, Onde, Photoélectrique (Cellule-), Relativité, Technosciences.**

4. Bioéthique

Le développement extraordinaire des sciences et de leurs applications technologiques suscite, de nos jours, des interrogations nouvelles sur leurs utilisations et leurs implications éventuelles. Si les chercheurs scientifiques ne sont pas directement responsables de l'usage fait de leurs découvertes par tel ou tel système économique ou politique, ils le sont quand même indirectement. Sans eux, le bombardement d'Hiroshima, par exemple, ne se serait pas produit. D'où la nécessité d'une éthique de la science, ou plutôt d'une éthique de l'institution scientifique.

Le problème revêt une dimension particulière en biologie. D'une part, parce que tout ce qui concerne la ***vie*** *(et principalement celle des humains) a une importance spécifique (voir art. 10 et 25). D'autre part, à cause de quelques applications inquiétantes dont l'histoire nous montre la possibilité. Il y a, de plus, une incertitude liée à l'insuffisance des connaissances actuelles sur les processus génétiques. Cela explique l'originalité de la bioéthique, dans le cadre d'une exigence relative à toutes les sciences.*

Le mot *bioéthique* aurait été, selon Anne Fagot-Largeault, utilisé pour la première fois en 1971 par E. Potter. Le titre du livre de Madame Fagot-Largeault — *L'Homme bioéthique. Pour une déontologie de la recherche sur le vivant* — définit clairement sa signification. Les transformations très rapides de la biologie et de la génétique (voir art. 10 et 25) mettent les scientifiques — mais aussi les législateurs et ceux que l'on appelle, à tort ou à raison, les *autorités morales* — devant des responsabilités nouvelles et difficiles à assumer. Les choix à faire, en effet, comportent souvent des espoirs mais aussi des risques.

La question n'est pas récente, même si elle atteint maintenant une acuité particulière. Elle n'est pas le fait, non plus, de la seule biologie.

La déontologie

La déontologie est un ensemble de **règles** (essentiellement morales) **que l'on se fixe dans le cadre d'une activité**, d'une profession, et qui sont (ou qui devraient être) admises et appliquées par l'ensemble de ceux qui exercent cette activité ou cette profession.

Par exemple, la déontologie du médecin implique le secret médical, le secours à une personne malade même si celle-ci ne peut pas le rétribuer, etc.

La déontologie de l'homme politique devrait comporter le respect des engagements pris, le refus de percevoir des « pots de vin » pour aider à telle ou telle prise de décision...

Expression d'un code moral admis par tous les intéressés, la déontologie dépend évidemment de la société dans laquelle ils vivent.

Le « syndrome de Szilard »*

L'histoire de la mise au point des armements nucléaires est évoquée ailleurs dans le présent livre (voir art. 16). Le physicien hongrois Leo Szilard, persécuté dans son pays par le pouvoir néo-nazi en place et réfugié en Angleterre, a imaginé en 1939 (après la découverte de Hahn et Stressman) que la fission nucléaire pouvait permettre de fabriquer des armes d'une puissance de destruction extraordinaire. Sa première réaction a été d'écrire à tous les atomistes du monde pour leur demander d'arrêter leurs recherches ou, tout au moins, de ne plus rien publier à leur sujet. En vain. Un scientifique est un individu comme un autre, soumis comme chacun à l'influence de l'opinion et susceptible de comportements discutables comme toute autre personne. En l'occurrence, les recherches concernées intéressaient vraiment les principaux protagonistes (l'histoire des familles Curie et Joliot, par exemple, est, pour une large part, celle d'une passion pour la Science). Ils étaient, par ailleurs, convaincus que, si eux-mêmes arrêtaient ce travail, certains de leurs concurrents ne le feraient pas et les devanceraient. Un très vif esprit de compétition existait déjà entre les chercheurs. Il faut dire aussi à leur décharge que la majorité

* Ou de Testart, si l'on veut.

d'entre eux ne croyaient pas, du moins à court terme, à la possibilité envisagée par Szilard.

Devant l'échec de sa tentative, épouvanté par l'éventualité de la possession de l'arme atomique par les nazis, Szilard a alors jugé qu'il était préférable d'inciter un pays démocratique à la fabriquer. N'ayant pas été écouté en Angleterre, il a émigré aux États-Unis pour demander à Albert Einstein d'écrire au président américain F.D. Roosevelt. Einstein était connu pour son pacifisme militant courageux. Il avait fui l'Allemagne nazie en 1933. Convaincu par son collègue, non suspect de militarisme belliciste, d'une très grande notoriété scientifique, sa lettre obtint le résultat que Szilard recherchait. Le *Projet Manhattan*, dirigé sur le plan scientifique par R. Oppenheimer et sur le plan militaire par le général Grove, était né.

En 1945, l'Allemagne était battue et la résistance du Japon ne pouvait pas durer au-delà de quelques mois. Trois bombes étaient prêtes et leurs effets éventuels étaient largement indéterminés. Szilard reprit son bâton de pèlerin et obtint que de nombreux scientifiques (dont Einstein) signent une lettre au Président Truman, lui demandant de faire une démonstration devant des observateurs internationaux mais de ne pas lancer la bombe. On sait ce qu'il en advint. Une nouvelle tentative fut faite plus tard (et avec l'appui de R. Oppenheimer) pour que le pouvoir américain ne s'engage pas dans la mise au point de la bombe H. Sans plus de résultat ! Szilard, Oppenheimer et quelques autres furent inquiétés plus tard par la commission dite *« des activités anti-américaines »* (dirigée par le sénateur Mc Carthy).

Tous les ingrédients d'une prise de conscience des responsabilités des chercheurs scientifiques sont réunis là. L'éthique de Léo Szilard est en l'occurrence incontestable ; mais son inefficacité historique est également patente.

Le rapport de la science au militaire, depuis 39-45, s'est terriblement accentué (voir art. 23). Faut-il — ou non — que les scientifiques y participent ? Si les physiciens sont impliqués, les chimistes (les explosifs, les carburants de fusées, les gaz toxiques pendant la guerre de 14-18 et celle, plus récente, de l'Irak contre l'Iran), les biologistes (défoliants, germes susceptibles de provoquer des épidémies et autres « armes bactériologiques ») le sont également. La liste des spécialistes concernés est longue et inclut même les ethnologues et les linguistes (pour la répression des luttes de libération).

Le chercheur, qui se demande s'il doit participer à ce genre d'activité, est libre de refuser. Il sait que cela peut avoir des conséquences sur la vie de son laboratoire et sur l'emploi des membres de son équipe. Il sait aussi que ce qu'il rejette sera très probablement effectué par d'autres. Mais, sur le plan moral (éthique), sa position peut être sans ambiguïté.

Le problème est moins clair dans d'autres domaines. Si le caractère néfaste de l'eugénisme du passé est évident, il est loisible de s'interroger sur le devenir de ce que l'on appelle les « manipulations génétiques » ou de certaines techniques de procréation.

L'eugénisme du XIXe siècle à nos jours

La théorie de Darwin (voir art. 25) a eu quelques postérités surprenantes, découlant souvent d'extrapolations dues à des idéologies tout à fait étrangères à l'inspiration du fondateur véritable de l'évolutionnisme. L'une d'entre elles est le récent et aberrant « darwinisme social » ou *sociobiologie*. Une autre — plus ancienne mais à laquelle les découvertes nouvelles donnent une actualité inquiétante — est l'eugénisme.

La sociobiologie

Idéologie pseudo-scientifique, développée en 1975 par l'Américain E. Wilson, la sociobiologie veut transposer dans le domaine des relations sociales des conceptions prétendument inspirées par le darwinisme (voir art. 10 et 25). En fin de compte, elle **tente de fonder les différenciations sociales sur des bases génétiques**. C'est une version, présentée sous le couvert de vocables empruntés aux sciences contemporaines, de vieilles conceptions racistes.

Son fondateur est un parent de Darwin, Francis Galton, qui le définit en 1904 comme *« l'étude des facteurs socialement contrôlables qui peuvent élever ou abaisser les qualités raciales des générations futures, aussi bien physiquement que mentalement. »*

En substance, s'inspirant des résultats de la biologie de la fin du XIXe siècle, l'on essaierait, en sélectionnant sévèrement des hommes et des femmes destinés à s'accoupler et à se reproduire, d'améliorer la *race*, de faire croître l'intelligence et les aptitudes physiques des individus, tout en éliminant tous ceux qui ne seraient pas conformes aux normes retenues.

Les « races » humaines

Nous pouvons lire dans de vieux livres de géographie que l'espèce humaine comprend quatre races : blanche, jaune, noire et rouge, qui seraient *« naturellement inégales »*, notamment dans le domaine intellectuel (la blanche étant — évidemment — la race *« supérieure »*). Très en vogue au XIXe siècle (y compris chez des personnes considérées comme politiquement progressistes — Ernest Renan et Jules Ferry, par exemple), cette thèse servait, entre autres, à justifier la colonisation (et l'esclavage chez certains). Quelques auteurs ont prétendu lui donner un fondement scientifique.

La génétique moderne montre que les patrimoines génétiques sont souvent plus différents entre deux Français dits *« de souche »* et dont les ancêtres étaient, semble-t-il, issus du même terroir, qu'entre l'un de ces Français et un paysan sénégalais, un Japonais ou un Indien. La couleur de la peau, souvent prise comme référence, n'est qu'un facteur très secondaire (il concerne **8 à 10 gènes sur quelques dizaines de milliers)**, dépendant de la densité plus ou moins grande d'un seul pigment — la mélanine — dans l'épiderme.

Des tentatives ont été faites dans ce sens. A. Jacquard cite un village de l'île de Bali, isolé depuis le XIVe siècle, où « il est interdit aux porteurs de "tares" (cécité, bec-de-lièvre, lèpre, oreille déchirée,...) de participer à la procréation ».

L'Allemagne nazie a fait, dès 1933, de l'eugénisme une doctrine officielle, inscrite dans des textes législatifs. Certains individus, jugés *« tarés »*, étaient éliminés. Le génocide perpétré à l'égard des Juifs et des Tziganes est, entre autres, une application de cette théorie.

Parallèlement, des milliers de petites filles — jugées *« satis-*

faisantes » sur le plan racial — étaient enlevées à leurs familles en vue de les faire engrosser ultérieurement par de jeunes S.S., considérés comme de *« purs aryens »*. Elles devaient être tuées après avoir eu trois enfants. Des jeunes gens blonds, aux yeux bleus, etc., furent sélectionnés pour engendrer les Allemands parfaits de l'avenir...

Malgré les horreurs perpétrées par le nazisme et son effondrement sanglant, de telles idées n'ont pas disparu. Comme l'écrivait Bertold Brecht, *« Le ventre est encore fécond d'où est sortie la bête immonde. »* La haine de tous ceux qui sont différents de nous, professée par les actuels mouvements d'extrême-droite, la politique de *« purification ethnique »* de certains dirigeants de l'ex-Yougoslavie, sont de même nature que le projet hitlérien. De telles idées ont, en leur temps, été défendues par des scientifiques quelquefois éminents, tels le Français A. Carrel (Prix Nobel de médecine 1912) et l'Allemand O. Von Verschner (au moment de la dernière Guerre mondiale).

Ces essais, désastreux quant à leurs conséquences, disposaient de connaissances scientifiques insuffisantes pour être efficaces à long terme, s'ils avaient pu être poursuivis. « *L'eugénisme*, écrit A. Jacquard, *est sans doute l'exemple extrême d'une utilisation perverse de la science* ». Limitée dans ses possibilités il y a cinquante ans, cette utilisation pourrait bien, dans un avenir proche, se révéler redoutablement opérationnelle.

Les « vaches-pis » et les « hommes-cerveau » de René Barjavel

La littérature de science-fiction (ou d'anticipation, si l'on préfère), quelquefois même le roman policier (*Et mon tout est un homme !*, de Boileau-Narcejac), a donné libre cours à son imagination à propos d'interventions possibles, grâce à la science, sur l'évolution des êtres vivants et sur l'utilisation d'organes prélevés, etc. Barjavel, dans *Le Voyageur imprudent*, imagine des descendantes de nos vaches d'aujourd'hui qui seraient réduites à un pis, des humains réduits à un cerveau, etc. On peut citer aussi Herbert George Wells, *L'Ile du Docteur*

Moreau, Aldous Huxley, *Le Meilleur des mondes*, en se limitant aux classiques.

Sans aller aussi loin que Barjavel qui ramenait un être vivant à une fonction unique, les éleveurs et les agriculteurs contemporains ont, grâce aux connaissances de l'agronomie moderne, sélectionné des espèces particulièrement « productives ». La quantité y trouve son compte, la qualité plus rarement (sauf quand c'est elle qui est visée ; voir, par exemple, les améliorations apportées aux vins par l'œnologie depuis une trentaine d'années).

Mais ce qui est acceptable quand il s'agit d'animaux (à condition de ne pas dépasser des limites raisonnables), est rapidement plus discutable quand cela concerne des êtres humains.

Il est apparemment possible de détecter, dès les débuts de la grossesse, certaines anomalies des fœtus. Ce n'est pas choquant *a priori* d'éliminer, peu de temps après une conception qui peut être involontaire, un embryon qui deviendra un être humain appelé à souffrir une existence abominable. Ceci étant, à quel stade faut-il situer l'anormalité ? Un « mongolien » sera toute sa vie dépendant, même si l'on sait maintenant qu'il est capable d'apprendre nombre de choses. Pour autant, sachant qu'il naîtrait ainsi, aurait-il fallu arrêter la grossesse de sa mère ? Si la réponse est relativement évidente dans les cas extrêmes, l'on débouche vite sur des interrogations dès que l'on s'en écarte. Peut-on, et faut-il, légiférer à ce propos ?

Il sera bientôt faisable de choisir, « à la carte », une fille ou un garçon, un enfant aux yeux verts ou marrons, aux cheveux bruns ou blonds... Il est dès à présent possible de déterminer le sexe du futur nouveau-né, longtemps avant qu'il ne vienne au monde... Ce n'est pas sans danger. Dans certains systèmes aberrants, les conséquences de ces possibilités peuvent être redoutables !

La réponse est simple si l'on peut, grâce à une intervention précoce, éviter à l'individu qui va naître une anomalie ou une maladie génétique. Mais la connaissance acquise dans ce but, les techniques mises au point dans le même cadre, peuvent aussi être utilisées à des fins bien plus discutables. A. Jacquard explique ailleurs qu'il serait possible de provoquer la formation de vrais jumeaux, mais dont l'un serait en quelque chose « *déshumanisé* ». Ayant ensuite une existence végétative, il servirait de *« réservoir d'organes »* au cas où l'autre — le *« vrai humain »* — aurait besoin d'une greffe de l'un de ces organes, lequel serait alors automatiquement compatible. On peut aussi imaginer la gestation de « monstres » de divers ordres, pour des usages auxquels ne se prêteraient pas des humains, pour fabriquer des esclaves parfaitement dociles, par exemple.

Procréation artificielle, procréation assistée...

Dans des cas de couples stériles et désirant très fortement avoir un enfant, différentes techniques ont, depuis quelques années, fait la une des journaux : traitements médicamenteux provoquant parfois la formation de triplés, de quadruplés ; insémination artificielle de la mère par le sperme d'un « donneur » anonyme ; insémination en laboratoire d'un ovule prélevé, réimplanté ensuite chez la mère ; insémination artificielle d'une « mère porteuse » (dans le cas d'une stérilité de la femme, l'ovule venant en théorie de celle qui deviendra la « mère légale » et non de la mère porteuse) par le sperme du mari... Le dernier cas cité est plus que discutable et fait maintenant l'objet d'une législation spécifique. A propos des autres, qui ne sont pas choquants en eux-mêmes, peut-être doit-on estimer que trop de moyens sont ainsi dépensés, et beaucoup de connaissances scientifiques mises en jeu, alors que des milliers d'enfants abandonnés pourraient être adoptés.

Dérapages... non contrôlés

Sans aller jusqu'à l'abomination que représentent les « armes bactériologiques » (c'est-à-dire la diffusion de microbes susceptibles de provoquer des épidémies désastreuses dans un pays ennemi, ou simplement rival avec le risque de la propagation de la maladie dans d'autres pays, voire chez l'agresseur lui-même, les microbes, comme les gaz radioactifs, ignorant les frontières), les manipulations génétiques ne sont sans doute pas sans risques. Les mutations, dans ce secteur, ne sont pas mécaniques ni toujours parfaitement programmables. Même si la première d'entre elles est bien contrôlée, rien ne dit que ne se produiront pas, ensuite, d'autres transformations. Imprévisibles quant à leur déclenchement, quant à leur processus, elles peuvent l'être aussi quant à leurs résultats. Il en est un peu comme des déchets radioactifs, enveloppés dans un conteneur de protection et stockés dans un lieu où l'on ne peut plus les surveiller en permanence (dans une fosse sous-marine, dans une fissure géologique, dans une mine de sel abandonnée...). Les physiciens atomistes peuvent approximativement prévoir ce qui se passera dans les années à venir. Ensuite, l'incertitude est grande, quoiqu'en disent les « experts » d'E.D.F. (Électricité de France) ou ceux d'autres pays.

Nous avons pu constater en 1991 la fiabilité d'affirmations de ce type à propos du sous-marin soviétique coulé dans l'Atlantique. Les matériaux radioactifs étaient soi-disant assez protégés pour rester indéfiniment à l'abri sous les eaux. Mais, au bout de vingt ans, des fissures se sont produites et du strontium radioactif a diffusé ! Et, contrairement à ce que l'on peut lire ou entendre, les ingénieurs soviétiques n'étaient pas plus incompétents que les autres. Les premières centrales nucléaires françaises, par exemple, n'étaient pas beaucoup plus sûres que celle de Tchernobyl.

Or donc, en ce qui concerne les mutations génétiques, il est possible (sans que cela soit certain, ni même probable, mais le risque existe) que l'avenir nous réserve des surprises désagréables.

Le bruit a couru que l'origine du SIDA était une fuite d'un laboratoire militaire de fabrication d'armes bactériologiques. Il semble que l'hypothèse ne soit pas fondée. Ceci étant, elle n'était pas invraisemblable. Les mésaventures vécues ces dernières années dans la lutte contre des fléaux qui, comme le paludisme, étaient jugés éradiqués il n'y a pas si longtemps, la résistance acquise par des microbes à l'égard d'antibiotiques qui les détruisaient auparavant, illustrent à l'évidence cette réalité : **les processus biologiques sont, pour nombre d'entre eux, encore mal maîtrisés par les chercheurs**, plus mal encore que ceux de la microphysique. Cela ne veut pas dire qu'il faille arrêter les recherches dans ce domaine, ni cesser de traiter les maladies microbiennes par des antibiotiques. Non, mais il faut prendre des précautions suffisantes et éviter de jouer les apprentis-sorciers dans un secteur aussi sensible et aussi aléatoire.

Vers une réponse institutionnelle ?

L'ampleur des problèmes posés a conduit fréquemment à des revendications formulées aux pouvoirs publics. La constitution, en France, d'un *Comité National d'Éthique*, vise à fonder une instance consultative susceptible de formuler des avis sur ces sujets. L'organisation, par ailleurs, du Mouvement universel de la responsabilité scientifique (M.U.R.S.) a pour objets la consultation des intéressés eux-mêmes et la définition d'une instance pouvant intervenir efficacement. D'autres initiatives allant dans le même sens peuvent être citées, telle la décision de J. Testart (appelé par les médias *« le père des bébés-éprouvettes »*) de cesser de travailler sur les procédés qui l'ont fait connaître du grand public.

Toutes ces actions, ces structures mises en place, sont susceptibles de favoriser des décisions (positives ou négatives). Il est moins certain qu'elles constituent l'amorce de la définition d'une réponse globale. Les interrogations sont trop complexes, elles mettent en œuvre trop d'acteurs et d'**intérêts** divergents (économiques, politiques, moraux...), pour espérer autre chose qu'une prise de conscience de l'ensemble de la société et des réponses au coup par coup aux problèmes soulevés.

REPÈRES

JACQUARD, A., *Éloge de la différence. La génétique et les hommes*, Paris, Seuil, 1978.

LORIOT, N., *Irène Joliot-Curie*, Paris, Presses de la Renaissance, 1991.

PARIZEAU, M.H., dir., *Les Fondements de la bioéthique*, Bruxelles, De Boeck, 1992.

TORT, P., dir., *Misère de la sociobiologie*, P.U.F., 1986.

▶ **Atome, Écosystème, Gène, Neurosciences, Nucléaire (Énergie-), R.M.N., Technosciences.**

5. Chaos (Théorie du-)

Le « projet » de la science a toujours été de rechercher l'ordre régnant dans la nature et d'établir les lois *de cette dernière. Son expansion, à partir de Galilée, a conduit à l'expression d'un* **déterminisme absolu**, *dont la formulation la plus caractéristique est celle de l'astronome français Pierre Simon de Laplace.*

L'étude des gaz au XIXe siècle, celle de la physique du noyau au XXe (avec notamment, l'énoncé des **relations d'indétermination** *par Heisenberg et la construction de la physique quantique) ont conduit les scientifiques à remettre en cause cette conception.*

Le travail fait par Henri Poincaré au début du siècle sur le « problème des 3 corps » (une planète attirée fortement par 2 astres) le conduisit à démontrer que, pour une question débouchant sur des équations en principe très classiques, il aboutit à une multiplicité de trajectoires possibles, la moindre modification minime des conditions initiales *changeant la courbe.*

Reprise grâce à des moyens scientifiques considérablement plus puissants par le physicien météorologiste américain E. Lorenz (« l'effet papillon *»), la question de Poincaré débouche sur la* **théorie du chaos** *(dit «* déterministe *» dans ce cas) qui a aujourd'hui des applications dans de multiples domaines.*

« *Le progrès est le développement de l'ordre* », écrivait au siècle dernier le philosophe Auguste Comte. Son injonction vise les mœurs (« *l'ordre moral* ») et la société. Elle concerne aussi les sciences. Elle est formulée, il est vrai, à une époque où le déterminisme règne en maître, même si les interrogations qui apparaissent dans les sciences (et notamment en physique) ébranlent çà et là les solides certitudes des savants. Comte et le positivisme reflètent un courant idéologique dominant dans la société bourgeoise du XIXe. Les mêmes tendances se retrouvent chez d'autres auteurs. Karl Marx, prolongeant la pensée de Hegel, croit aux « *lois de l'Histoire* », à l'image des « *lois de la Nature* » sur lesquelles insistera davantage Friedrich Engels.

Les temps ont changé, à la fin du XIXe siècle, comme nous venons de le dire, mais plus encore au XXe. Cela tient à des questions nouvelles (liées, par exemple, à la physique de l'infiniment petit), mais aussi à la reprise de questions plus classiques ; l'un des créateurs de l'actuelle science du chaos est Henri Poincaré, mathématicien et physicien (1854-1912) ; parmi les domaines abordés au départ figurent la turbulence (chapitre de la mécanique des fluides), la mécanique céleste... Et cela touche maintenant aussi bien les mathématiques, l'informatique, la biologie, que la physique.

Le déterminisme et la science, de l'Antiquité au XVIIIe siècle

> **« La science traditionnellement, est perçue comme une activité qui vise à découvrir l'ordre de la nature. Tâche difficile, puisque cet ordre est souvent dissimulé. Mais tâche dont le but idéal est sans équivoque : tout ce qui est opaque doit devenir transparent, tout ce qui est confus doit être remis en ordre... Mais, aujourd'hui, les scientifiques s'intéressent au « désordre » sous toutes ses formes : et l'idée même d'élaborer une « science du désordre » prend consistance (P. Thuillier).**

L'idée (quelque peu métaphysique [1], il faut le dire) d'une détermination (d'une « programmation » au sens de l'informatique), de tout ce qui se passe dans l'univers, n'est pas nouvelle. Le seul fragment qui nous reste de « l'*atomiste* » Leucippe (460-370 av. J.-C.) est : « *Rien ne se produit vainement, mais tout se produit à partir d'une raison et en vertu d'une nécessité* ».

A partir du moment où, dans la philosophie des sciences, apparaît l'idée d'une explication globale de l'univers, fondé par un « démiurge » (un créateur), qui en conduit les événements, en dirige les changements, un déterminisme déiste est mis en place. L'univers d'Aristote est une sorte d'horloge, clos par la

1. Le mot *métaphysique* se rencontre dans de multiples sens. Ici, nous voulons dire que la conception développée dépasse (*transcende*, pour utiliser un vocabulaire philosophique, ou *est au-delà de*) la raison humaine.

«*sphère des étoiles fixes*», et mis en marche par le «*Premier Moteur*» (c'est-à-dire par le Dieu suprême). La même idée se retrouve dans les grandes religions monothéistes du Moyen Age (judaïsme, christianisme, islam).

La Révolution Scientifique des XVIe-XVIIe siècles (voir art. 21), tout en changeant le mode de raisonnement, ne modifie pas fondamentalement ces aspects, même si une tendance à l'athéisme apparaît chez quelques auteurs (Gassendi, Cyrano de Bergerac, Spinoza). L'identification des sciences à la mécanique classique, le règne du *mécanisme*, vont dans ce sens (voir art. 20 et 21). A la fin du XVIIe et au XVIIIe siècles, domine, dans les pays européens, la **philosophie naturelle**. L'une de ses formes est exposée dans la conclusion des *Principes mathématiques de la philosophie naturelle* (1687) de Newton. Ce dernier explique que les lois de la mécanique, celle de la gravitation universelle, l'harmonie qui règne dans le Monde, etc., **prouvent** l'existence d'une intelligence supérieure qui régit ce fonctionnement : **les lois de la science tendent donc à démontrer l'existence de Dieu.** Une autre forme, très voisine, apparaît chez Voltaire (au demeurant très newtonien). Le fonctionnement de l'univers de la science classique est, comme celui d'Aristote, semblable à celui d'une horloge (où la gravitation universelle remplace les «*sphères cristallines*» de l'Antiquité). Exclamation de Voltaire :

> «*L'Univers m'embarrasse et je ne puis songer*
> *Que cette horloge existe et n'ait point d'horloger.*»

Le Dieu cosmique est bel et bien une expression religieuse d'un déterminisme on ne peut plus absolu.

Naissance du calcul des probabilités

«*Il y a de prime abord une antinomie entre le Hasard qui représente l'arbitraire absolu, et la Loi, qui symbolise la régularité pérennisée*» (C. Ruhla). C'est probablement à partir de tentatives pour établir des formules (dites «*martingales*» en langage populaire) permettant de gagner aux jeux (dits «*de hasard*») que les prémisses du calcul des probabilités sont apparus, dans le cadre des sciences arabes.

La création véritable de ce qui est devenu depuis une branche des mathématiques est due à quatre mathématiciens du XVIIe siècle : Pierre de Fermat, Blaise Pascal, Christiaan Huygens et Jakob Bernoulli. En définissant de manière commune et intuitive la probabilité d'un événement, on peut dire que c'est la chance relative qu'il a de se produire. Par exemple, quand on jette une pièce de monnaie (en négligeant la possibilité qu'elle a de retomber sur sa tranche et d'y rester), la probabilité de voir la pièce s'immobiliser sur le côté pile sur un plan horizontal, en fin de parcours, est 1/2. Si l'on jette un dé cubique classique, la probabilité d'obtenir par exemple le 2 est 1/6… Quand un fait doit se produire à coup sûr, sa probabilité est 1.

Après les quatre auteurs précédents, et en tant que question mathématique (c'est-à-dire, fréquemment, sans rapport direct *obligatoire* à la réalité), le calcul des probabilités a été développé par Laplace, D. Poisson, C. Gauss, H. Poincaré, E. Borel, M. Fréchet, P. Lévy, A. N. Kolmogorov, A. Khintchine, etc.

Le principe de causalité

Dans son acception traditionnelle, le principe de causalité énonce que **tout événement est dû à une cause** (dans le cas le plus simple ; à un ensemble de causes, en général) et que, **quand cet événement s'est produit, il a toujours été précédé par ladite cause.** Depuis des siècles, les développements, les discussions sur les sens possibles du concept de causalité abondent. Le lecteur se reportera, si la question le passionne, à une histoire de la philosophie.

La science classique, alliée à certains philosophes, a donné une signification stricte au principe de causalité, surtout après Newton. La formulation est précise chez Kant, au XVIIIe siècle : « *Lorsque nous apprenons qu'une chose arrive, nous présupposons toujours qu'une chose a précédé dont la première découle selon une règle* » (en étant plus formel, on écrirait « *loi* » à la place de « *règle* »).

Cette conception de la causalité est intimement liée au déterminisme classique. Ceci étant, même si sa conception a évolué (comme l'a fait, aussi, celle du déterminisme), il est correct de dire qu'**il n'est pas de science possible sans acceptation du principe de causalité.**

Cause/Causalité

- « ... *Il y a* cause, — *au sens strict où nous l'entendons, suffisant cependant à répondre à une tendance humaine fondamentale — non seulement là où l'on trouve une relation rigide, mais aussi* ***une relation souple, probabiliste****... Il n'y a pas de fait individuel isolable, ni de cause isolable. Mais chaque phénomène doit être rattaché à d'autres, ne doit pas être traité comme un commencement absolu. Et une divergence d'effets doit faire rechercher une différence de causes, c'est-à-dire une variation dans les* ***interconnexions*** *qui ont joué* » (J. Ullmo).
- « Principe *ou* loi de causalité : *axiome en vertu duquel tout phénomène a une cause* » (dictionnaire *Robert*).

Le déterminisme « laplacien »

Laplace (1749-1827), astronome, physicien, mathématicien, a été, pendant plusieurs décennies, l'un des chefs de file de la science en France, usant (et abusant, quelquefois) de sa renommée et de sa situation sociale pour imposer ses vues. On lui doit notamment une monumentale *Mécanique céleste*, remise à jour, plus de cent ans après, de l'œuvre de Newton.

Dans l'un de ses ouvrages sur les probabilités figure une formulation qui est restée l'expression la plus caractéristique du **déterminisme absolu :**

> **« Tous les événements, ceux mêmes qui par leur petitesse semblent ne pas tenir aux grandes lois de la nature, en sont une suite aussi nécessaire que les révolutions du Soleil...**
>
> **Nous devons... envisager l'état présent de l'univers comme l'effet de son état antérieur, et comme la cause de celui qui va suivre. Une intelligence qui, pour un instant donné, connaîtrait toutes les forces dont la nature est animée, et la situation respective des êtres qui la composent, si d'ailleurs elle était assez vaste pour soumettre ces données à l'analyse, embrasserait dans la même formule les mouvements des plus grands corps de**

> **l'univers et ceux du plus léger atome: rien ne serait incertain et l'avenir comme le passé serait présent à ses yeux... Tous ses efforts* dans la recherche de la vérité tendent à le rapprocher sans cesse de l'intelligence que nous venons de concevoir, mais dont il restera toujours infiniment éloigné. Cette tendance propre à l'espèce humaine est ce qui la rend supérieure aux animaux: et ses progrès en ce genre distinguent les notions et les siècles, et font leur véritable gloire.»**

Il n'y a plus de place, dans cette perspective, pour le hasard véritable. Tout ce qui se passe dans la nature (et dans la société aussi, les hommes ne sont-ils pas constitués d'atomes) est bel et bien **programmé**, même si Laplace admet que l'intelligence humaine n'atteindra jamais cette compréhension totale, laquelle serait pour lui possible. (Nous retrouvons là, en quelque sorte, «*l'asymptote de la vérité*» de V. Hugo ; voir art. 21). Sortant par la porte, le hasard revient rapidement par la fenêtre. Les travaux sur la théorie cinétique et la théorie statistique des gaz, ont obligé différents physiciens et mathématiciens (Gauss, Maxwell, Boltzmann...) à reprendre ce concept. Est-il possible de nier l'erreur fortuite ou l'accident? Ne baptise-t-on pas quelquefois «*hasard*» un événement qui ne paraît aléatoire que du fait de notre ignorance (souvent momentanée, à cause des avancées de la science)? Mais, par ailleurs, n'existe-t-il pas des événements, des phénomènes, qui soient **par nature** aléatoires, parce qu'ils sont en partie conditionnés par des rencontres, des initiatives, qui sont effectivement le résultat d'un hasard?, etc.

Les relations d'indétermination de Werner Heisenberg

Nous exposons ailleurs (voir art. 2) que la notion de *trajectoire* n'a aucun sens à l'échelle sub-atomique et que l'on peut seulement indiquer la **densité de probabilité de présence** d'un électron en un point. Cette indétermination (qui semble bien être fondamentale et non due à une insuffisance de nos connaissances) nous est en partie dictée par un principe formulé par

---

* Ceux de l'homme.

Propriétés des gaz

Les gaz sont constitués par des molécules indépendantes, relativement éloignées les unes des autres, en état d'agitation perpétuelle (voir art. 6). Leurs propriétés dépendent en grande partie de leur degré d'agitation (ou de désordre, si l'on préfère). L'agitation *thermique* du gaz est conditionnée par sa température.

Les grandeurs physiques qui caractérisent l'état du milieu sont le volume V du gaz, sa pression P et sa température thermodynamique T. L'établissement des relations entre ces 3 grandeurs fait l'objet de la *théorie cinétique des gaz* (Maxwell, Boltzmann, 1877). Boltzmann a ensuite bâti une *théorie statistique*, établissant l'état le plus probable d'un ensemble de molécules, à nombre et énergie totale constantes.

Heisenberg en 1926. Si nous considérons une particule en mouvement, le physicien énonce qu'il est impossible de connaître avec précision à la fois sa vitesse et sa position. Si l'une des deux grandeurs est connue avec une exactitude certaine, la marge d'erreur possible sur l'autre est infiniment grande. Sachant l'énergie d'un électron, par exemple (et par conséquent sa vitesse, puisque sa masse est connue), on ne peut pas calculer l'endroit de l'espace où il se situe. Ceci ne vaut, bien sûr, que pour l'infiniment petit, pour ce qui se passe à l'intérieur de l'atome ou à une échelle semblable.

Dans le même ordre d'idées interviennent les considérations relatives à l'**influence des moyens d'observation** sur l'objet observé ou l'expérience pratiquée. A une autre échelle, il est arrivé que des remarques de ce type soient faites. Par exemple, quand on introduit un ampèremètre dans un circuit (ou un voltmètre en dérivation entre 2 points de ce circuit), on sait parfaitement que la présence de l'instrument, destiné à mesurer les grandeurs physiques que sont *l'intensité* du courant (pour l'ampèremètre) et la *tension* (ou différence de potentiel — pour le voltmètre), modifie la valeur initiale de ces grandeurs. Mais l'on sait évaluer les perturbations apportées avec une bonne approximation, et par conséquent retrouver ladite valeur. Par contre, quand on travaille sur un ensemble de particules en utilisant un rayon lumineux comme outil d'observation, l'intervention des photons n'est pas toujours négligeable en regard des caractéristiques des particules. Et, cette fois, le physicien est le plus souvent incapable de déterminer l'ampleur de la modification. **Ce que l'on observe et que l'on mesure, par conséquent, ce ne sont pas les composantes du phénomène lui-même, mais celles de l'interaction entre ce phénomène, les outils d'observations et l'observateur.**

De Poincaré à la théorie du chaos

Poincaré (v. art. 20) est sans doute l'un des savants symbolisant le mieux la conception de la science triomphante, édifiée « pour l'honneur de l'esprit humain », pourrait-on dire en paraphrasant le mathématicien Jean Dieudonné. Il a (avec Kepler, Newton et Einstein), écrit P. Thuillier, « … *célébré ce programme : faire de la science, c'est mettre au jour l'harmonie qui est cachée derrière les apparences désordonnées* ». Poincaré affirme :

> **« C'est… la recherche de cette beauté spéciale, le sens de l'harmonie du monde, qui nous fait choisir les faits les plus propres à contribuer à cette harmonie » (cité par P. Thuillier).**

Moyennant quoi, il a apporté nombre de nouveautés importantes, pris part à la constitution du contexte d'où est née la théorie de la relativité… et ouvert la voie à la **théorie du chaos.**

Les Grecs et les sauvages

Nous sommes aussi à l'époque où le colonialisme se porte bien, où on le justifie par « *l'apport de la civilisation* » et par des arguments « *moraux* » (sic), et où la Grèce a toutes les faveurs.

Dans cette optique, et en rapport avec ses idées sur la science, Poincaré écrit : « *Si les Grecs ont triomphé des barbares et si l'Europe, héritière de la pensée des Grecs, domine le monde, c'est parce que les sauvages aimaient les couleurs criardes et les sons bruyants du tambour qui n'occupaient que leurs sens, tandis que les Grecs aimaient la beauté intellectuelle qui se cache sous la beauté sensible, et que c'est celle-là qui fait l'intelligence sûre et forte* » (cité par P. Thuillier).

En 1890, il essaye de résoudre un problème (baptisé *problème des 3 corps*) qui préoccupait les astronomes et les mathématiciens depuis Newton. Il s'agit d'une question de mécanique céleste, qui ne présente pas de difficulté **de principe**. Le savant entreprend de déterminer la trajectoire d'une planète, attirée fortement par deux autres corps célestes (deux astres, si l'on veut). Il veut donc établir les équations qui régissent le mouvement de cette planète et les résoudre. En théorie, c'est sans ambiguïté. Ladite planète subit, de la part des deux astres, l'attraction définie par la loi de Newton ($f = G \cdot \frac{M.M'}{r^2}$, voir art. 11). Une difficulté apparaît : la trajectoire de la planète se modifie d'une rotation à la suivante. Pour traiter la question sur un temps suffisamment long, Poincaré élabore de nouveaux outils mathématiques. La mécanique céleste est l'un des domaines où le déterminisme paraît le moins discutable. Les équations, obtenues par Poincaré, de type parfaitement newtonien, auraient dû donner des courbes (des trajectoires, en l'occurrence) sans aucune incertitude. Or, il s'aperçoit d'abord qu'une modification, même minime, de l'une des données qui interviennent, change du tout au tout ladite trajectoire. Moyennant quoi, ne pouvant connaître toutes les données et avec une précision suffisante (il faudrait, par exemple, avoir la position initiale de la planète avec une infinité de décimales !), ses équations le conduisent à une infinité de trajectoires possibles. L'expression *chaos déterministe* est quelquefois utilisée pour désigner cette situation. Les lois qui gouvernent ce phénomène sont parfaitement déterministes mais, du fait de différents facteurs (la sensibilité aux conditions initiales, entre autres), son avenir est *imprédictible*.

On a étudié, depuis Poincaré, différents exemples de ce type de comportement. Il en est ainsi de différents cas de turbulence. L'un des plus connus est ce que le météorologue américain E. Lorenz a appelé « *l'effet papillon* ». En 1960, il a imaginé *un modèle mathématique* destiné à prévoir le climat. Pour aboutir à une résolution, possible avec l'ordinateur (alors peu puissant) dont il disposait, il n'avait conservé que quelques variables, négligeant d'autres dont l'effet lui paraissait minime. Une fois le travail fait, l'imprimante de l'ordinateur se mit à dessiner une courbe, qui était différente d'un tracé à l'autre. La raison en était, d'une fois à l'autre, le changement de quelques dix millièmes de degré des variables climatiques. L'appellation donnée vient, d'une part de la forme des courbes qui dessinaient quelque chose qui ressemblait à des ailes de papillon, d'autre part de cette déclaration de Lorenz : « *On ne pourra jamais prévoir avec certitude le climat qu'il fera, parce que, dans certaines conditions critiques, il suffit d'un battement d'ailes de papillon à Pékin pour modifier la course d'une tornade au Mexique.* »

Un jet d'eau turbulent

C. Ruhla donne, comme exemple de turbulence, le jet d'eau s'écoulant d'un robinet. Quand celui-ci est très peu ouvert, le jet sort sous forme d'un filet régulier. C'est l'écoulement dit *laminaire*, que les physiciens connaissent bien. Quand le robinet est ouvert à fond, le jet est irrégulier et torsadé. L'écoulement est dit *turbulent*, représentable par le modèle de Lorenz. **Le phénomène est chaotique.**

Les progrès réalisés en informatique ont permis d'édifier, à partir de 1970, une **mathématique** et une **physique du chaos.** Sont concernées également l'astronomie, la biologie, l'anatomie, la cristallographie, l'économie (les variations de la Bourse), la sociologie… et la psychologie. C'est une question qui mobilise actuellement nombre de chercheurs dans des domaines très variés.

Quelques remarques sur les incidences possibles de la théorie du chaos sur la réflexion politique

J. Ullmo, dans un petit livre très intéressant sur *La Pensée scientifique moderne*, explique que le modèle de la démarche scientifique rigoureuse a été celui des mathématiques jusqu'à la fin du XVIIIe siècle, celui de la physique au XIXe et pendant la première moitié du XXe, et que la primauté est en train de passer à celui de la biologie.

Je pense que J. Ullmo se trompe et que la référence, considérée comme indépassable (et pas seulement par les mathématiciens), reste la réflexion mathématique, l'utilisation de l'outil informatique pouvant, dans certains cas, accentuer le phénomène. La responsabilité n'en incombe pas aux mathématiciens (pas complètement, du moins), mais aux autres, un peu fascinés par la rigueur formelle de cette réflexion.

Les illustrations de cette affirmation abondent. Cela va du premier barrage (l'étudiant ne peut pas aller plus loin s'il ne le dépasse pas), existant au concours de recrutement des professeurs des écoles en France, et qui ne comprend que deux épreuves écrites : français et mathématiques (ce qui se défend : l'instruction implique d'abord la connaissance de la langue et il faut aussi savoir compter), aux multiples «*modèles mathématiques*» bâtis par les économistes, les démographes, les météorologues... et les instituts de sondages d'opinion.

Mais je voudrais développer un exemple différent (apparemment plus en rapport avec le raisonnement de la physique, mais d'une physique très mathématisée), en précisant qu'il ne s'agit que d'une opinion : elle est donc contestable.

Nous savons que la version soviétique du marxisme (très souvent copiée dans tous les pays jusqu'en 1991... ou 89 !) prétendait être la *théorie scientifique du socialisme* (ou *la théorie du socialisme scientifique*, si l'on préfère). Elle aurait permis, grâce à la connaissance de l'histoire et des faits contemporains (entre autres) de déterminer avec exactitude (malgré la subjectivité que l'on pouvait parfois accepter de reconnaître chez les dirigeants) la politique à mener, les actions à entreprendre, etc., et de prévoir l'évolution future. La formulation (*socialisme scientifique*) et certaines des prétentions évoquées sont héritées de Friedrich Engels, compagnon de Karl Marx. Mais ce dernier écrit dans la Préface de la première édition allemande du *Capital* (publiée en 1867) :

> **«Le physicien, pour se rendre compte des procédés de la nature, ou bien étudie les phénomènes lorsqu'ils se présentent sous la forme la plus accusée, et la moins obscurcie par des influences perturbatrices, ou bien il expérimente dans des conditions qui assurent autant que possible la régularité de leur marche. J'étudie dans cet ouvrage le mode de production capitaliste et les rapports de production et d'échange qui lui correspondent. L'Angleterre est le lieu classique de cette production.**

Voilà pourquoi j'emprunte à ce pays les faits et les exemples principaux qui servent d'illustration au développement de mes théories».

Il y a bien là une tentative pour appliquer à l'économie et au fonctionnement de la société (donc à la politique) les méthodes des sciences. On sait, par ailleurs, que les livres de mathématiques et de physique sont nombreux parmi les lectures de Marx (on peut mentionner aussi une influence certaine de Darwin sur Marx et Engels — *L'Origine des Espèces* a été publiée en 1859, de même que *Critique de l'économie politique*, prélude au *Capital* — Voir art. 25), ainsi que parmi celles de Lénine, plus tard. La volonté des «pères» du marxisme est évidente et elle est tout à fait compréhensible dans le climat scientiste de l'époque. Marx et Engels étaient des hommes de leur temps; tout en s'opposant à son idéologie dominante et en tentant de la dépasser, ils en étaient, pour une part, imprégnés.

Cette théorie (ou ce début de théorie), développée, extrapolée et surtout **interprétée** — a été appliquée au XXe siècle. Ceci nous ramène à la théorie du chaos. Même si l'on supposait (cela me paraît impossible, mais supposons-le tout de même) que l'on puisse transcrire l'histoire sous forme d'énoncés scientifiques (voire d'équations, ce qui relève, de toute évidence, du déterminisme laplacien et inclut d'ailleurs les «progrès» scientifiques et technologiques), cette transcription devrait prendre en compte une quantité phénoménale de facteurs. Parmi eux, de multiples caractéristiques humaines (mentalités, etc.), la plupart du temps impossibles à évaluer. On est donc, en général, obligé de les laisser de côté comme quantités négligeables (ce qu'elles ne sont pas toujours).

En nous limitant à quelques éléments (relativement simples) : l'avis de Marx était que le socialisme ne pouvait être construit que dans un pays hautement industrialisé, possédant une classe ouvrière nombreuse et forte (il mentionnait comme pays probables les États-Unis et l'Allemagne) ; la tentative a été faite dans un pays culturellement très arriéré, dont l'industrialisation commençait à peine, où la classe ouvrière était très faible face à une paysannerie très nombreuse (et sortant à peine du servage), et où la bureaucratie (qui est, pour l'essentiel, restée en place) occupait une place démesurée (idem pour la police politique)... Le caractère de Staline a certainement bon dos quand certains expliquent le *stalinisme* (bien d'autres facteurs sont intervenus), mais il a quand même eu incontestablement des conséquences désastreuses (par exemple dans l'élimination des cadres les plus compétents des bolcheviks). Comment le quantifier dans le cadre de l'application d'une théorie « scientifique » ?

En nous restreignant donc à quelques aspects (notamment ceux qui sont relatifs à l'influence des conditions initiales), la théorie bâtie (quel que soit le souci de scientificité de ses promoteurs) était susceptible de donner — davantage encore que le «*problème des 3 corps*» de Poincaré — une multiplicité de résultats différents, mais certainement pas ceux que Marx aurait souhaités (et qu'il n'a jamais, d'ailleurs, définis avec précision).

Revenons à une question très débattue à une époque (qui paraît maintenant bien ancienne) : le marxisme est-il une science (ou une théorie scientifique) ? J'y ai toujours, personnellement, répondu par la négative. Ceux qui seraient tentés par la position inverse devraient alors traiter le sujet comme une variante de la théorie du chaos, mais dans le cas d'un nombre considérable de données initiales et, chemin faisant, de l'intervention d'une énorme quantité de grandeurs dont certaines sont à jamais indéfinissables, même en faisant jouer des fonctions probabilistes. Autant dire qu'ils se heurteraient à une impossibilité manifeste.

L'exemple illustre, entre autres, les risques courus quand on essaie de transférer dans un champ disciplinaire (surtout s'il concerne les sciences sociales et humaines) des méthodes bien adaptées à d'autres disciplines.

REPÈRES

DAHAN-DALMEDICO, A., CHABERT, J. L., CHEMLA, K. et al., *Chaos et déterminisme*, Paris, Seuil, 1992.

HAKEN, H., WUNDERLIN, A., *Le Chaos déterministe, La Recherche* n° 225, oct. 1990, p. 1248-1255.

RUHLA, C., *La physique du hasard, de Blaise Pascal à Niels*

Bohr, Hachette/Éd. du C.N.R.S., Paris, coll. «*Liaisons Scientifiques*», 1989.

SORMANY, P., *Un chaos ordonné*, *Québec Science* nº 7, mars 1991, p. 50-55.

ULLMO, J., *La Pensée scientifique moderne*, Paris, Flammarion, 1969.

WITKOWSKI, N., et coll., *L'État des sciences et des techniques*, Paris, La Découverte 1991. *La Science du désordre*, nº spécial de *La Recherche*, nº 232, mai 1991.

▶ **Cristal, Gravitation, Informatique, Laser, Relativité, Révolution scientifique, Technosciences.**

6. Cristal

Les cristaux ont pendant longtemps été, du fait de leur beauté, essentiellement utilisés pour l'ornementation, pour fabriquer des bijoux... Leur aspect est dû à l'arrangement régulier des très nombreux petits solides semblables qui les constituent. Cette configuration est également la cause de différentes propriétés physiques particulières (optiques, électriques...) qui ont été découvertes progressivement à partir de la fin du XVIIe siècle.

Les solides sont, pour beaucoup, cristallins. Quand l'agitation des particules constituant la matière s'accroît, quand ces particules s'écartent, leur cohésion diminue. Le matériau change d'état, devient liquide, puis gazeux et enfin se transforme en un milieu totalement ionisé, le plasma.

L'étude de certaines des propriétés des cristaux a conduit à celle de leur **symétrie**, *puis à celle des grandeurs physiques et des effets liés à cette symétrie. (P. Curie). C'est fréquemment la dissymétrie qui est cause du phénomène. Dans de multiples dispositifs actuels, où les cristaux sont utilisés (notamment dans les* semi-conducteurs*), les effets sont déterminés, non par la structure régulière du cristal lui-même, mais par les impuretés qu'il contient.*

Il y a quelques années, le Museum national d'histoire naturelle (jadis *Jardin du Roi*, avant la Révolution) réalisait une superbe exposition de cristaux géants (venus, pour la plupart, du Brésil). Le Museum a acheté les pierres présentées et le public peut aujourd'hui les voir en permanence. La magnifique collection de minéralogie de l'ancienne Sorbonne, exposée dans les bâtiments du campus de Jussieu, est ouverte au public. En plus petit, des expositions-ventes de pierres diverses fleurissent un peu partout. Les plus belles d'entre elles sont encore des cristaux. Les formes en sont diverses et parfaitement régulières, leurs couleurs sont éclatantes et belles.

C'est cette beauté qui a fréquemment, au départ, intéressé les humains. Pièces utilisées pour fabriquer des bijoux somptueux, gratifiés parfois de pouvoirs magiques, les cristaux ont commencé à concerner particulièrement les scientifiques quand ceux-ci ont découvert, à la fin du XVIIe siècle, que du fait de leur structure (entre autres), ils possèdent des propriétés optiques que n'ont pas d'autres matériaux. Une revue appelait récemment notre époque « *ère du silicium* » (à cause de son utilisation dans les microprocesseurs). Le silicium est, actuellement, utilisé uniquement (ou presque) dans sa forme cristalline (voir art. 14).

Le cas des cristaux (et de leurs propriétés) va nous servir de point de départ pour exposer un mode de classement de la **matière** (au sens courant du terme), classement qui prend en compte le **degré d'ordre** (et de désordre, par conséquent) des particules constitutives de cette matière. Par ordre décroissant, cela donne : les cristaux ; les solides amorphes ; les liquides ; les gaz ; les plasmas gazeux.

Désordre et température

La distinction commune entre chaleur et température n'est pas toujours évidente. Par ailleurs, les qualificatifs *chaud* et *froid* sont relatifs et éminemment subjectifs. Dans un même lieu, un individu a trop chaud alors que son voisin a froid. Un exemple, exposé dans les manuels de physique, est celui de trois récipients remplis d'eau : dans le premier, elle est très chaude ; dans le second, elle est tiède ; dans le troisième, elle est froide. Quand la même personne trempe la main dans le premier, puis le second, il a l'impression que l'eau de ce dernier est froide ; quand il la trempe dans le troisième, puis le second, il a l'impression que cette dernière eau (qui, tout à l'heure, lui paraissait froide) est chaude. On se trouve là devant des phénomènes physiques impossibles à juger à partir des seules sensations. La définition précise de grandeurs physiques est nécessaire, de même qu'il faut mettre au point des procédés (et des appareils) qui permettent de les mesurer (ou, dans ce cas, de les évaluer en les comparant à d'autres grandeurs).

Les premières tentatives que l'on connaisse sont dues à Galilée. Il constate qu'un gaz chauffé se dilate. Il fait construire, par des maîtres verriers, des *thermoscopes*. Ceux-ci comprennent un petit vase en verre, sur lequel sont branchés trois tubes verticaux, de formes plutôt pittoresques. Dans chacun de ces trois tubes, peut monter et descendre une petite boule de couleur. Quand la température augmente, l'air contenu dans le vase se dilate, de même que celui qui est situé sous les tubes. Les trois boules, en conséquence, montent. Elles descendent quand la température baisse. Après les études de Boyle, Mariotte, etc., sur la dilatation des gaz, les physiciens retinrent plutôt celle des liquides, d'utilisation plus facile. A la fin du XVIIe et au début du XVIIIe apparaissent différents thermomètres : à alcool coloré (Réaumur — C'est encore fréquemment le thermomètre d'appartement) ; à mercure (Celsius, Fahrenheit). Il fallut ensuite déterminer des «*points fixes*» et une «*échelle de températures*» (forcément arbitraires, les uns et les autres). C'est finalement l'**échelle Celsius** (1742) qui est restée : la température de la glace fondante est fixée à zéro degré, celle de la vapeur d'eau bouillante à cent degrés. Le tube, entre les deux, est divisé en 100 parties égales. On peut évidemment échelonner en deçà pour les températures plus basses, au-delà pour les températures plus hautes.

Mesure des températures

Outre le thermomètre (et ses variantes plus ou moins sophistiquées) qui reste le plus utilisé, d'autres instruments de mesure des températures : les *pyromètres optiques*, les *thermistances*, les *thermocouples*...

La température, *a priori*, était considérée comme un effet (une conséquence) d'une présence de chaleur en quantité plus ou moins grande. En 1760, l'Écossais Joseph Black définit ce qu'il appelle la **quantité** de chaleur. Pour un corps de masse M, dont la température s'élève de t_1 à t_2, la quantité de chaleur Q est proportionnelle à M, à l'élévation de température ($t_2 - t_1$) et à un coefficient C (chaleur massique ou spécifique) qui est caractéristique de la nature du corps : $Q = MC (t_2 - t_1)$. Mais tout ceci ne dit pas quelle est la **nature** de la chaleur.

A la fin du XVIIIe, deux hypothèses s'affrontent. Pour les uns, la chaleur est **une matière** (un fluide, bien évidemment), que l'on baptise le **calorique**. Ce fluide passe d'un endroit à un autre et, changeant de lieu, il fait varier la température de ce lieu. Pour les autres (le plus actif est l'Américain Rumford), la chaleur est la conséquence du **mouvement**. Le débat a duré jusqu'en 1820-1830. Puis, le développement de la mécanique, l'essor de la thermodynamique aidant, la thèse de Rumford l'a emporté (voir art. 22). Le dictionnaire de physique de J. P. Sarmant la définit : « *Chaleur : mode particulier de transfert de l'énergie* ». Bruhat, Kastler et Vichnievsky précisent : « *(la thermodynamique) étudie… tous les phénomènes physiques et chimiques où intervient la chaleur.* »

L'étude de D. Bernoulli de 1737, où il explique que l'agitation des particules de gaz, contenues dans une enceinte, s'accroît quand la température de ce gaz s'élève, annonce la définition actuelle de la température. Cette tendance est accentuée par la découverte du mouvement brownien en 1827. On peut donc retenir que **la température est une grandeur qui mesure l'agitation** (dite « agitation thermique ») **des particules** (molécules, etc.) **dans un milieu.**

Le mouvement brownien

Le mouvement brownien est le **mouvement des particules microscopiques en suspension** dans une émulsion, dans de la fumée, etc. Il est incessant, désordonné, composé de déplacements rectilignes comme de rotations.

Observé par Brown au microscope en 1827, il a été expliqué par Einstein en 1905. Sa cause est le choc des molécules contre les particules en question. Plus la température est élevée, plus le mouvement s'accentue, devient rapide et en apparence désordonné.

L'accentuation du mouvement brownien reflète donc, en quelque sorte, **l'élévation de température** du milieu observé.

Les états de la matière

Les états usuels de la matière (solides, liquides et gaz) se différencient notamment par la densité de particules les constituant, par la distance moyenne de ces particules entre elles, par leurs arrangements éventuels, par leurs mouvements réciproques, etc. Pour un corps donné, la densité de particules est relativement élevée (et parfois homogène) ; l'agitation de ces particules, tout en existant, est limitée. Le corps est **solide** et a une forme généralement bien précise. Les solides sont fréquemment des cristaux, même si l'idée de forme parfaite qui s'attache dans notre esprit aux cristaux n'est pas toujours évidente. Nous reviendrons plus loin sur les propriétés des cristaux. Existent aussi les **solides amorphes** (les verres, par exemple), dont les particules sont en désordre mais qui sont solides, au sens courant du terme.

Si l'on élève suffisamment la température, des liaisons entre particules sont rompues, et elles s'éloignent les unes des autres. Le matériau a encore un volume précis, mais n'a plus de forme propre. Il peut, par exemple, s'adapter à celle du récipient dans lequel on le met. Il est devenu un **liquide**.

Si l'on continue à chauffer, la substance se vaporise. Les particules s'écartent davantage encore, leur agitation est nettement plus importante. Le corps n'a ni forme propre, ni volume propre (il est compressible, extensible, éventuellement élastique). A quelques exceptions près, il n'est pas visible. C'est un **gaz.**

Le **plasma gazeux** (ne pas confondre avec le *plasma sanguin*) est parfois intitulé « *quatrième état de la matière* ». La formation d'une émission lumineuse dans les tubes à gaz raréfiés (communément appelés « *tubes au néon* », mais pouvant en réalité utiliser de nombreuses autres substances : hydrogène, vapeur de sodium, de mercure, etc.) est évoquée plus loin (voir art. 13). L'apparition d'un courant, puis d'une zone lumineuse, est due à l'**ionisation** des atomes du gaz contenu dans le tube. Sous l'influence de la tension électrique, sous l'impact de radiations et de particules extérieures qui traversent le tube, des électrons sont arrachés aux atomes, d'autres viennent s'y ajouter, etc., et, petit à petit, il reste principalement dans le tube des **ions**, c'est-à-dire des particules portant des charges électriques.

Le milieu contenu dans le tube est appelé *plasmoïde*. On parle généralement de **plasma** quand la densité de particules ionisées est suffisamment forte. C'est une forme de la matière très répandue dans la Nature : les *ceintures de Van Allen*, qui entourent la Terre, l'*ionosphère* (couche de l'atmosphère, située entre 60 et 700 kms d'altitude), le Soleil, les Étoiles, etc., sont composés de plasma. La physique de ce milieu a été très étudiée depuis plusieurs décennies : parce que les réactions de fusion thermonucléaire se produisent dans un plasma (voir art. 16 et 24), parce que les ondes électromagnétiques entre la Terre et les satellites se propagent, au moins pour partie, dans des plasmas, etc.

Naissance et évolution de la cristallographie

Bien connaître les pierres, savoir où les trouver, connaître leurs propriétés, savoir les travailler, tout cela a été très important tout au long des millénaires obscurs où, pour l'essentiel, outils, armes et ornements étaient en pierre. Certains colliers du néolithique sont fort beaux : en belles pierres vertes ou violettes, délicatement travaillées et polies. Les objets en *métal natif* ne sont jamais que des objets en pierre. La métallurgie dérive, pour partie, du travail de la pierre et (probablement) de la céramique. Le premier traité intitulé *Des pierres* est de Théophraste (378-287 A.C.). Tous les ouvrages, qui paraîtront ensuite sur le sujet pendant des siècles, sont des livres de **minéralogie,** essentiellement descriptifs, s'intéressant aux minerais pour des raisons économiques. Des cristaux font partie du lot, et les auteurs tentent parfois d'en expliquer la nature et la constitution. Par exemple, le cristal le plus répandu — le **quartz** — est supposé provenir de la *coagulation* ou de la *congélation* de l'eau.

Kepler publie en 1609 *L'Étrenne ou la neige sexangulaire* où il étudie les cristaux existant dans les flocons de neige. Les ouvrages de Sténon, à la fin du XVIIe, relèvent encore de la minéralogie. Dans *Micrographia* (1665), de Robert Hooke, celui-ci utilise le microscope, entre autres pour observer les roches.

C'est à partir de leurs propriétés optiques que les cristaux attirent l'attention des physiciens. En 1669, le Danois Erasmus Bertelsen, dit Bartholin, reçoit, de marchands islandais, des cristaux de **spath** (dit spath d'Islande ; il s'agit d'une forme cristallisée transparente de la calcite CO_3 Ca, c'est-à-dire d'un matériau qui a la même formule chimique que le calcaire). Ces cristaux **dédoublent** la lumière (double-réfraction ou biréfringence) (voir art. 13).

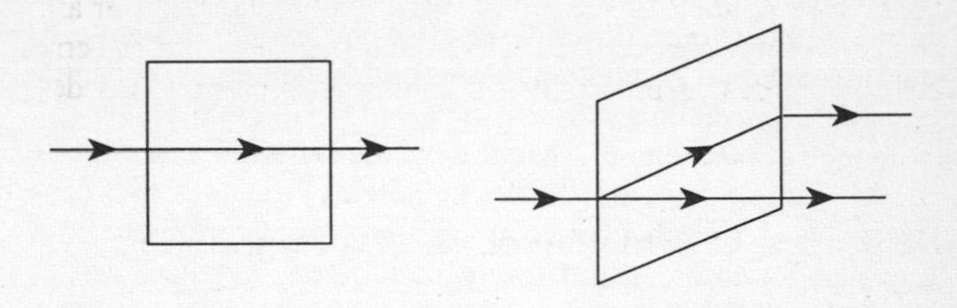

Verre homogène : à un rayon incident correspond un rayon émergent.

Spath d'Islande : à un rayon incident correspondent deux rayons émergents.

La recherche a été poursuivie par Christiaan Huygens, qui a de plus découvert la biréfringence du quartz. L'étude des cristaux occupe une part de l'œuvre monumentale de Buffon. Les avancées principales dans ce domaine sont dues à J. Wallérius, J. B. Romé de l'Isle et surtout R. J. Haüy. La forme des cristaux est systématiquement analysée, de même que celles des petits solides qui les constituent. Les angles des figures géométriques, qui apparaissent, sont mesurés. L'existence de propriétés optiques possibles (dont la biréfringence) est recherchée. C'est ainsi que se constitue véritablement la **cristallographie** au cours du XVIIIe siècle. Les classifications (entre autres) seront complétées au XIXe siècle, notamment par Bravais, Delafosse, etc.

Systèmes cristallins

Se fondant surtout au départ sur l'observation des formes géométriques extérieures, Haüy affirma que le cristal est constitué par un empilement successif de solides identiques qu'il appelait des *molécules intégrantes*. De ces « molécules » dépendait la forme extérieure du cristal. A l'issue de ses travaux et de l'œuvre ultérieure de Bravais, les cristaux étaient divisés en sept systèmes cristallins. Ceux-ci diffèrent par la forme géométrique du solide de base (ou *maille élémentaire*) qui, associé à un grand nombre de solides identiques, constitue le cristal. Les mailles sont assemblées de manière parfaitement ordonnée et périodique. Chaque système cristallin a, du fait de la constitution de sa *maille*, des **symétries** (voir plus loin dans cet article des explications sur ce sujet) qui déterminent pour une part sa forme géométrique mais aussi certaines de ses propriétés physiques.

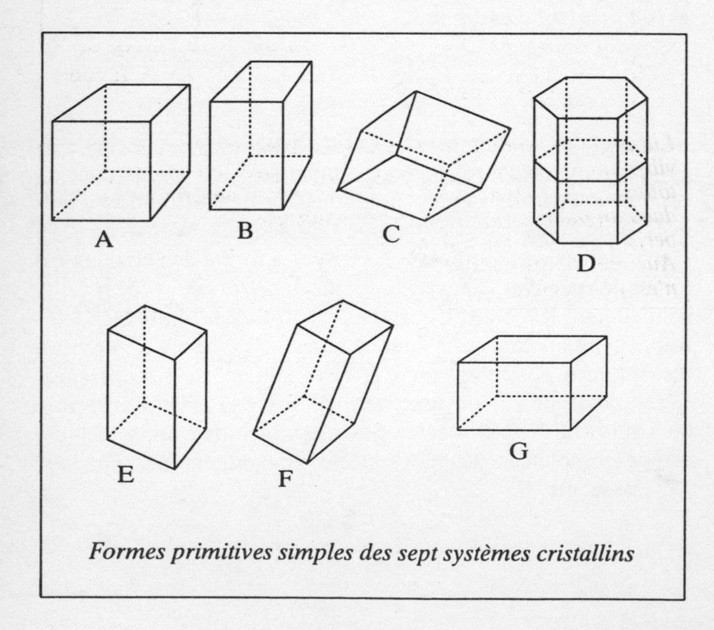

Formes primitives simples des sept systèmes cristallins

Exemple de la chiralité

Supposons que nous adoptions la *théorie ondulatoire* de la lumière (voir art. 13). Un rayon de *lumière naturelle* est, dans cette optique, constitué par la propagation d'une vibration perpendiculaire au rayon. Elle s'oriente statistiquement dans toutes les directions. En faisant réfléchir ce rayon sur un miroir convenablement orienté, on élimine toutes les directions à l'exception d'une seule. Le rayon est dit *polarisé*.

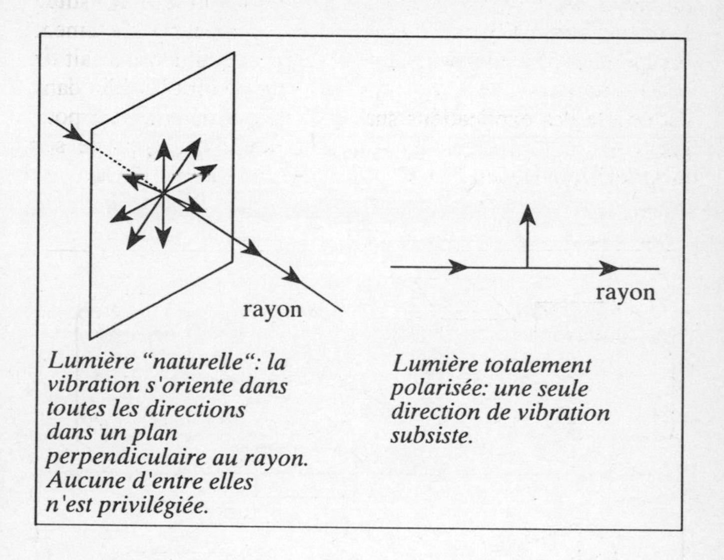

Si l'on fait traverser à ce rayon certains cristaux (du *quartz*, par exemple, taillé perpendiculairement à une direction particulière que l'on appelle son *axe optique*), la lumière qui sort du cristal est toujours polarisée mais la vibration a tourné par rapport à sa direction primitive. Ce phénomène, baptisé **polarisation rotatoire,** a été découvert en 1811 par François Arago. Son travail est repris et développé par Jean-Baptiste Biot. Celui-ci constate, de plus, qu'il existe **deux variétés de cristaux de quartz :** l'une fait tourner la vibration vers la droite, l'autre la fait tourner vers la gauche.

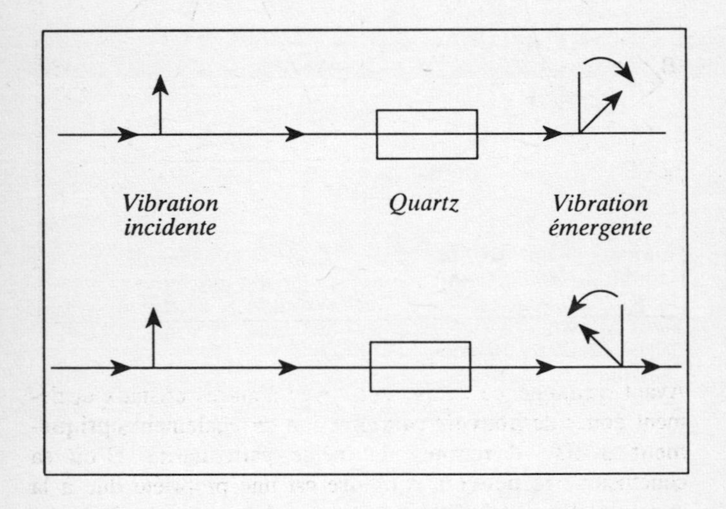

Quand il compare les deux cristaux de quartz, il voit que chacun d'eux est comme l'image de l'autre dans un miroir, et qu'il est impossible de les superposer. Exactement comme notre main droite et notre main gauche.

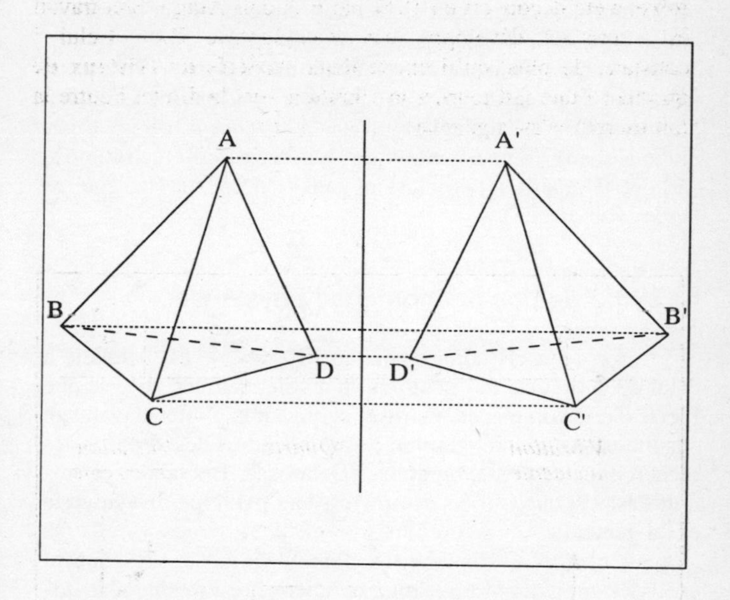

Ayant recommencé l'expérience avec d'autres cristaux également doués de **pouvoir rotatoire** (on dit également **optiquement actifs**), il retrouve la même particularité. D'où sa conclusion : **le pouvoir rotatoire** est une propriété due à la structure du cristal. Elle **existe quand ce cristal n'est pas superposable à son image dans un miroir** (ou, ce qui revient au même, le cristal et son symétrique par rapport à un plan ne sont pas superposables).

Le terme scientifique utilisé est *énantiomorphe*. Plus récemment, le mot *chiral* lui a été substitué et la propriété en question est devenue *chiralité*.

Biot découvre, en 1815, que certaines solutions (de sucre, par exemple) et certains liquides (l'essence de térébenthine, par exemple) sont également *optiquement actifs*. S'inspirant de son raisonnement sur les cristaux, il en déduit que, cette fois, c'est la structure des molécules qui est en cause.

Le travail de Biot a été poursuivi par Louis Pasteur, notamment dans sa thèse de doctorat, soutenue en 1847, qui portait sur les tartrates cristallisés et en solution (le tartre est la matière qui se dépose sur les parois des cuves de vin).

La propriété, baptisée **dissymétrie moléculaire** par Pasteur, fit l'objet de plusieurs de ses recherches pendant une vingtaine d'années. Comme il s'agissait d'une substance d'origine organique (le vin), la question eut des répercussions en chimie (le carbone tétraédrique) et intervint dans le débat sur l'origine de la vie (voir art. 25).

La symétrie des phénomènes physiques

L'essor de la cristallographie au XIXe siècle est parallèle à celui de la **théorie des groupes** en mathématiques, théorie que Pierre Curie commença à utiliser et qui fut exploitée davantage ensuite par la cristallographie et la physique. C'est à partir des recherches des cristallographes (Delafosse, Bravais... et surtout Pasteur) que Curie s'est intéressé au **principe de symétrie** et l'a généralisé.

Nous rencontrons encore une fois là un mot (et le concept qu'il désigne), dont l'utilisation en sciences est rendue plus difficile par l'usage du langage courant. Le physicien M. Hulin, ancien directeur du Palais de la Découverte, a beaucoup insisté sur l'obstacle que présente, pour l'apprentissage des sciences (il parlait de la physique mais l'on retrouve, à des degrés divers, la même difficulté dans les autres sciences), l'introduction de termes du vocabulaire commun. Il avait tout à fait raison. Il y a, dans la pratique habituelle du mot « symétrie », l'idée (explicitée ou non) d'une identité parfaite entre l'objet et son symétrique. L'utilisation scientifique suppose d'abord que l'on précise l'élément (un point, une droite, un plan..., etc.) par rapport auquel on définit la symétrie. Il faut également définir les dissymétries, etc.

Le travail de Pierre Curie, dans ce domaine, l'a conduit à étendre aux phénomènes, et donc aux grandeurs physiques, des considérations de symétrie que l'on appliquait généralement plutôt aux objets. Énoncé par J. Orcel, ce travail se résume ainsi :

« *1) Les éléments de symétrie des causes doivent se retrouver dans les effets produits ;*

2) la dissymétrie des effets doit se retrouver dans les causes ;

3) mais la réciproque n'est pas vraie, car les effets peuvent être plus symétriques que les causes ». Et, dans de multiples circonstances, **c'est l'existence d'une dissymétrie qui crée un phénomène.**

On peut penser par analogie à l'effet qu'entraîne l'existence de certaines impuretés dans des cristaux. La nature, par exemple, d'une impureté dans un semi-conducteur détermine la nature (le « *type* ») de ce dernier et sa fonction dans un dispositif (voir art. 12 et 14).

L'un des à-côtés de cette recherche de Pierre Curie (en collaboration avec son frère Jacques) est l'invention de la piézo-électricité en 1880. Si l'on exerce une pression sur deux faces d'un cristal ne possédant pas de centre de symétrie (la découverte a été réalisée avec de la tourmaline, mais c'est généralement plutôt le quartz qui est utilisé), des charges électriques de signes opposés apparaissent sur ces faces. Si l'on exerce une traction, des charges apparaissent aussi, mais leurs signes sont les opposés de ceux de l'effet précédent. L'exercice, alternativement d'une pression et d'une traction, se traduit par l'équivalent de la production d'un courant alternatif (et d'un champ).

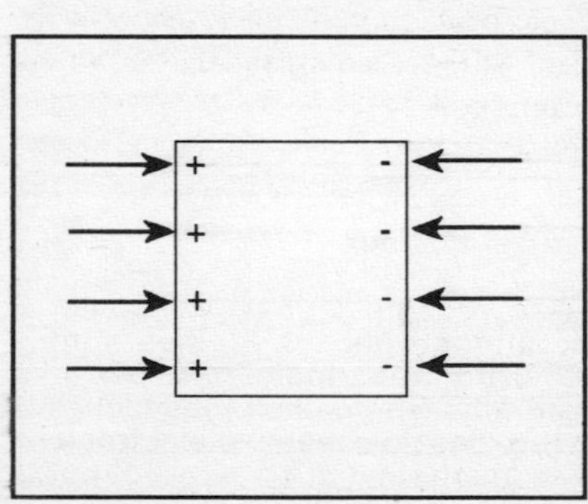

A l'inverse, une tension alternative, appliquée aux faces du cristal, entraîne une vibration de ce dernier. Paul Langevin a, pendant la guerre de 14-18, utilisé la piézo-électricité pour produire des ultrasons (sonars) destinés à détecter des sous-marins (voir art. 17). Les propriétés du quartz sont également utilisées dans les montres modernes, remplaçant les techniques de l'horlogerie mécanique qui avaient cours depuis la fin du XVIIe siècle.

La pyro-électricité

La pyro-électricité est un phénomène présentant quelques analogies avec la piézo-électricité, mais la dissymétrie résulte, cette fois, d'une différence de température.

Les cristaux, aujourd'hui

Un élément de montage optique, très utilisé depuis le cours du XIXe siècle (notamment dans les spectroscopes, par Rowland), a été le *réseau optique*. Il s'agit en substance d'une lame de verre (ou d'une matière transparente quelconque) sur laquelle sont tracés de minuscules sillons régulièrement espacés (il peut également exister des réseaux en relief). Chaque sillon *diffracte* la lumière et les différents pinceaux diffractés interfèrent (voir art. 13). Cela peut, en particulier, *disperser* le faisceau, mieux qu'un prisme si le réseau est satisfaisant (d'où son utilisation en spectroscopie).

Les quasi-cristaux

Matériaux de découverte récente (1984), les quasi-cristaux sont des **substances dont les atomes sont disposés de manière ordonnée, mais non périodique**. Ils fournissent, comme les cristaux, des taches de diffraction, mais avec des faisceaux d'électrons.

L'étude d'un modèle mathématique, publiée par Penrose en 1972, a précédé la découverte expérimentale (alliages d'aluminium et de manganèse).

Les quasi-cristaux permettraient de mettre au point des superalliages dotés de qualités exceptionnelles.

La limite de l'objet vient de la longueur d'onde. Si celle-ci est très courte, il n'est pas possible de tracer des sillons suffisamment proches pour que le réseau agisse. La solution a été trouvée par Von Laue, Friedrich et Knipping en 1912. Un cristal constitue en effet une structure périodique qui peut remplacer un réseau optique pour les radiations de très courte longueur d'onde, notamment pour les rayons X. Par la même occasion, une nouvelle technique d'étude des cristaux était mise au point. Elle a ensuite été améliorée par Bragg et d'autres faisceaux (de neutrons, d'électrons…) sont venus s'ajouter à ceux de rayons X.

La cristallographie a pris, depuis quelques dizaines d'années, une importante extension. A l'exception de quelques matières amorphes, les verres, par exemple, une très grande majorité des solides est de structure cristalline. Nous retrouvons dans chaque cas un arrangement ordonné et périodique. L'élément de base est constitué par des atomes, des molécules ou des ions, selon la nature du cristal. Le type de liaison diffère d'un type de cristal à un autre. Selon le matériau, le nombre d'atomes constituant la maille peut aller de quelques unités, voire d'une seule, à quelques milliers. L'intérêt de l'étude des *défauts*, des *impuretés* des réseaux cristallins a, notamment à la suite des utilisations des semi-conducteurs, acquis un développement grandissant.

Les « *cristaux liquides* »

Les cristaux liquides sont des substances visqueuses, en général d'origine organique, constituées de molécules allongées, **susceptibles de s'orienter parallèlement** les unes aux autres (dans des conditions appropriées de température et de concentration) **sous l'action d'un champ électrique**, ce qui modifie les propriétés optiques du matériau qui est anisotrope. Si elles sont parallèles entre elles, les molécules, par contre, sont situées à des distances variables les unes des autres. Leur utilisation principale est l'affichage lumineux.

REPÈRES

BALIBAR, F., *La Science du cristal*, Paris, Hachette, 1991.
CARATINI, R., *Dictionnaire des découvertes*, Paris, Éditions nº 1, 1990.
GARDNER, M., *L'univers ambidextre. Les miroirs de l'espace-temps*, trad. franç., Paris, Seuil, 1985.
JACQUES, J., *La Molécule et son double*, Paris, Hachette, 1992.
METZGER, H., *La Genèse de la science des cristaux*, rééd., Paris, A. Blanchard, 1966.
NOËL, E., et al., *La Symétrie aujourd'hui*, Paris, Seuil, 1989.
ORCEL, J., *Atomes et cristaux*, Paris, Éditions Sociales, 1964.
PASTEUR, L., *Œuvres complètes*, T.I., Paris, Masson, 1922.
ROSMORDUC, J., *La Polarisation rotatoire naturelle, de la structure de la lumière à celle des molécules*, Paris, A. Blanchard, 1983.
SALEM, L., et coll., *Le Dictionnaire des sciences*, Paris, Hachette, 1990.

▶ **Atome, Chaos, Laser, Microprocesseur, Nucléaire (Énergie), Photoélectrique (Cellule-), Supraconductivité, Vie.**

7. Dérive des continents

La télévision nous a habitué à assister au spectacle extraordinaire des éruptions volcaniques. Plusieurs expéditions sous-marines (l'opération Famous*, en particulier) nous ont montré des vues que les plus audacieux des auteurs de science-fiction du début du siècle n'avaient pas osé imaginer.*

*Les différentes explorations océaniques menées depuis une quarantaine d'années (avec des navires de surface puis avec des submersibles), l'utilisation de diverses techniques physiques (celles du géoma-*gnétisme, *notamment), ont conduit les géophysiciens à reprendre (avec, toutefois, des modifications substantielles) l'hypothèse de la dérive des continents, exposée par Alfred Wegener dans les années 20. Devenue la* ***tectonique des plaques****, cette théorie est aujourd'hui à la base de la reconstitution de l'histoire de la Terre, depuis au moins 540 millions d'années (et probablement bien davantage).*

Aujourd'hui, peu de chercheurs peuvent se vanter d'avoir vécu véritablement une « révolution scientifique » (voir art. 21), ayant bouleversé de fond en comble la discipline dont ils sont spécialistes. C'est peut-être le cas des biologistes (voir art. 25). Ce l'est, de toute évidence, des géologues. La géologie est une science jeune, mais les conceptions révolutionnaires relatives à l'histoire de la Terre, regroupées au sein de la théorie de la tectonique des plaques lui ont déjà imposé un changement comparable à celui que Copernic introduisit en astronomie en 1543.

La tectonique

La tectonique, du grec *tektron*, charpente, est la partie de la géologie qui s'intéresse à la **structure de l'écorce de la planète** (de la Terre, en ce qui concerne cet article), et à ses déformations dues à des processus internes...

Les précurseurs

Les hommes ont pu ignorer pendant longtemps certains phénomènes, la radioactivité de quelques roches par exemple. Ils ont également pu refuser de prendre en considération des effets pourtant assez répandus, telle la diffraction de la lumière (voir art. 13). Ils ont pu nier le mouvement de la Terre pendant des millénaires. Mais même ceux qui croyaient que l'univers avait été créé selon le scénario décrit par la Bible, même ceux qui pensaient comme Aristote que les corps célestes sont inaltérables, étaient bien obligés de constater que des transformations s'opéraient à la surface de notre planète.

L'activité volcanique était connue. Certains des changements qu'elle provoquait se déroulaient parfois dans le cours d'une vie d'homme, ou étaient relatés par des chroniques anciennes. Il en était de même des tremblements de terre, des raz-de-marée, etc. Une autre constatation attirait l'attention : la présence, quelquefois loin dans les terres, de coquillages d'animaux marins inclus dans des couches de roches calcaires.

Ces observations diverses, ces histoires colportées initialement par la tradition orale, se reflètent dans les légendes — celle de l'Atlantide par exemple, ou dans les textes mythologiques et religieux — tel le récit du Déluge dans la Bible. Des explications plus rationnelles (même si certaines d'entre elles

L'Atlantide

L'Atlantide est un pays mythique, évoqué pour la première fois (semble-t-il !) par Platon (428-348 av. J.-C.) dans le *Timée* et le *Critias*. Il se serait agi d'une très grande île, très riche, située dans l'Atlantique au-delà du détroit de Gibraltar. Elle aurait disparu dans un gigantesque cataclysme, 9000 ans avant le récit de Platon.

L'existence de l'Atlantide est restée une légende, fréquemment exploitée par les romanciers, mais qui n'a pas été confirmée. Une hypothèse récente suppose que Platon aurait rapporté, en les enjolivant et les transformant, les récits relatifs à l'éruption du volcan Théra, dont l'énorme explosion a en grande partie détruit l'île de Santorin et ruiné la civilisation minoenne de Crète.

nous paraissent quelquefois très farfelues) sont formulées à partir du Ve siècle av. J.-C. Nous retrouvons donc, dans ce domaine, le changement de démarche, de forme de raisonnement, qui affecte à cette époque la réflexion relative aux phénomènes naturels (voir art. 2, 11, 20 et 21).

Historien et géographe, Hérodote (484-420 av. J.-C.) suppose ainsi que l'Égypte fut auparavant un golfe marin. Eratosthène, astronome et géographe d'Alexandrie (IIIe siècle av. J.-C.), juge que le niveau de la Méditerranée a diminué à cause de la création des «*colonnes d'Hercule*» (le détroit de Gibraltar). Le géographe Strabon (58-53 av. J.-C.) attribue de telles transformations aux tremblements de terre.

Avec la Genèse (première partie de la Bible) comme référence principale, les idées sur l'histoire de la Terre depuis sa création se succèdent dans le monde médiéval, d'abord chez les Musulmans, puis dans l'Europe chrétienne. L'âge de la Terre est évalué à 36 000 ans mais Jean Buridan (XIVe siècle) parle de milliards d'années. Régression au XVIIe siècle : un chapelain anglais, interprétant la Bible, fixe à environ 6 000 ans l'âge de notre planète. Mais, à la même époque, grâce en partie aux grands voyages et aux progrès de la cartographie, Francis Bacon (Chancelier d'Angleterre et philosophe) et Cyrano de Bergerac font remarquer que la côte ouest de l'Afrique et celle de l'est de l'Amérique du Sud pourraient s'emboîter l'une dans l'autre. Les mêmes constatations se retrouvent au XIXe siècle chez Alexander von Humboldt, puis chez A. Snider-Pellegrini qui évoque la possibilité d'un déplacement relatif des deux continents, conduisant à leur séparation. Tenace, la légende de l'Atlantide réapparaît au XVIIIe siècle chez Buffon, qui suppose que l'Atlantique provient d'un effondrement de ce pays mythique.

Les hypothèses de Wegener

Le XIXe siècle a été en géologie (comme en physique, en chimie, et dans bien d'autres disciplines scientifiques) une période charnière qui, après la phase de recensements et de classifications (de réforme de la *nomenclature*, en ce qui concerne la chimie) du XVIIIe siècle, prépare l'émergence de plusieurs des grandes théories actuelles. L'ouvrage-clé est sans doute *Principes de géologie* de Charles Lyell (1833), livre de chevet de Darwin, dont Lyell soutint d'ailleurs par la suite la théorie transformiste (il publia notamment, en 1864, *L'Ancienneté de l'homme prouvée par la géologie*). Il faut citer aussi quantité d'autres travaux : ceux de Brongniart, Cuvier, Elie de Beaumont, Descloizeaux...

Au début du XXe siècle, la similitude de la faune et de la flore à certaines époques géologiques, celle de différentes roches et de couches de terrain entre des continents maintenant séparés par des océans, étaient trop nombreuses et trop flagrantes pour être considérées comme de simples coïncidences. La théorie darwinienne de l'évolution allait dans le même sens et obligeait, au minimum, à admettre «*l'existence antérieure de passerelles transocéaniques*».

Une explication révolutionnaire est proposée, à partir de 1910, par le météorologue et géophysicien allemand Alfred Wegener. Sa formulation complète (qui a été rectifiée et développée ensuite) est publiée en 1915 (sa traduction française, *L'Origine des continents et des océans*, est parue en 1924 ; elle vient d'être rééditée dans la collection *Epistémé* aux éditions Bourgois). Selon lui, un énorme continent (qu'il baptisait *Pangea*, ou *Pangée*) aurait existé jusqu'au milieu du Mésozoïque. La fragmentation de la Pangée aurait commencé au Crétacé, partie supérieure du Mésozoïque. (On sait aujourd'hui qu'elle date en fait du Trias supérieur, partie inférieure du Mésozoïque). Les différents continents initialement joints auraient alors dérivé sur la partie visqueuse du «*manteau*» terrestre. L'Amérique du Sud et l'Afrique se seraient d'abord séparés, ainsi que l'Amérique du Nord et l'Europe (qui seraient restées jointes par leur partie nord jusqu'au début de l'ère quaternaire).

Après une polémique qui dura plusieurs années (Wegener lui-même est mort en 1930 au cours d'une expédition au Groenland), les spécialistes des sciences de la Terre étaient, dans leur quasi-totalité, franchement hostiles à l'hypothèse de la dérive des continents ou, pour le moins, extrêmement sceptiques.

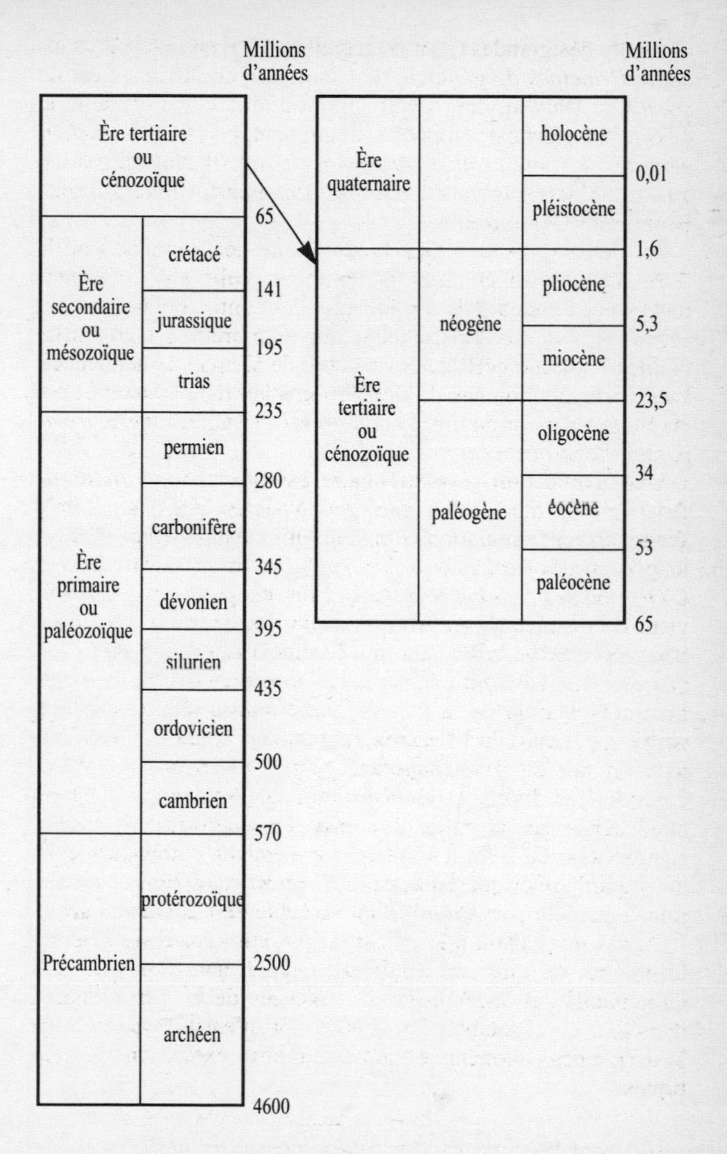

Les différentes époques de l'histoire de la Terre

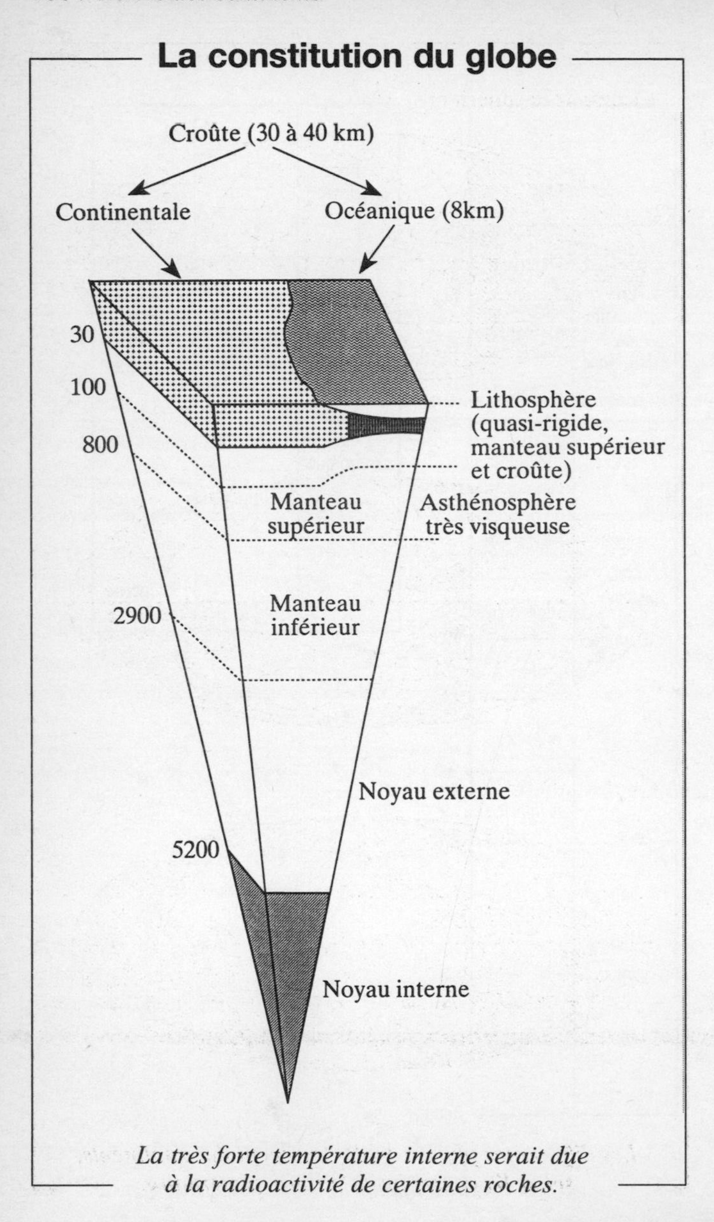

La très forte température interne serait due à la radioactivité de certaines roches.

Carbonifère supérieur

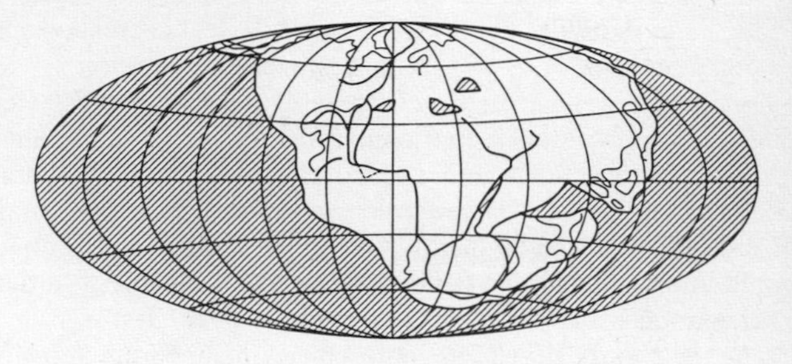

Eocène

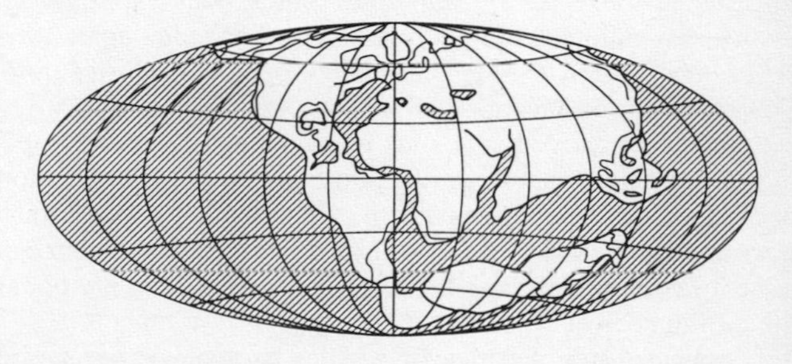

Quaternaire inférieur

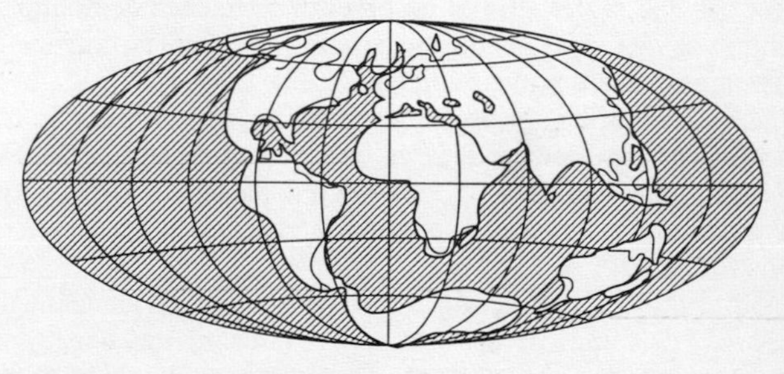

Les différentes phases du déplacement des continents, selon Wegener, jusqu'à l'ère quaternaire.

Les apports des années 50

Les premiers éléments qui incitèrent à remettre en cause l'idée de la fixité des continents vinrent des études relatives au paléomagnétisme. Les appareils destinés à le mesurer — les magnétomètres — avaient été notablement améliorés. Certaines laves basaltiques contiennent des quantités importantes d'oxydes de fer et de titane. Leurs molécules s'orientent parallèlement au *champ magnétique terrestre (géomagnétisme)* quand ces laves sont en fusion. Quand les basaltes se figent, les petits aimants que sont devenues lesdites molécules, gardent l'orientation prise (voir art. 24). L'étude des variations de la *déclinaison* et de l'*inclinaison* du champ magnétique terrestre, la constatation des inversions de ce champ au cours de l'histoire de la Terre (et les tentatives faites pour expliquer ces inversions) ont incité des géologues à se demander, après 1960, si les conceptions de Wegener étaient aussi fantaisistes qu'on l'avait cru de son vivant.

L'exploration des fonds sous-marins a aussi apporté, à peu près à partir de la même époque, un très grand nombre de données nouvelles aux géophysiciens. Cette exploration répondait pour une part à des préoccupations militaires qui rendaient également nécessaire une meilleure connaissance de la morphologie du fond des océans.

C'est ainsi qu'à partir de 1955, des campagnes océanographiques utilisant systématiquement l'écho-sondeur à ultrasons (voir art. 3, 8, 17 et 19) ont pu préciser le tracé et démontrer la continuité des rides médio-océaniques, véritables chaînes de montagnes sous-marines (voir plus loin).

Les sous-marins à propulsion nucléaire, susceptibles de rester plusieurs mois en plongée en transportant plusieurs fusées à tête atomique, commencent en effet à apparaître à cette époque (le premier d'entre eux, le sous-marin américain *Nautilus*, a été construit à partir de 1954).

On réussit en outre progressivement à mettre au point des appareils de forage permettant, à partir des navires de surface, de recueillir des échantillons de sédiments meubles et des roches dures sous-jacentes constituant le « plancher » des océans.

Enfin, la mise au point de petits sous-marins expérimentaux, capables de descendre à une très grande profondeur, a permis d'observer directement les caractéristiques de certains fonds et de collecter des échantillons. Ces prélèvements conduisirent à reconnaître la nature organique des roches constituant le plancher sous-océanique et à étudier leur paléomagnétisme. Différentes théories, techniques et instruments physiques furent de plus en plus utilisés, l'ordinateur ayant bien évidemment, là comme ailleurs, mis ses immenses possibilités au service de cette panoplie.

Parmi les techniques courantes figure la *tomographie* utilisant les *ondes sismiques*. Ces dernières sont mécaniques, de même nature que les ondes ultra-sonores. Elles peuvent être d'origine naturelle (secousses sismiques d'ampleurs diverses) ; elles peuvent aussi être provoquées par des émetteurs d'ultrasons (donc par des *sonars*). L'étude de l'onde réfléchie (*sismique-réflexion*) ou transmise (*sismique-réfraction*) donne de multiples indications sur l'architecture profonde des terrains rencontrés.

La tomographie

La tomographie est un procédé analogue à celui utilisé par la scannographie en médecine (voir art. 19). Dans ce dernier cas, ce sont les variations des caractéristiques des rayons X (traversant les tissus et les organes) qui sont analysées. Dans le présent article, les ondes concernées sont mécaniques (sismiques au sens strict ou ultrasonores).

La tectonique des plaques

Il serait inexact d'affirmer que les conceptions actuelles résultent d'une reprise pure et simple des hypothèses de Wegener. Celles-ci se traduisaient plus ou moins par l'idée de l'existence de sortes de *radeaux* solides, flottant sur la matière interne visqueuse, et se déplaçant les uns par rapport aux autres. La théorie, qui a été progressivement formulée de la fin des années 50 à 1968-69 (parallèlement par les Américains Morgan et Mason, et par le Français Xavier Le Pichon), est

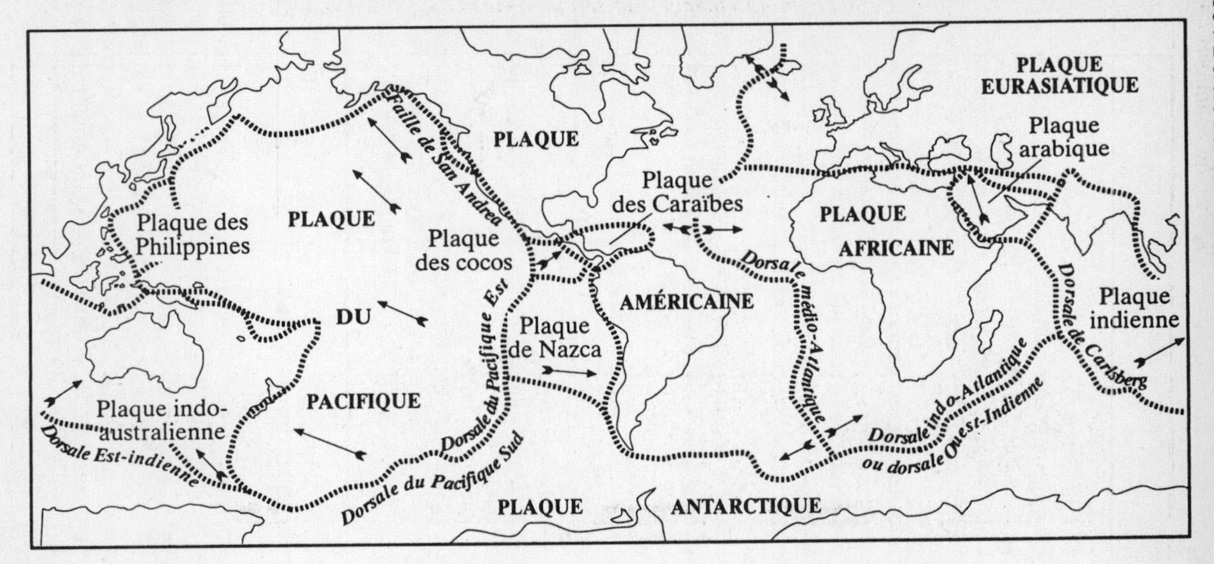

Les six plaques constituant la croûte terrestre

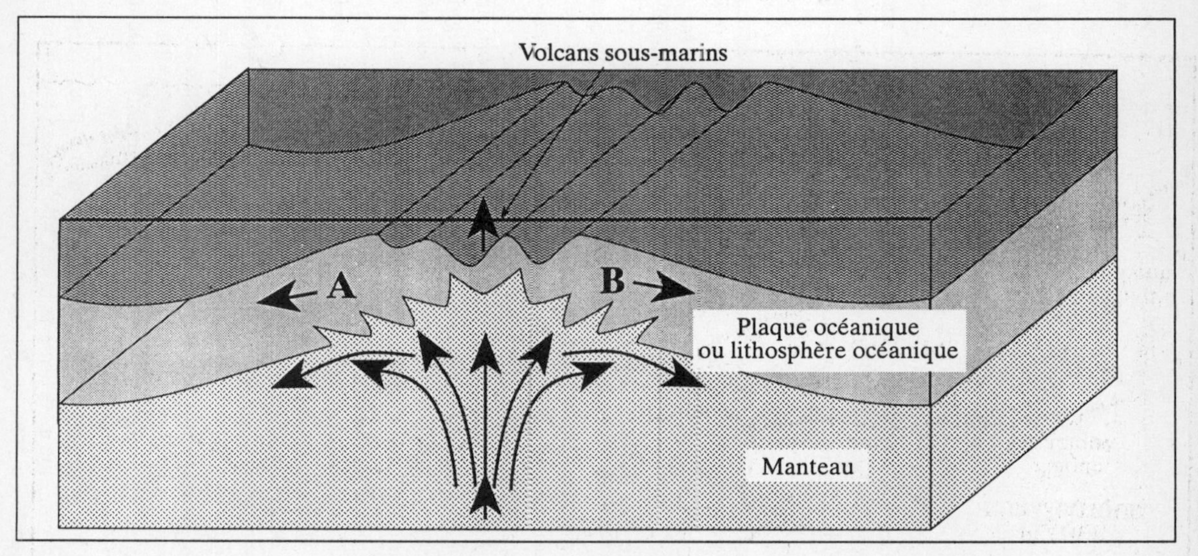

Sortie de la lave provenant des profondeurs du manteau

sensiblement différente de celle de Wegener. C'est pourquoi la formulation d'aujourd'hui est *tectonique des plaques*, et non plus *dérive des continents*, même si l'une et l'autre expression sont souvent indifféremment utilisées. Il reste d'ailleurs encore de nombreuses questions en débat, la théorie est loin d'être entièrement stabilisée, et les sujets de recherches à ce propos sont légion. Nous ne pouvons donc présenter ici qu'un état approximatif et **provisoire** des problèmes.

Les explorateurs des fonds sous-marins ont montré que la Terre est en quelque sorte encerclée par une chaîne de montagnes sous-marines. Celle-ci débute au pôle Nord, passe entre le Groenland et la Scandinavie, puis entre l'Amérique du Nord et l'Europe, puis entre l'Afrique et l'Amérique Centrale et du Sud. Ensuite, elle contourne la pointe sud de l'Afrique, remonte l'océan Indien parallèlement à la côte orientale de l'Afrique, passe au sud de l'Australie, remonte le Pacifique pour se terminer sous l'Alaska. Cette chaîne, complétée par quelques ramifications dans certains golfes marins profonds, est appelée **système des dorsales médio-océaniques**. Sa longueur est de plus de 50 000 kilomètres, la hauteur des sommets atteignant parfois plusieurs milliers de mètres. Ces dorsales sont actuellement sous l'eau, à l'exception de deux portions, l'une en Islande, l'autre dans l'Afar (en Afrique orientale).

Selon la théorie acceptée depuis 1968, la partie superficielle (*lithosphère*) de la Terre serait formée de **six plaques rigides.** Les plaques *eurasiatique, africaine, américaine, indo-australienne* et *antarctique* comportent à la fois des continents et des croûtes océaniques ; la plaque *pacifique* est formée uniquement de croûte océanique. Ces plaques auraient une centaine de kilomètres d'épaisseur et se déplaceraient sur une couche visqueuse de 100 à 200 km d'épaisseur (*asthénosphère*).

Au sommet de certaines des *dorsales*, la croûte a « craqué », créant un vaste fossé baptisé *rift*. De cette faille sort de la lave, résultant de la fusion partielle de la partie supérieure du manteau terrestre, de part et d'autre de la cassure de la croûte. Cette matière se refroidit progressivement et s'épaissit également (elle atteint environ 10 km d'épaisseur quand l'âge de l'océan est de 100 millions d'années). Et, elle-même poussée par la lave qui continue à sortir de la faille, elle pousse la croûte plus ancienne. Il y a donc un déplacement des fonds océaniques (de l'ordre de quelques centimètres par an), entraînant avec eux les plaques rigides et par conséquent les continents qui en constituent une partie. L'image d'un *tapis roulant* est en général utilisée pour illustrer ce processus. Issu de la faille existant dans la dorsale, le tapis, à son autre extrémité (si l'on peut dire), retourne dans la partie en fusion, en passant sous la plaque suivante, dans ce que les géophysiciens appellent une **zone de subduction** (située en général dans une fosse marine), la plaque la plus épaisse (et la plus lourde) s'enfonçant sous l'autre.

La figure ci-dessous montre **les dorsales** (médio-atlantique, Est-pacifique, de Carlsberg) et **les zones de subduction** connues (andine, de Tonga-Kermadec, indonésienne). Les unes et les autres sont évidemment des régions où l'activité volcanique est intense, de même que l'activité sismique (les tremblements de terre sont donc fréquents).

Du fait du déplacement relatif des plaques, le choc de deux d'entre elles portant chacune un continent s'est produit au cours de l'histoire de la Terre. C'est le cas de la rencontre de la

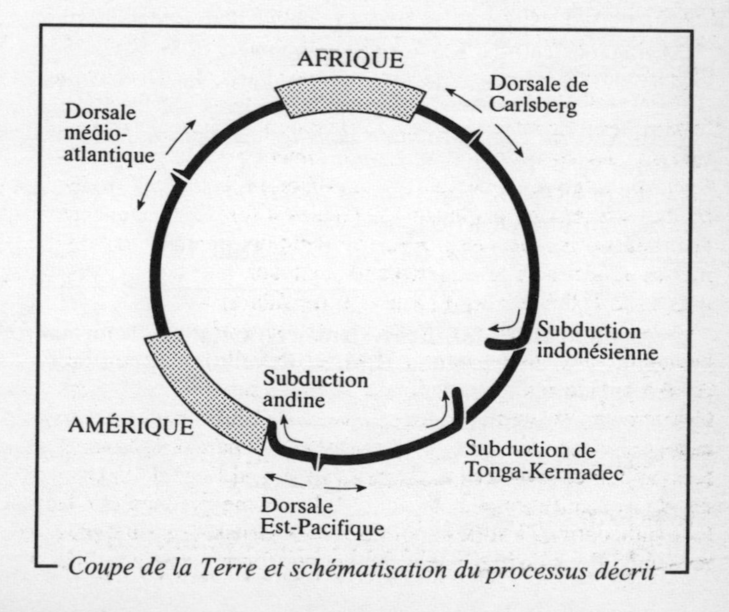

Coupe de la Terre et schématisation du processus décrit

plaque indo-australienne (qui naît à la dorsale Est-indienne et se déplace vers le nord-est) et de la plaque eurasiatique (qui naît à la dorsale médio-atlantique et se déplace vers le sud-ouest). La première porte l'Inde, la deuxième porte l'Eurasie. En 70 millions d'années, l'Inde s'est ainsi déplacée de 8 000 kilomètres environ vers le nord-est. La conséquence de la rencontre des deux continents est (entre autres) la formation de l'Himalaya, dont l'altitude continue à augmenter, le mouvement relatif des plaques se poursuivant.

Tous ces sujets sont au cœur de la recherche actuelle et, très certainement, de celle qui sera menée dans les décennies à venir. Et, si les grandes lignes du *processus* sont à peu près déterminées, des questions très nombreuses restent à élucider.

REPÈRES

ALLÈGRE, C., *L'Écume de la Terre*, Paris, Fayard, 1983.
Id., *12 clés pour la géologie*, Paris, Belin, 1987.
BIBRING, J. P., *La Terre et les planètes*, Paris, Messidor/La Farandole, coll. *La Science et les Hommes*, 1990.
GOHAU, G., *Histoire de la géologie*, Paris, La Découverte, 1987.
HALLAM, A., *Une Révolution dans les sciences de la Terre*, Paris, Seuil, 1976.
SABOURAND, C., *Les Archives de la Terre,* Paris, Presses Pocket/La Villette, 1991.
La Mémoire de la Terre, collectif, Paris, Seuil, 1992.

▶ **Big Bang, Cristal, Écosystème, Gravitation, Informatique, Nucléaire, Onde, R.M.N., Révolution scientifique, Thermoluminescence.**

8. Doppler (Effet)

L'effet Doppler-Fizeau, découvert et étudié au XIXe siècle par Christian Doppler dans le cas du son et par Hippolyte Fizeau dans celui de la lumière, a conduit à la mise au point de pratiques expérimentales, d'outils de détection et de mesure, qui sont aujourd'hui utilisés dans de multiples domaines.

Cela inclut la recherche fondamentale (notamment en astrophysique), l'exploration médicale, les techniques militaires et civiles notamment en ce qui concerne le repérage et la vitesse de mobiles variés (le radar), etc. L'usage du Doppler fait appel lui-même aux connaissances modernes les plus affinées de différentes disciplines : cristallographie, acoustique, électronique.

C'est un remarquable exemple d'application d'un phénomène scientifique à différentes autres sciences et à des secteurs inattendus de la vie sociale.

Nous pouvons voir fréquemment, en passant devant certains cabinets médicaux, une plaque fixée au mur sur laquelle sont gravés les mots *Echographie-Doppler*. Il arrive aussi qu'un malade, souffrant par exemple de troubles de la circulation ou ayant la sensation d'un sifflement permanent dans la tête, s'entende dire par le médecin : « *On va vous faire un Doppler* ».

L'effet Doppler (ou **Doppler-Fizeau** s'il s'agit de la lumière) est un phénomène physique qui a aujourd'hui des applications variées : en médecine, comme nous venons de l'indiquer ; en astrophysique ; pour mesurer la vitesse des mobiles, etc. Il s'agit là d'un modèle intéressant d'utilisation multiple d'une étude scientifique, parfois pour des pratiques qui en sont fort éloignées.

L'association du Doppler à l'échographie est due au fait que, dans le domaine médical, ce sont des ultrasons qui sont utilisés dans un cas comme dans l'autre et que les conséquences de l'effet Doppler sont évaluées à partir de leur réflexion (d'un *écho*, si l'on préfère) sur la partie examinée.

Qu'est-ce que l'effet Doppler ?

Nous allons nous permettre de reproduire une image très claire, développée par E. Schatzmann dans deux de ses livres, *Les Enfants d'Uranie* et *L'Expansion de l'univers*.

> **« Je suis au bord d'une rivière et je jette à intervalles réguliers, par exemple toutes les secondes, une feuille morte qui va dériver au fil de l'eau. Si le courant est de un mètre par seconde, je crée donc une file de feuilles mortes, séparées les unes des autres par une distance de un mètre.**
>
> **A 100 mètres de là, un observateur immobile verra les feuilles arriver et défiler à raison d'une feuille par seconde. Si l'on suppose maintenant que cet observateur remonte la rivière pour venir à ma rencontre, il verra les feuilles passer plus fréquemment qu'avant. S'il marche à la vitesse de un mètre par seconde, sa vitesse et celle du courant s'ajoutent et les feuilles, toujours séparées d'un mètre évidemment, lui paraissent défiler à raison d'une feuille toutes les demi-secondes : la fréquence apparente augmente à la rencontre du courant.**
>
> **Si l'observateur fait maintenant demi-tour et s'éloigne de moi, par exemple à une vitesse de 0,5 mètre par seconde, cette fois-ci les feuilles défileront plus lentement, à raison d'une feuille toutes les deux secondes, la vitesse de l'observateur se soustrayant à celle du courant. Si l'observateur hâte le pas et descend la rivière à la vitesse du courant, un mètre par seconde, il se trouvera toujours à la hauteur de la même feuille. Il ne verra plus défiler les feuilles. L'intervalle de temps entre le passage des deux feuilles est devenu infini. De même, on ne peut pas causer avec un interlocuteur qui s'éloigne de vous à la vitesse du son. »**

Venons-en à une définition scientifique de cet *effet*. Quand un son est émis à une certaine fréquence par une source en **mouvement,** l'observateur qui écoute reçoit l'onde sonore, dont la **fréquence apparente** change du fait du mouvement. Il en est de même si l'émetteur est immobile et l'observateur en mouvement.

Prenons le cas d'une automobile qui viendrait vers nous, son klaxon bloqué fonctionnant en permanence. Le son que nous recevons est d'autant plus aigu (ce qui revient à dire que sa fréquence est plus élevée) que la voiture s'approche de nous (et d'autant plus aigu aussi que sa vitesse est grande). Dans l'image utilisée par E. Schatzmann (qui est évidemment une **image** destinée à faciliter la compréhension ; ce qu'il décrit est simplement un transport mécanique et continu de matière — les feuilles, tandis que notre phénomène est une propagation d'onde dans l'air, qui est aussi un effet mécanique, cela correspond au cas où l'observateur marche vers la personne qui laisse tomber les feuilles.

Revenons à notre exemple. La voiture passe devant nous et s'éloigne, toujours en klaxonnant. Le son que nous percevons devient de plus en plus grave (ce qui équivaut à une diminution de la fréquence perçue par l'oreille). Dans l'image de Schatzman, cela correspond à la phase où l'observateur s'éloigne de la personne qui laisse tomber les feuilles.

Le phénomène a été découvert en 1842 par le physicien autrichien Christian Doppler. L'acoustique est une science qui s'était régulièrement développée depuis le début du XVIIe siècle. La vitesse du son a été mesurée par Mersenne en 1636. L'acoustique a progressé ensuite, du XVIIe au XIXe (et même au XXe siècle), tout au moins sur le plan théorique, comme un cas particulier de la propagation d'une onde dans un *fluide élastique* (voir art. 13).

Ce que le XVIIIe et le XIXe siècles lui ont apporté, ce sont essentiellement des outils mathématiques nouveaux (concepts, théories, procédés de calcul, etc.). L'œuvre de Fourier a, au cours des premières décennies du XIXe, contribué à affiner considérablement cette science (voir art. 17).

Le XXe siècle, grâce à l'essor de l'électronique et des technologies qu'elle a engendrées, a amené l'apparition de quantité d'appareils d'émission, d'amplification, de transmission, de réception et d'analyse des sons.

A l'époque de Doppler, si la théorie mathématique de base était pour l'essentiel au point, les instruments de l'étude expérimentale n'avaient évidemment pas la sophistication de ceux dont nous disposons actuellement. Ils suffisaient toutefois pour découvrir le phénomène et pour se livrer à une analyse correcte de ses causes et de ses conséquences.

Le cas de la lumière

L'étude de Doppler est généralisable à tous les types d'ondes. En 1842, la nature ondulatoire de la lumière (voir art. 13) était admise par pratiquement tous les physiciens. Il était certes évident pour tous qu'il s'agissait d'une onde un peu spéciale (tout en restant *mécanique*), que le milieu — l'*éther* —, dont les vibrations entre la source et le récepteur (l'œil) étaient la cause de la propagation du rayon, avait des propriétés quelque peu paradoxales. Elle n'en était pas moins une onde et il était légitime de rechercher, parmi ses propriétés possibles, des manifestations de l'effet Doppler.

Ceci fut fait, en 1848, par le physicien français Hippolyte Fizeau. Il eut l'idée de s'en servir pour déterminer la vitesse relative d'une étoile par rapport à la Terre. Si l'étoile s'éloigne de nous, la fréquence **apparente** de la lumière qu'elle émet diminue (et donc la longueur d'onde apparente augmente). Si elle se rapproche de nous, l'effet inverse se produit : la fréquence apparente augmente (et donc la longueur d'onde apparente diminue)*. Fizeau en expérimente les conséquences sur le *spectre* de la lumière de l'étoile. Pour une étoile précise, cette lumière est composée de couleurs qui sont caractéristiques de ladite étoile. Le **spectre** obtenu expérimentalement (initialement grâce à un prisme ; nous avons maintenant des *spectroscopes* plus performants que ceux qui utilisaient le prisme) est tout à fait **caractéristique** de l'étoile observée. Ce spectre possède un nombre de raies qui lui sont propres, ayant des couleurs à des places déterminées de l'écran qui n'appartiennent qu'à lui, etc. Pour employer une image répandue, c'est la **carte de visite** de la dite lumière (voir art. 3 et 13).

Quand la source est immobile (ou, pour l'étoile, est située à un endroit en apparence fixe), le spectroscope forme un spectre parfaitement reconnaissable. Si elle se rapproche de nous, tout se passe comme si le nombre des ondes lumineuses, reçues par nous, augmentait. Si elle s'éloigne de nous, tout se passe comme si ce nombre diminuait. La fréquence de chacun des rayonnements reçus augmente dans le premier cas, et chacune

---

* La relation entre la longueur d'onde λ et la fréquence N est $\lambda = \frac{v}{N}$, où v est la vitesse de l'onde. Quand λ est grand, N est petit, et inversement.

des raies initiales du spectre change de couleur (et donc de place), en allant vers les radiations de plus haute fréquence, c'est-à-dire vers la raie violette.

Dans le deuxième cas, la fréquence des rayonnements reçus diminue, et les raies se déplacent vers la raie rouge. C'est ce que l'on appelle le **décalage du spectre** (ou des raies), vers le violet dans le premier cas, vers le rouge dans le second (voir art. 3). Nous savons, depuis Einstein, que la vitesse de la lumière **dans le vide** est invariante, et qu'elle ne dépend pas du mouvement de la source, ni de celui de l'observateur — voir art. 21 ; le phénomène évoqué a donc lieu **à vitesse de propagation constante de l'onde dans le vide**.

Le travail de Fizeau a, entre autres, permis de déterminer la vitesse relative des étoiles par rapport à la Terre. Par exemple, l'astronome anglais William Huggins a montré en 1868 que Sirius s'éloignait de nous à 46 km/s. La multiplicité des applications de l'effet Doppler-Fizeau à l'astronomie est très grande. On peut, entre autres, l'utiliser pour confirmer la rotation du Soleil sur lui-même (voir art. 3).

Échographies et effet Doppler

Émettre une onde vers un objectif sur lequel elle se réfléchit, recevoir l'onde réfléchie et l'étudier permet (pour différents types d'onde) des applications intéressantes dans plusieurs domaines (autres que l'astronomie). Quand l'objectif est en mouvement, il s'agit de l'effet Doppler et l'on peut, dans ce cas, déterminer par exemple la vitesse du mobile et ses variations. Quand ce n'est pas le cas (ou bien si l'on souhaite surtout se pencher sur la présence de l'objet, ou sa forme, ou l'existence de parties étrangères ou aberrantes, etc.), il s'agit de l'**échographie** à proprement parler.

Une application très connue est la **détection des sous-marins.** Le problème s'est posé pendant la guerre de 14-18. Les Allemands disposaient d'une flotte redoutable de ces submersibles, lesquels faisaient des ravages parmi les navires de guerre et de transport de marchandise des alliés. Les ondes électromagnétiques (nous verrons plus loin leurs utilisations) ne pouvaient pas servir pour les repérer. Elles sont en effet absorbées par une faible épaisseur d'eau.

Il vint l'idée à Paul Langevin de recourir aux *ultrasons* (sons très aigus dont la fréquence dépasse 10 000 Hertz et qui sont inaudibles à l'oreille humaine). Pour l'émission, il se servit du phénomène de *piézo-électricité du quartz* (voir art. 6), découvert par Pierre et Jacques Curie. L'invention de Langevin a conduit à l'actuel **sonar** qui, en plus de la détection des sous-marins, sert à bien d'autres usages : repérage des bancs de poissons, mesure des profondeurs marines, étude des fonds sous-marins, etc.

Les ultrasons se réfléchissent différemment selon la nature de l'obstacle auquel ils se heurtent. Quand il s'agit d'applications médicales, les os, les tissus divers produisent des réflexions distinctes que l'on peut repérer, aussi bien grâce à un enregistrement graphique que par l'image obtenue sur un *écran cathodique* (voir art. 14). Certains tissus laissent passer complètement les ultrasons. Il n'y a, dans ce cas, pas d'écho et la partie correspondante de l'écran est blanche (ou verte, ou bleue…, selon la couleur dudit écran). On peut ainsi visualiser des organes (cœur, reins, pancréas, etc.), les os, distinguer la présence d'une tumeur, surveiller le développement d'une grossesse ou d'une valve cardiaque artificielle… C'est, dans beaucoup de domaines, bien plus performant que d'autres procédés (la radioscopie, par exemple) et cela a l'avantage de ne pas être traumatisant. C'est donc une technique qui se développe de plus en plus.

Le *Doppler* est également une échographie, mais sur une partie en mouvement. C'est essentiellement dans l'observation de la circulation du sang dans les vaisseaux qu'il est utilisé. Il rend possible la mesure de cette vitesse de circulation, de repérer les étranglements possibles, tant dans les vaisseaux cérébraux ou qui conduisent le sang au cerveau (carotides, etc.), que dans ceux du cœur et des membres.

Réflexion des ondes électromagnétiques : Le radar

Les quelques principes évoqués plus hauts valent pour les ondes électromagnétiques. La lumière est concernée (voir art. 3

et 13) ; en plus des applications en spectroscopie, on se sert par exemple d'un rayon laser pour mesurer avec davantage de précision la distance Terre-Lune, ledit rayon se réfléchissant sur un miroir installé sur notre satellite naturel. Mais les ondes électromagnétiques, que leur fréquence place au-dehors des radiations perçues par nos yeux, sont (au moins pour certaines d'entre elles) susceptibles d'être également utilisées.

Les fréquences des ondes électromagnétiques, aujourd'hui très courantes dans différents domaines, se situent entre le millier de Giga-Hertz (1 Giga = 1 milliard, ce qui équivaut à une longueur d'onde dans l'air de l'ordre du dixième de millimètre) et quelques centaines de milliers de Hertz (ce qui équivaut à une longueur d'onde dans l'air de quelques kilomètres). L'une des premières applications, ici, est relative à la transmission des signaux grâce aux ondes électromagnétiques (voir art. 14, 17 et 18). On a effectué cette transmission sur quelques dizaines de kilomètres (à travers la Manche) à la fin du XIXe siècle. Comme la lumière, une onde électromagnétique quelconque se propage en ligne droite dans un milieu homogène. On a donc supposé au départ qu'il devait exister, pour que la transmission soit faisable, une possibilité de *vision optique* (c'est-à-dire en ligne droite) entre l'émetteur et le récepteur. Cela aurait empêché toute transmission à très longue distance, différents obstacles (la courbure de la Terre, des collines, etc.) devant arrêter (et souvent absorber) le faisceau. La transmission d'une telle onde en 1901, entre la Grande-Bretagne et Terre-Neuve par Marconi, a montré qu'il n'en était rien.

L'explication de ce phénomène a été donnée par O. Heaviside et A. E. Kenneley en 1902, avant d'être confirmée par Sir E. Appleton en 1935. Au fur et à mesure que l'on s'élève dans l'atmosphère, l'air se raréfie (c'est-à-dire que le nombre de molécules d'oxygène et d'azote par m^3 diminue). En même temps, la densité d'ions (c'est-à-dire de molécules qui, ayant perdu certaines des particules qui les constituent quand elles sont complètes, sont électriquement chargées — voir art. 1, 2, 6, 16 et 18) et celle de particules électrisées diverses augmentent. A partir de 60 kilomètres environ de la surface terrestre, ces densités deviennent importantes et, progressivement, l'on passe à un milieu ne contenant plus guère que des ions et autres particules, donc à un *plasma* (voir art. 6). Cette couche, qui entoure la Terre, est l'*ionosphère*. Elle réfléchit les ondes électromagnétiques, ce qui permet à celles-ci d'être perçues à des distances beaucoup plus grandes que ne le permet la transmission directe.

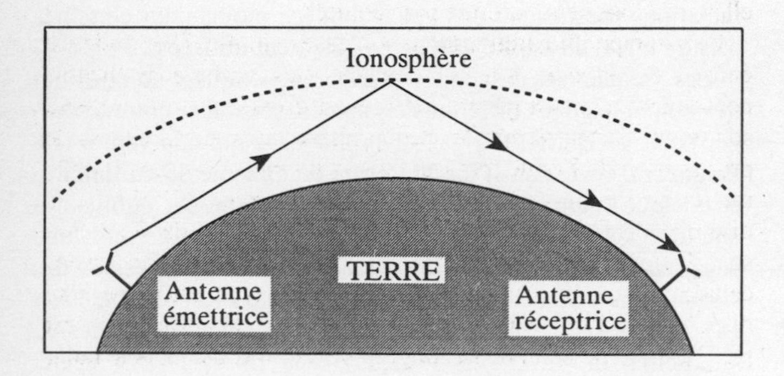

Les rayons de grande longueur d'onde se réfléchissent à une altitude relativement basse, alors même que la densité d'ions est assez faible. L'atmosphère en général, et l'ionosphère en particulier, absorbent les ondes, d'autant plus que l'épaisseur traversée est plus grande. Les ondes qui se réfléchissent à faible altitude sont donc relativement peu absorbées et, de ce fait, peuvent — après réflexion — parvenir assez loin en ayant encore suffisamment de puissance pour être détectées convenablement.

Quand il s'agit de rayons de très courte longueur d'onde, par contre, la réflexion ne se produit qu'à très haute altitude, où la densité d'ions est suffisamment grande. Ils sont donc absorbés bien davantage que les précédents et sont indétectables après réflexion.

La première solution à ce problème a consisté à multiplier les « relais », de manière à privilégier la propagation directe en ligne droite et à éviter la réflexion sur l'ionosphère. C'est ce qui s'est produit, par exemple, quand la diffusion des émissions télévisées a été généralisée à toute la France entre 1955 et 1960.

La deuxième solution demande des émetteurs plus puissants (et éventuellement des récepteurs plus sensibles), de manière à ce que l'onde soit détectable après réflexion sur l'ionosphère malgré l'absorption qu'elle subit. Ce qui explique que, avant l'existence des satellites de télécommunication, les radios internationales utilisaient seulement des grandes longueurs d'onde. La télévision, les radios à modulation de fréquence, utilisent, elles, des longueurs d'onde plus courtes.

Le principe du **radar** est, en soi, assez simple. Une onde est émise, se réfléchit sur un obstacle (les corps métalliques, notamment, sont en général de bons miroirs), et est détectée à son retour par un récepteur approprié. Connaissant la vitesse de propagation de l'onde (environ 300 000 km/s), le temps qu'elle met entre l'émission et la réception, l'opérateur détermine la distance de l'obstacle. Appareils d'émission et de réception sont le plus souvent couplés. Depuis l'invention des écrans cathodiques (voir art. 14), un écran de ce type est associé au dispositif et l'on peut visualiser l'obstacle. Le principe n'est pas différent de celui de l'échographie à ultrasons, mais le radar sert pour des milieux où le sonar ne convient pas (et inversement), et pour les mobiles en déplacement rapide.

Les liaisons radios, entre les navires et les stations côtières, ont été développées après le naufrage du *Titanic* (1912), puis au cours de la Première Guerre mondiale où, pour la première fois, l'aviation a joué un rôle. Les premiers radars ont été installés, entre les deux guerres, sur des paquebots (dont le *Normandie*, en 1935). Les Anglais avaient construit, dès 1939, des batteries de radars le long de leurs côtes pour repérer les avions de bombardement allemands, ce qui a grandement facilité leur victoire au cours de la bataille aérienne de Londres en 1940. Une radiation ne permet de bien *« voir »* un obstacle que si sa longueur d'onde a, au plus, la même dimension que ledit obstacle. Si l'on veut en voir les détails, une longueur d'onde bien plus courte est indispensable. D'où la course des Anglais, des Américains, des Allemands et des Japonais entre 1940 et 1944, pour réaliser des émetteurs et des récepteurs d'ondes de plus en plus courtes, et pour les miniaturiser, de façon à pouvoir en équiper les avions eux-mêmes.

Il en est ici de l'effet Doppler comme dans le cas des ultrasons. Il permet, entre autres, de mesurer la vitesse de l'obstacle réfléchissant. D'où son utilisation par les gendarmes pour contrôler la vitesse des voitures.

REPÈRES

ASIMOV, I., *L'Univers de la science*, trad. franç., Paris, Inter-Éditions, 1986.

CARRÉ, P., *Du tam-tam au satellite*, Paris, Cité des Sciences et de l'Industrie/Presses Pocket, 1991.

ROSMORDUC, J., et BRÉZEL, P., *L'Électronique, de l'éclateur de Hertz au microprocesseur, Cahiers Maupertuis*, n° 2, C.R.D.P. de Rennes, 1985.

SCHATZMANN, E., *L'Expansion de l'Univers*, Paris, Hachette, 1989.

▶ **Atome, Big Bang, Cristal, Informatique, Laser, Microprocesseur, Onde, Photoélectrique (Cellule-), Technosciences.**

9. Écosystème

Un écosystème est défini par ***l'ensemble des êtres vivants d'un milieu et les caractéristiques physiques, chimiques et climatologiques de ce milieu****.* Oikos, *en grec, signifie* maison, *ici la* maison de la vie. *La science qui étudie le fonctionnement d'un écosystème est l'écologie.*

Étudier un écosystème, c'est analyser les rapports des organismes entre eux et avec leur environnement. C'est une science des systèmes où « le tout » est plus important que la somme de chaque élément du système. Dans cette optique se posent les questions suivantes : de quelle nature sont les ***échanges****, dans quel sens, entre quelles parties de l'écosystème ?*

L'approche du fonctionnement d'un écosystème nécessite la rencontre entre plusieurs disciplines : la biologie, mais aussi la climatologie, la pédologie (étude des sols), l'agronomie, la géographie humaine... Les activités humaines ont un impact biologique planétaire. Il s'agit d'une véritable collision entre histoire naturelle et histoire humaine.

Certains résultats de l'écologie diffusent dans des courants de pensée et inspirent la création de mouvements politiques.

Transferts d'énergie et de matière dans un écosystème

En biologie, il y a plusieurs niveaux d'approche du monde vivant (voir art. *Vie*). Le niveau moléculaire, cellulaire, individuel, le niveau d'une espèce, d'une population, d'un peuplement et d'un écosystème. La notion d'écosystème provient de trois étapes successives :

• Jusqu'en 1800, le monde vivant était répertorié, classé suivant le mode d'organisation des individus : plantes à fleurs, insectes, mollusques, mammifères...

• Humboldt (1830) associe plantes et animaux avec les caractéristiques du sol, du climat. C'est la période du romantisme où se dégage l'idée de l'unité de la nature.

• Darwin (1809-1882) étudie les rapports entre les êtres vivants et le milieu en constatant que la survie et l'évolution d'une espèce n'est possible que si ses rapports avec le milieu sont favorables.

Liebig, à la même époque, constate qu'avec le début de l'industrialisation et de l'exode vers les villes qui s'amorce, les lieux de production de matières alimentaires (viande, céréales) et de sources d'énergie (bois) diffèrent des lieux de consommation, créant ainsi un déséquilibre. Il met en évidence la notion de *facteur limitant* en observant que lorsqu'un facteur nécessaire à un être vivant (lumière, quantité d'eau) est peu représenté dans un milieu, il limite la survie de cet être vivant.

En 1866, Ernst Haeckel, biologiste allemand, crée le mot *écologie.*

L'écosystème se compose de quatre domaines en étroite interaction les uns avec les autres : l'air, l'eau, la terre et la vie. On les appelle respectivement *atmosphère, hydrosphère, lithosphère* et *biosphère.* Chaque domaine communique avec l'autre. La composition d'un sol, par exemple, dépend des peuplements animaux et végétaux sur et sous le sol mais aussi de la composition de la roche, de l'apport en eau (qualité et quantité), de la composition de l'atmosphère.

Le monde minéral et le monde vivant sont en perpétuel mouvement. L'atmosphère circule, ses manifestations sont le vent, les nuages. L'hydrosphère aussi (pluie, nappes phréatiques, rivières, mers, courants, glaciers). La lithosphère également : érosion des roches, sédimentation, volcanisme, mouvements des plaques lithosphériques (voir art. *Dérive des continents*). Enfin la biosphère possède des cycles de vie variés.

Or il faut de l'énergie pour qu'il y ait un mouvement. L'énergie nécessaire peut provenir de la gravité (par exemple pour le transport des matériaux issus de l'érosion des roches), ou de la chaleur interne du globe (volcans), mais surtout de l'énergie solaire, source inépuisable. Ainsi, **un écosystème est un sys-**

tème ouvert d'un point de vue énergétique car constamment approvisionné de l'extérieur.

Par contre, les éléments chimiques qui constituent les minéraux et les êtres vivants de la terre existent en nombre fini. Le recyclage de matière est permanent. Que ce soit l'azote, le soufre, le carbone, ces éléments circuleront entre la biosphère, l'atmosphère, la lithosphère et l'hydrosphère où ils séjourneront plus ou moins longtemps.

Dans le cas des êtres vivants, les matériaux qui les composent sont continuellement assemblés puis détruits pour resservir à nouveau au même être vivant ou à un autre.

L'activité des êtres vivants d'un écosystème (forêt, rivière...) est organisée autour de trois fonctions : production de matière vivante (organique), consommation et décomposition.

• Les ***producteurs*** de matière organique (ou encore carbonée) sont les plantes vertes terrestres ou aquatiques capables de réaliser la photosynthèse ; ce sont des *autotrophes* (voir art. *Vie*). A partir de matières minérales, eau, sels minéraux, gaz carbonique, ils fabriquent de la matière vivante.

• Les ***consommateurs*** sont les animaux végétariens ou carnivores de toute taille, aquatiques ou terrestres. Ils se nourrissent d'êtres vivants et dégradent cette matière pour s'approvisionner en énergie, grâce au phénomène de la respiration. Ils réorganisent aussi la matière consommée pour former leur propre matière. Ce sont des *hétérotrophes* (voir art. *Vie*).

• Les ***décomposeurs*** se nourrissent d'organismes morts ou de substances chimiques.

Les producteurs fixent l'énergie solaire dans les liaisons chimiques des molécules organiques qu'ils synthétisent. L'énergie circule le long de la *chaîne alimentaire* des producteurs aux consommateurs primaires (végétariens), puis aux consommateurs secondaires (carnivores mangeurs de végétariens) jusqu'aux consommateurs tertiaires (carnivores mangeurs de carnivores).

Exemple de chaîne alimentaire		
Noisetier (noisette) ----►	**écureuil** ----►	**martre**
	est mangé par	**est mangé par**
Producteur	*Consommateur primaire*	*Consommateur secondaire*

D'un maillon à l'autre de la chaîne alimentaire, une grande partie de l'énergie est perdue pour trois raisons :

— de l'énergie est utilisée pour les **déplacements** et pour maintenir la température du corps à une valeur constante chez certains animaux ;
— la **décomposition** des organismes morts représente également une perte ;
— ainsi que l'**élimination** sous forme de déchets, urine, excréments de la matière non digérée.

Le rendement d'un niveau à l'autre de la chaîne alimentaire est en gros de 10 %. Par exemple, à partir d'une masse de 1 000 g de maïs seront produits 100 g de viande de bœuf. Mais plus les chaînes alimentaires sont longues, plus la déperdition de matière est grande dans l'écosystème. Cela a des conséquences sur l'utilisation des ressources alimentaires pour les populations humaines ; l'homme a intérêt à utiliser des protéines végétales ou celles des animaux végétariens, plutôt que de se situer en bout de chaîne alimentaire en consommant des animaux carnivores.

Le sol est vivant, il contient des micro-organismes, les *décomposeurs*, qui jouent un rôle fondamental. Ils sont constitués de bactéries (voir art. *Vie*) d'algues, de champignons, de levures…

Grâce à leur action, tous les déchets dégradables sont finalement réduits en gaz carbonique, eau et sels minéraux. Dans une forêt, par exemple, les éléments minéraux, azote, soufre, phosphore sont totalement régénérés grâce aux décomposeurs du sol. Les sels minéraux sont ensuite réinjectés dans la chaîne alimentaire au niveau des racines des plantes. La transformation de la matière carbonée peut être partielle, ce qui constitue l'humus, véritable réservoir de matière minéralisable dans un second temps.

Le traitement des eaux usées (chargées en matière organique) dans une station d'épuration ou le fonctionnement d'une fosse septique repose sur l'action de ces micro-organismes. Les eaux traitées ne contiennent plus que des sels minéraux.

Évolution d'un écosystème sans et sous l'influence de l'homme

Lorsqu'un écosystème se maintient sans changement sur une longue période, on dit qu'il est *en équilibre*. Il s'agit d'un équilibre dynamique, puisque des échanges ont lieu entre la biosphère, la lithosphère, l'atmosphère, l'hydrosphère.

Dans un écosystème non encore équilibré, en cours d'évolution, on observe l'apparition successive et spontanée d'espèces végétales dont le *climax* est l'aboutissement et qui dépend du sol et du climat. Le climax représente une stabilité de l'organisation de la vie, dans un environnement donné : la forêt de conifères de la taïga (région froide et étés courts), ou les forêts de feuillus (chênes, hêtres) en Bretagne.

L'équilibre d'un système naturel ressemble à la marche de l'homme : une suite de déséquilibres compensés. Un climax peut « dériver » dans le temps, par exemple en fonction des changements climatiques que l'on peut observer sur une longue période dans un milieu.

Depuis que l'agriculture remplace la cueillette, que l'élevage remplace la chasse, l'homme transforme les écosystèmes en *agrosystèmes* (champs de maïs, cultures sous serres, piscicultures, etc.).

Un agrosystème est un écosystème « rajeuni ». L'homme ouvre les paysages, défriche, déboise pour ses besoins. Mais un écosystème fonctionne avec ses règles et tend à s'approcher du climax. Un champ qui n'est plus exploité par l'homme retourne à l'état de broussailles puis de forêt.

Un agrosystème est un écosystème contraint par l'homme, ce

qui nécessite une *dépense d'énergie* : par exemple pour désherber un champ de maïs ou éliminer les consommateurs indésirables (insectes ravageurs).

Tout système de lutte entraîne des dépenses. Dans un agrosystème, on peut déterminer un **seuil économique de nuisance** qui est la valeur de la perte de rendement en dessous de laquelle il est plus économique de ne pas traiter. Utiliser un système de lutte nécessite une bonne connaissance de la biologie et de l'écologie du végétal à protéger et du ravageur. On en déduit les méthodes, les moments d'intervention, les doses à employer, sinon une telle lutte est inefficace voire dangereuse pour l'écosystème entier.

D'autre part, la matière produite dans un agrosystème est totalement exportée hors de ce milieu (récoltes) vers des lieux de consommation, pour l'usage exclusif de l'homme. Alors que dans un écosystème naturel, la matière produite est en partie réinjectée dans le milieu.

Les agrosystèmes très productifs épuisent le sol. Pour compenser, l'homme doit apporter en permanence des **sels minéraux** sous forme d'engrais.

Pollutions

Une pollution, c'est l'excès d'un produit ou d'un facteur dans la nature : excès de gaz carbonique, d'engrais, de chaleur... Dans ce cas, on sort du seuil de tolérance d'une ou plusieurs espèces (végétales ou animales, y compris l'homme) vis-à-vis de ce facteur. Si le niveau de pollution est élevé, on assiste à une diminution du nombre des espèces dans l'écosystème ; par contre, le nombre d'individus des rares espèces qui subsistent peut être très important.

Estimer le seuil de tolérance d'une espèce vis-à-vis de plusieurs facteurs sert à établir des normes. Par exemple pour l'homme, le taux maximum de nitrates, de bactéries pathogènes dans l'eau potable ou de gaz toxiques dans l'atmosphère. Mais les normes établies pour l'homme excèdent nécessairement les seuils de tolérance d'un certain nombre d'espèces du milieu.

La *biodégradabilité* d'un produit est sa capacité à être dégradé par des processus biologiques, notamment par les bactéries, pour être recyclé ensuite dans l'écosystème. Elle dépend donc du produit lui-même et de la capacité de l'écosystème à traiter le produit. Le temps mis par les processus de dégradation ne doit pas être trop long par rapport à la vitesse de rejet du produit polluant si on veut éviter son accumulation dans l'écosystème.

Des activités humaines, les industries chimiques par exemple, produisent de la matière non biodégradable, matières plastiques notamment. D'autres agents peuvent néanmoins détruire certains matériaux (action de la lumière sur certains plastiques).

Le long de la chaîne alimentaire, des substances toxiques peuvent se concentrer. Des insecticides organochlorés (DDT), du plomb, du mercure, consommés par un animal végétarien avec sa nourriture, s'accumulent dans sa graisse et s'y concentrent. Si ce végétarien est lui-même consommé par un carnivore, le même phénomène se reproduit à un niveau de concentration plus élevé. Les individus en bout de chaîne, souvent l'homme, peuvent ainsi ingérer des doses non négligeables de pesticides, de plomb ou de mercure.

Gérer le capital de la terre

Les activités de l'homme dans un milieu donné ont de plus en plus de répercussions à l'échelle planétaire : les essais nucléaires américains, à Bikini, ont libéré du strontium 90 radioactif qui s'est déposé dans les prairies de Suède, dans le lait des bébés suédois, puis dans leurs os. La radioactivité émise lors de la catastrophe de Tchernobyl a ignoré les frontières. De même, la destruction d'une partie de la forêt amazonienne aura des conséquences sur les échanges d'eau entre la biosphère, l'hydrosphère et l'atmosphère ; des modifications climatiques sont prévisibles.

Face à la démographie mondiale qui ne cesse de s'accroître, la gestion des ressources en énergies fossiles, matières premières, eau, va être primordiale puisque nous savons ces ressources limitées.

Le charbon, le pétrole, sont des roches d'origine biologique.

Elles proviennent de l'activité d'un écosystème (forêt ou lagune) ayant existé il y a des millions d'années. Ces roches sont de l'énergie solaire fossile qui a mis des millions d'années pour se constituer. Or, depuis quelques décennies, ces ressources sont très rapidement exploitées par l'homme. Il en est de même pour les gisements de métaux précieux, dont certains très utilisés pour des technologies de pointe, le cobalt, le manganèse.

Les variétés d'espèces sauvages (spontanées) représentent aussi une réserve de gènes (voir ce mot) qu'il faut conserver. Il est probable qu'ils serviront pour nos agrosystèmes futurs qui seront gérés différemment.

Mais surtout, plus un écosystème est diversifié, plus il est résistant, plus il est stable quand le milieu change. Il faut donc conserver un patrimoine d'espèces animales et végétales très vaste.

L'homme doit donc gérer l'écosystème « planète », et à long terme. La quantité de déchets (gaz, solides ou liquides) produite par l'humanité n'est plus négligeable par rapport à la quantité totale d'éléments recyclés par l'écosystème.

L'homme est en compétition avec la nature. Par exemple, la combustion des énergies fossiles fournit une masse de gaz carbonique que nos écosystèmes n'avaient pas à intégrer jusqu'à présent. La terre se rééquilibrera, mais quelle y sera notre place ?

REPÈRES

DE ROSNAY, J., *Le Macroscope*, Paris, Seuil, 1975.

LOVELOCK, J., *Les Âges de Gaïa*, Paris, Robert Laffont, 1990.

LERAY, G., *Planète eau*, Paris, Presses Pocket, coll. *Explora*.

LEROY, P., *Des forêts et des hommes*, Paris, Presses Pocket, coll. *Explora*.

▶ **Bioéthique, Gène, Nucléaire (Énergie-), Photoélectrique (Cellule-).**

10. Gène

N.B. : il est conseillé de lire l'article Vie *avant celui-ci.*

La génétique est une branche récente de la biologie : elle date du début du XXe siècle. Un gène est une « unité héréditaire » (F. Gros).

Dans chacune de ses cellules, un organisme possède les instructions nécessaires à son développement : c'est l'information génétique. Ces instructions sont codées dans une molécule, ***l'ADN****.*

La génétique humaine, outre ses applications médicales, diagnostics de maladies génétiques, met en évidence l'immense variabilité génétique des hommes. Le « génie génétique » offre de nombreuses applications industrielles mais pose en même temps des problèmes d'éthique.

L'information génétique

Nos caractéristiques, comme la couleur de nos yeux, notre taille ou notre capacité à fabriquer telle ou telle hormone (voir art. 25), sont logées dans les **chromosomes** de nos cellules.

Dès 1910, un biologiste, Morgan, a montré que le chromosome est le support de l'hérédité en travaillant sur un matériel vivant de choix : la drosophile. Cette mouche du vinaigre est très prolifique, elle ne possède dans ses cellules que quatre paires de chromosomes (23 paires chez l'homme) ; de nombreuses mutations existent chez cet animal, couleurs des yeux, formes du corps.

Restait à trouver la nature chimique d'un chromosome et la façon dont les caractères d'un individu y sont inscrits.

Les chromosomes (voir art. 25) sont constitués d'ADN ou **acide désoxyribonucléique**. En 1953, Watson et Crick ont proposé un modèle de l'ADN (prix Nobel en 1962). Une molécule d'ADN est une double hélice formée de deux chaînes (ou brins) entrelacées. Chaque chaîne est constituée d'une succession de *nucléotides* reliés par des liaisons fortes.

Un nucléotide est l'assemblage d'un sucre, le ribose, d'un

acide phosphorique et d'une base azotée. Il existe quatre bases, symbolisées par les lettres A, T, G, C : ce sont l'adénine, la thymine, la guanine, la cytosine.

L'agencement des quatre types de nucléotides sur un brin forme une *séquence*, par exemple :

A-T-G-C-G-A-T-A-C-T-G-A

La seconde chaîne est reliée à la première par des liaisons faibles, permettant ainsi aux deux brins de se séparer facilement. La séquence du brin complémentaire est automatiquement déterminée par l'autre brin : face à la thymine ne peut se trouver que l'adénine; face à la guanine, la cytosine; dans l'exemple précédent, le brin complémentaire sera :

T-A-C-G-C-T-A-T-G-A-C-T

L'ADN ressemblerait à un double escalier en colimaçon dont les marches seraient les bases et les rampes les sucres-phosphates (sch. 1). La structure de l'ADN permet de comprendre pourquoi deux cellules qui se divisent par reproduction conforme conservent toutes les deux la même information génétique.

Avant la mitose (voir art. 25), les deux brins de l'ADN s'écartent par rupture des liaisons faibles. Des enzymes réalisent l'addition successive de nucléotides libres pour former deux nouveaux brins (elles s'appellent ADN-polymérases). Les nouveaux brins sont complémentaires de chaque brin initial (voir sch. 1 et art. 25). Les deux molécules d'ADN ainsi formées seront identiques à la molécule de départ.

Dès 1944, Avery, Mac Leod, et Mac Carthy ont prouvé que l'ADN contient l'information génétique. Ils ont utilisé deux souches de bactéries (voir art. 25) : la souche S, possédant une enveloppe (capsule), est virulente; la souche R, dépourvue de capsule, est non virulente. Ils extraient l'ADN des bactéries S et le mettent en contact avec des bactéries inoffensives R. On injecte ces dernières à des souris; les souris meurent et on retrouve dans leurs corps des bactéries R. L'ADN provenant des bactéries S s'est intégré à l'ADN des bactéries R; celles-ci ont acquis le programme nécessaire à la synthèse de la capsule. Un gène détient l'information nécessaire à la fabrication d'une **protéine.**

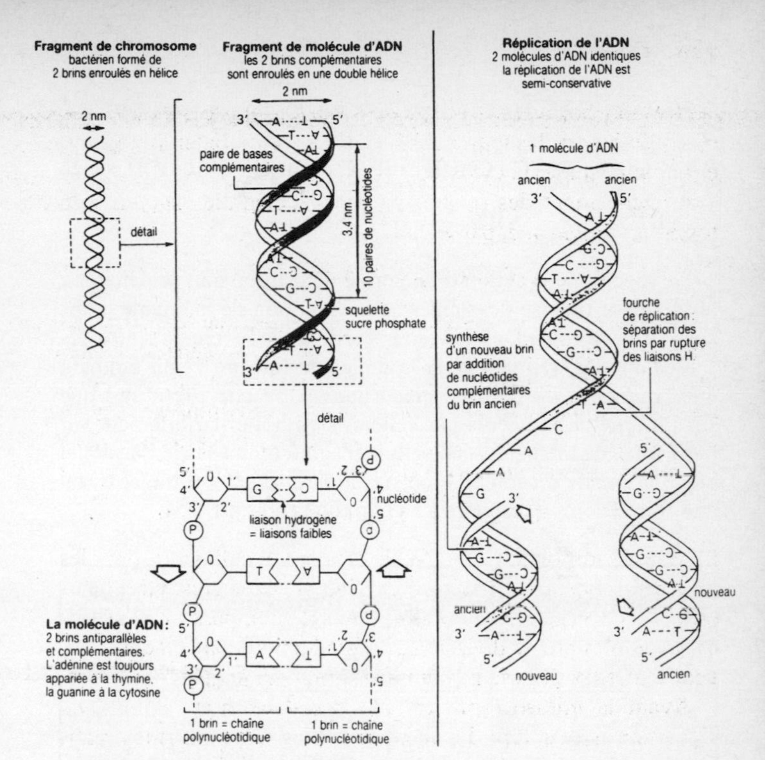

Schéma 1. (Manuel NATHAN, Term. D).

Les protéines forment un ensemble de substances très variées qui jouent un rôle essentiel dans la constitution et le fonctionnement des cellules. Elles sont à la base de phénomènes vitaux : citons les **enzymes** qui provoquent et contrôlent diverses réactions chimiques, les **anticorps** impliqués dans la défense de l'organisme contre les antigènes (voir art. *Vie*), certaines **hormones** qui interviennent dans de nombreuses fonctions, croissance, reproduction etc.

Une protéine est une chaîne d'éléments appelés *acides aminés*. Il n'existe que vingt acides aminés (voir schéma 2). La formule chimique générale d'un acide aminé est R-CHNH2-COOH : il possède une fonction acide COOH et une fonction amine NH2. Deux acides aminés diffèrent par leur radical R. Pour former des molécules plus ou moins longues, deux acides aminés peuvent s'accrocher en créant une liaison peptidique :

$$\mathrm{R}\text{-}\underset{\mathrm{NH2}}{\overset{\mathrm{H}}{\mathrm{C}}}\text{-}\mathrm{COOH} + \mathrm{R'} - \underset{\mathrm{NH2}}{\overset{\mathrm{H}}{\mathrm{C}}} - \mathrm{COOH} \rightarrow \mathrm{R} - \underset{\mathrm{NH2}}{\overset{\mathrm{H}}{\mathrm{C}}} - \mathrm{CONH} - \underset{\mathrm{R'}}{\overset{\mathrm{H}}{\mathrm{C}}} - \mathrm{COOH} + \mathrm{H20}$$

La spécificité d'action d'une protéine est due non seulement à la séquence précise des acides aminés le long de la chaîne, mais aussi à sa forme. Des liaisons secondaires se créent entre les acides aminés, repliant ainsi la molécule linéaire et lui donnant une *configuration en trois dimensions*. Une enzyme n'agit que sur un type de molécule car celle-ci s'emboîte parfaitement sur l'enzyme ; de même qu'une cellule réagit à un message hormonal grâce à un site récepteur situé sur la paroi de la cellule et ayant une forme complémentaire de l'hormone (voir art. 25).

ACIDE AMINÉ	ABRÉVIATION	ACIDE AMINÉ	ABRÉVIATION
ALANINE	Ala	LEUCINE	Leu
ARGINNE	Arg	LYSINE	Lys
ASPARAGINE	Asn	MÉTHIONINE	Met
ACIDE ASPARTIQUE	Asp	PHÉNYLALANINE	Phe
CYSTÉINE	Cys	PROLINE	Pro
ACIDE GLUTAMIQUE	Glu	SÉRINE	Ser
GLUTAMINE	Gln	THRÉONINE	Thr
GLYCINE	Gly	TRYPTOPHANE	Trp
HISTIDINE	His	TYROSINE	Tyr
ISOLEUCINE	Ile	VALINE	Val

Schéma 2. Les acides aminés et leurs abréviations, extrait de TAVLITZKI, J., *12 clés pour la biologie*, Paris, Belin, 1990, p. 57.

Dans une *cellule eucaryote* (voir art. 25), le noyau contient l'information génétique de la cellule. Ces informations ne quitteront pas le noyau, mais des copies des gènes s'effectueront sous forme d'ARN messager (ou ARNm). Celui-ci transportera le message génétique du noyau vers le cytoplasme. Là, dans des chaînes de montage, les ribosomes, le message sera décrypté et la protéine sera synthétisée.

La formation d'ARN (voir art. *Vie*) s'appelle la *transcription*. Elle s'amorce grâce à une enzyme, l'ARN-polymérase, qui reconnaît le début du message grâce à une séquence de bases de l'ADN appelée site promoteur.

Elle ouvre la double hélice au niveau des liaisons faibles en séparant les deux brins et en transcrit l'un des deux. L'ARNm se forme à partir de nucléotides présents dans le noyau. Ceux-ci ressemblent aux nucléotides de l'ADN, mais le sucre est le ribose et l'une des bases, la thymine, est remplacée par l'uracile. Le brin d'ARN transcrit est complémentaire de l'ADN.

Face à une guanine de l'ADN se placera une cytosine de l'ARNm, etc.

T-A-C-G-C-T-A-T-G-A-C-T → A-U-G-C-G-A-U-A-C-U-G-A
brin d'ADN à transcrire ARNm correspondant

L'ARN-polymérase se déplace le long de l'ADN jusqu'à ce qu'elle arrive au signal de terminaison de la transcription. L'enzyme libère la chaîne d'ARN et l'ADN qui reprend sa structure en double hélice. Un même gène peut être transcrit plusieurs fois à la suite. La transcription est rapide, plus de cinquante nucléotides à la seconde. L'ARNm migre dans le cytoplasme de la cellule.

Le décodage du message s'appelle la *traduction*. La séquence de nucléotides de l'ARNm va être transposée en une séquence d'acides aminés. La correspondance ribonucléotides-acide aminé s'appelle le *code génétique* (voir schéma 3).

Le code génétique a été élucidé en 1963 par Niremberg et Ochoa. Un groupe de trois bases adjacentes détermine un acide aminé. Ce triplet de trois bases s'appelle un *codon*. Certains codons codent pour le même acide aminé ; par exemple, l'alanine correspond aux codons suivants : GCU, GCC, CGA,

GCG. Cette particularité aura pour conséquence de limiter l'impact des mutations qui affectent le changement d'une base par unc autrc sur l'ADN, voire même de le faire passer inaperçu. D'autres codons servent à la ponctuation : « *codon-stop* » par exemple.

DEUXIÈME LETTRE

PREMIÈRE LETTRE	U		C		A		G		TROISIÈME LETTRE
U	UUU	Phe	UCU	Ser	UAU	Tyr	UGU	Cys	U
	UUC		UCC		UAC		UGC		C
	UUA	Leu	UCA		UAA	OCRE	UGA	OMBRE	A
	UUG		UCG		UAG	AMBRE	UGG	Trp	G
C	CUU	Leu	CCU	Pro	CAU	His	CGU	Arg	U
	CUC		CCC		CAC		CGC		C
	CUA		CCA		CAA	Gin	CGA		A
	CUG		CCG		CAG		CGG		G
A	AUU	ile	ACU	Thr	AAU	Asn	AGU	Ser	U
	AUC		ACC		AAC		AGC		C
	AUA		ACA		AAA	Lys	AGA	Arg	A
	AUG	Met	ACG		AAG		AGG		G
G	GUU	Val	GCU	Ala	GAU	Asp	GGU	Gly	U
	GUC		GCC		GAC		GGC		C
	GUA		GCA		GAA	Glu	GGA		A
	GUG		GCG		GAG		GGG		G

Schéma 3. ***Dictionnaire des groupes de trois bases, les codons,*** *qui déterminent la place de chaque acide aminé dans une protéine, extrait de* Tavlitzki, J., *12 clés pour la biologie*, Paris, Belin, 1990, p. 61.

Le code génétique est *universel*, identique pour tous les êtres vivants, d'une bactérie, d'un virus, à l'homme.

Les acides aminés à assembler sont fixés à des ARN de transfert. Il existe vingt types d'ARN de transfert, autant que d'acides aminés différents. Une extrémité de l'ARN de transfert possède un anti-codon complémentaire des codons portés par l'ARNm.

Les ribosomes sont «*la tête de lecture*» (F. Crick). Ils se déplacent le long de l'ARNm de codons en codons. Au niveau du ribosome, grâce aux anticodons des ARN de transfert qui reconnaissent le codon, le bon acide aminé sera placé à la suite de la chaîne protéique fixée sur l'ARN de transfert précédent. L'accrochage des deux acides aminés se fait grâce à une liaison peptidique ; plusieurs ribosomes peuvent lire le même message les uns à la suite des autres. La lecture s'arrête sur un codon-stop.

Reprenons notre exemple d'ARNm :

A-U-G-C-G-A-U-A-C-U-G-A La séquence d'acides aminés sera :

codon initiateur | Arg. | Tyr. | codon -stop — Arginine-Tyrosine

La taille d'une protéine est variable ; l'insuline, par exemple, est formée de 51 acides aminés.

Un gène peut être transcrit en plusieurs ARNm, chacun pouvant être traduit par plusieurs ribosomes. Le nombre de protéines identiques qui seront synthétisées peut être très grand : le message initial (ADN) est amplifié.

• Chez une bactérie, organisme procaryote (voir art. 25), il n'y a pas de noyau individualisé. La transcription et la traduction ont lieu simultanément. Le matériel génétique est contenu dans un chromosome unique circulaire et dans de plus petites molécules d'ADN circulaires, indépendantes du chromosome : les plasmides. L'information génétique d'une bactérie est constituée de gènes uniques et alignés. La cartographie du génome bactérien et l'étude des mécanismes liés à l'expression des gènes sont relativement simplifiés.

• Dans une cellule eucaryote, humaine par exemple, la quantité d'ADN est 1 000 fois plus élevée que chez une bactérie, soit environ 50 000 gènes. Une petite partie seulement de ce matériel génétique peut être transcrite (10 %). On ignore encore la fonction des séquences non transcrites (90 % de l'ADN !). Les gènes peuvent être répétés ou uniques.

Un gène qui gouverne la synthèse d'une protéine est constitué de séquences sans correspondance avec des codons, non codants (les introns) et de séquences codantes (les exons). Les gènes sont morcelés.

La transcription d'un gène formera d'abord un ARN prémessager. Puis l'ARN prémessager subira une phase de maturation par excision d'un ou plusieurs introns et soudure des exons formant ainsi un ARNm fonctionnel. Selon ce réarrangement, un même ARN prémessager peut donner plusieurs types d'ARNm. Chez un eucaryote, un même gène peut correspondre à plusieurs protéines différentes.

Il existe dans la cellule des mécanismes régulateurs lui permettant de produire des protéines en quantité suffisante, à un moment précis, en fonction des conditions du milieu environnant. Toutes les cellules d'un organisme contiennent la même information génétique ; or, chaque cellule spécialisée ne va en utiliser qu'une partie. Par exemple, une cellule du pancréas fabriquera de l'insuline, mais pas une cellule musculaire.

Génétique humaine

L'ensemble des gènes portés par les chromosomes d'un individu s'appelle le *génotype*.

L'homme possède 23 paires de chromosomes homologues. Deux chromosomes homologues sont identiques par la taille et la forme, ils portent les mêmes gènes. Mais il peut y avoir plusieurs variantes pour un même gène : ce sont les *allèles*.

Prenons le cas des groupes sanguins. Il existe quatre groupes sanguins, [A], [B], [AB], [O]. Tout individu fait partie de l'un de ces groupes. Une personne du groupe A possède des protéines, fixées sur la membrane des globules rouges, qui sont différentes de celles d'une personne de groupe B.

Les gènes responsables du groupe sanguin d'un individu servent à la synthèse de protéines sur la membrane des globules rouges. Ils sont situés sur la neuvième paire de chromosomes. Pour ce gène, il existe 3 allèles possibles : A,B,O.

Un individu possédera deux allèles portés par ses deux chromosomes numéro 9. Il existe alors six combinaisons possibles : A,A ou A,B ou A,O ou B,B ou B,O ou O,O. Or, il n'existe que quatre groupes sanguins et non six.

En effet dans le cas où les deux allèles sont différents pour un même gène, on peut avoir deux possibilités :

— soit un seul d'entre eux est exprimé : on dit qu'il est *dominant*, et l'allèle non exprimé est dit *récessif* ;

— soit les deux allèles différents sont exprimés : on dit que les allèles sont *co-dominants*.

Une personne de groupe sanguin A peut posséder, sur les deux chromosomes homologues numéro 9, l'allèle A. On dit que cette personne est *homozygote* pour ce caractère car les deux allèles sont identiques.

Mais elle pourrait aussi posséder l'allèle A sur un chromosome et l'allèle O sur l'autre chromosome homologue, car l'allèle A est *dominant* par rapport à l'allèle O et sera seul à s'exprimer. Dans ce cas la personne est *hétérozygote*.

Un individu de groupe O sera forcément homozygote O,O puisque O est *récessif*.

Une personne de groupe AB possède les deux allèles A et B qui s'expriment ensemble car ces deux allèles sont *co-dominants*.

Le *phénotype* correspond aux caractéristiques d'un individu résultant de l'expression des gènes.

Dans notre exemple, le phénotype noté [A] qui signifie «*appartenir au groupe sanguin A*» peut être le résultat de l'expression de deux génotypes différents : A,A (homozygote) ou A,O (hétérozygote).

Le couple d'allèles que possède un être humain pour un gène résulte de deux mécanismes qui ont eu lieu

— lors de la fabrication des cellules reproductrices de ses parents d'une part ;

— lors de la fécondation d'autre part.

Quand les cellules reproductrices se forment, les paires de

chromosomes homologues se séparent. On ne retrouve dans un spermatozoïde ou un ovule qu'un allèle de chaque gène.

Dans le cas qui nous occupe, un homme hétérozygote A,O fabriquera des spermatozoïdes de deux types : l'un contenant un chromosome nº 9 avec l'allèle A, l'autre contenant le second chromosome nº 9 avec l'allèle O.

Pour une femme hétérozygote A,O il en est de même : deux types d'ovules, un contenant l'allèle A, l'autre l'allèle O.

Ce couple pourra donner naissance à des enfants de groupe sanguin O alors que les deux parents étaient de groupe sanguin A. Ceci tient au fait que les parents étaient hétérozygotes. Il suffit qu'un spermatozoïde contenant l'allèle O féconde un ovule contenant aussi l'allèle O. La probabilité est d'une chance sur quatre.

On l'a vu, il est impossible dans la plupart des cas de déterminer a priori le génotype d'un individu (hétérozygote ou homozygote) à partir de caractéristiques extérieures (phénotype). D'autre part, il faut parfois plusieurs gènes pour que s'exprime un caractère. La couleur des yeux, par exemple, fait appel au fonctionnement de plusieurs gènes.

Et pourtant, les «*purifications ethniques*» consistant à sélectionner des individus sur leur phénotype ont existé, et existent encore, en ex-Yougoslavie par exemple (voir art. *Bioéthique*).

Il n'existe aucune base scientifique pouvant valider le concept de race humaine. L'espèce humaine présente une variabilité génétique considérable quel que soit le critère physique ou physiologique retenu : taille, couleur de la peau, forme du crâne mais aussi groupes sanguins, tissulaires, enzymes… L'homme possède au moins 100 000 gènes dont la plus grande partie possède de nombreux allèles. Le nombre moyen de différences génétiques entre deux individus pris au hasard serait de plusieurs millions.» *Mettez ensemble un Suédois et un habitant du Sri-Lanka : vous verrez… deux personnes d'aspect physique très éloigné et pourtant les patrimoines génétiques de leur population d'origine sont proches*» (André Langaney). Chaque individu est un être unique.

Les maladies génétiques humaines apparaissent à la suite de mutations. Celles-ci peuvent très bien n'affecter qu'un nucléotide de l'ADN. C'est le cas de la drépanocytose, maladie caractérisée par une hémoglobine anormale déformant les globules rouges. Ceux-ci ne peuvent plus passer dans les capillaires sanguins, ce qui empêche la bonne oxygénation des cellules.

A l'origine, une inversion d'un nucléotide dans le gène codant pour l'hémoglobine. Sur l'ADN, une thymine est remplacée par une adénine. L'ARNm sera différent et la séquence de la protéine variera d'un acide aminé, la valine à la place de l'acide glutamique ; la protéine n'aura plus la même forme et ne pourra plus jouer son rôle.

Les myopathies, la mucoviscidose sont d'autres exemples ; on recense environ 3 000 maladies géniques.

Comment prédire les maladies d'origine génétiques avant la naissance ? Les conseils de généticiens calculent pour un couple la probabilité d'apparition de cette maladie chez leurs enfants en étudiant la généalogie des familles. Le dépistage anténatal peut se faire en effectuant un *dosage enzymatique* quand on connaît la nature de la protéine qui fait défaut dans la maladie. L'analyse de l'ADN fœtal, sur prélèvement de cellules embryonnaires, peut être utilisée si l'on sait repérer le gène défectueux. Ce n'est pas le cas de toutes les maladies génétiques pour l'instant.

La *génothérapie* permettra sans doute de compenser le gène défectueux en injectant aux malades des virus non pathogènes contenant le gène manquant.

On sait que les virus, en infectant une cellule, peuvent intégrer leur patrimoine génétique dans l'ADN de la cellule parasitée. Même un rétrovirus comme le VIH (virus du SIDA), dont le matériel génétique est composé d'ARN, est capable de le transformer en ADN viral puis de l'intégrer dans les cellules hôtes. C'est le cas des personnes séropositives.

Le tri de cellules embryonnaires humaines porteuses de maladies génétiques sera techniquement possible ; des problèmes d'éthique se poseront.

Pour l'instant, le programme *génome humain* se poursuit, des laboratoires de génétiques européens, américains, japonais listent les séquences de nucléotides de l'ADN humain afin de localiser les gènes sur les chromosomes. Il faut également retrouver quelles sont les protéines codées par les gènes isolés, trouver le sens des 90 % d'ADN non transcrit.

Les gènes représentent donc à la fois une unité de fonction, de transmission (aux générations suivantes) et de variation (mutation).

Génie génétique

Des croisements par reproduction sexuée entre deux individus possédant chacun des caractéristiques intéressantes permettent la création d'hybrides, en sélectionnant les individus ayant acquis les meilleurs gènes des parents. On en fait ainsi des pommiers résistant à une maladie bactérienne donnée et produisant de bons fruits, ou des cochons prolifiques ayant également une chair savoureuse.

Le génie génétique permet de travailler directement avec les gènes que l'on souhaite utiliser.

> **« Pour la première fois sans doute depuis l'épopée pastorienne, le public redécouvre, avec ces techniques audacieuses, les sciences de la vie. Du même coup il s'aperçoit qu'elles peuvent être dérangeantes, au même titre que les sciences de l'atome. Le monde des décideurs, celui des politiques et des industriels, comprend en même temps qu'une technologie moderne, à la fois moteur et produit des sciences biologiques, est née, dont on peut attendre des conséquences pratiques importantes, voire révolutionnaires, dans le domaine de l'élevage, de la production d'énergie, de la chimie et de l'environnement... La biologie devient, très manifestement, une science d'intervention. On ne va pas tarder à constater qu'elle peut même devenir affairiste. » (F. Gros)**

Les premiers travaux en génie génétique datent de 1972. Grâce à des outils biologiques comparables à des ciseaux et de la colle il est possible de couper des portions d'ADN, porteuses de gènes intéressants en des endroits précis et de les recoller ensuite. Ces outils sont des enzymes de restriction pour fragmenter l'ADN et les ligases pour assembler des morceaux d'ADN. Pour « photocopier » en grand nombre des gènes, on les insère dans des plasmides de bactérie qui ont la particularité de se reproduire très vite en pénétrant dans des bactéries nouvelles.

L'universalité du code génétique permet à des cellules réceptacles le plus souvent des bactéries, d'effectuer la synthèse d'une protéine nouvelle. La bactérie devient usine.

L'insuline est la première hormone obtenue par génie génétique. Elle est utilisée pour le traitement du diabète. Le gène de l'insuline humaine a été introduit dans la bactérie *Escherichia coli*. Dans des fermenteurs alimentés en acides aminés qui conviennent, les bactéries synthétisent l'insuline humaine.

Des applications en biologie végétale sont nombreuses également. En inoculant des bactéries à des végétaux, leurs plasmides transmettent des gènes nouveaux. Il serait possible de transférer des gènes codants pour la production de protéines nutritives.

Les végétaux utilisent de l'azote apporté par les engrais chimiques. Or il existe dans la nature des micro-organismes possédant des systèmes fixateurs d'azote dont on peut cloner les gènes. Déjà des variétés horticoles ou agricoles ont acquis, grâce au génie génétique, la résistance aux herbicides.

Le problème se pose une nouvelle fois des précautions prises pendant le stade expérimental et du recul insuffisant que l'on a parfois avant de mettre sur le marché de telles productions. On connaît à peine le fonctionnement du matériel génétique, dans quelle mesure l'implantation de nouveaux gènes n'a-t-elle pas de répercussions sur le reste du génome ? Comment évaluer l'impact écologique de ces nouvelles espèces ?

REPÈRES

MORELLO, D., *Au cœur de la vie, la cellule*. Presses Pocket, coll. *Explora*, Paris, 1991.

JACQUART, A., *Moi et les autres. Initiation à la génétique*. Points Seuil, Paris, 1983.

GROS, F., *La Civilisation du gène*, Hachette, Paris, 1989.

SCRIVE, M., *Biologie et génétique*, Messidor/La Farandole, Paris, 1990.

▶ **Écosystème, Vie, Bioéthique.**

11. Gravitation

La force de gravitation (ou attraction gravitationnelle) est celle qui, s'exerçant entre les corps dotés d'une **masse** *(notamment entre les corps célestes) est responsable de leur chute, du mouvement des planètes, etc. La pesanteur en est la conséquence que nous connaissons communément le mieux. C'est un phénomène dont l'étude est très ancienne. La découverte fondamentale, dans ce domaine, est celle de la* **loi de la gravitation universelle**, *publiée par Newton en 1687. Elle est à la base de toute la mécanique céleste, de sa formulation jusqu'au début du XXᵉ siècle. La théorie de la relativité généralisée (Einstein, 1916) la remet* partiellement *en cause.*

L'interaction gravitationnelle est l'une des quatre interactions fondamentales. Toutefois, sa particule associée — le graviton — reste à découvrir autrement que par la théorie.

La gravitation est une réalité physique qui nous concerne en permanence. Le fait que nous nous tenions debout, que les objets tombent quand on les abandonne au-dessus du sol, que la Terre circule dans l'espace, etc., sont en rapport avec cette réalité. Les scientifiques et les techniciens qui travaillent pour propulser des fusées et des satellites dans le ciel, doivent se baser sur les lois qui régissent ce phénomène… « *La loi de la pesanteur est dure, mais c'est la loi* », chantait Georges Brassens. C'est, de plus, non seulement un sujet qui a une fort longue histoire, mais encore *une question ouverte*, dans la mesure où elle est encore loin d'être totalement éclaircie. Cela reste du domaine de la recherche. Tout en ayant un passé fort lointain, elle ne relève pas de la physique et de l'astronomie de grand-papa !

La cosmologie, de la préhistoire au XVIᵉ siècle

Il existe une relation obligatoire entre les idées sur la chute des corps (la « *chute des graves* », disait-on en français de jadis), et la cosmologie, c'est-à-dire la manière dont les hommes se représentent l'univers et son fonctionnement. Selon Fontenelle (1657-1757, philosophe et vulgarisateur), «*L'astronomie est fille de l'oisiveté*», parce que les premières observations furent dues aux «*anciens bergers de Chaldée*», qui avaient tout leur temps pour regarder le ciel en gardant leurs moutons. L'astronomie est, en fait, bien plus ancienne que la domestication des ovidés et l'on trouve des traces d'observations longtemps avant cette époque qui vit l'homme utiliser systématiquement les animaux (au cours du néolithique). Mais il n'y a pas, au départ, de liens définis entre le mouvement des objets célestes et les premières représentations naïves que les civilisations (Sumer, Égypte, Chine…) esquissent du monde.

La question apparaît avec la **rationalisation grecque** et les tentatives de formalisation du mouvement et de la mécanique en général (voir art. 20).

Après différents autres auteurs (Pythagore, Méton, Eudoxe, Platon…) qui avaient imaginé un système sphérique centré sur la Terre, Aristote le perfectionne (ou croit le faire). La Terre est sphérique, immobile (voir art. 20 et 21). La lune, le soleil, les astres…, sont sur *58 sphères cristallines* qui tournent, la *sphère des étoiles fixes* enfermant le tout. Si tout ce système «tient», (est stable), c'est aussi grâce à une **substance** qui sert de liaison entre la Terre et les différentes sphères. Cet univers sphérique a un haut et un bas.

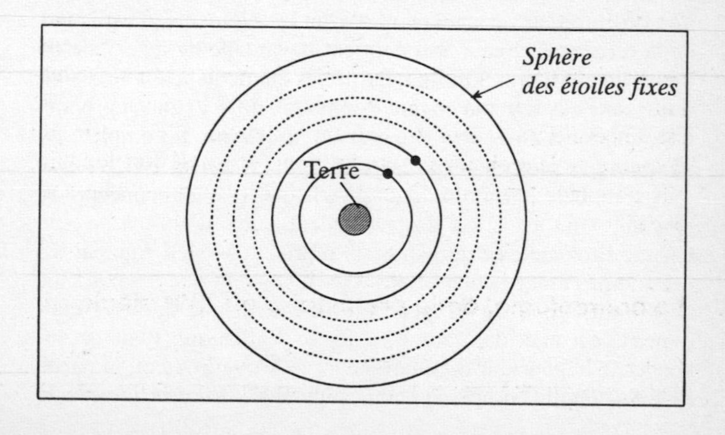

Les «*sphères cristallines*»

J. P. Verdet, historien de l'astronomie, conteste (à juste titre, certainement) les sphères «*solides*» (ou «*cristallines*») et les attribue aux théologiens du Moyen Age. Il propose de parler plutôt de «*sphères corporelles*», précisant qu'elles ne sont définies que par leurs propriétés.

Il est certain (nous le disons à plusieurs reprises dans ce livre) que nous avons toujours tendance à analyser des idées très anciennes à l'aide de notions et de méthodes du XXe siècle. Certaines connaissances du passé étaient sans doute bien plus vagues, au regard de ceux qui les formulaient, que les interprétations simplifiées (et rationalisées) que nous en donnons maintenant.

La science et les prêtres égyptiens d'Héliopolis distinguaient déjà, bien avant la Grèce classique, quatre *éléments* (dits *premiers* par les Grecs) : le feu, l'air, l'eau et la terre (voir art. 2). Dans la mécanique d'Aristote, chaque corps contient à la fois ce qu'il appelle «*du lourd*» et «*du léger*» (encore s'agit-il, évidemment, de traductions en français du XXe siècle de termes grecs du IVe siècle av. J.-C.). Chaque corps a ce qu'Aristote nomme un *lieu naturel*, vers lequel il va spontanément quand il n'est pas soumis à une force extérieure. Si le corps contient davantage de lourd que de léger, son lieu naturel est le centre de la Terre et, abandonné à lui-même, il va vers ce centre, c'est-à-dire qu'il tombe verticalement. Parmi les éléments, c'est le cas de la terre et de l'eau. S'il contient davantage de léger que de lourd, au contraire, il monte. Parmi les éléments, c'est le cas du feu et de l'air. Il y a là ce que l'on peut baptiser (toutes proportions gardées) *une sorte de règle de la gravité*. Il complète en ajoutant que plus un corps est lourd, plus il tombe vite.

Au modèle cosmologique d'Aristote (sur le concept de *modèle*, voir art. 2 et 21) succèdent ceux d'Hipparque, de Claude Ptolémée, ce dernier étant repris au Moyen Age par les astronomes arabes et chrétiens. On lit souvent que les hommes de l'Antiquité et du Moyen Age pensaient que la Terre était plate. C'est une idée fausse… depuis Pythagore. Pour ce qui concerne le pourtour méditerranéen, le Moyen Orient, la partie de l'Asie la plus proche de nous, ainsi que l'Europe, la période qui s'écoule entre l'effondrement définitif et complet de la partie occidentale et africaine de l'empire romain et la montée de l'empire musulman, a vu l'écroulement d'un système administratif et politique relativement structuré et ordonné.

Corollairement, des connaissances acquises pendant des siècles dans les contrées concernées ont disparu. Cela a touché, en particulier, l'héritage grec et hellénistique. Pour ce qui nous intéresse ici, on en constate le résultat à la lecture des histoires de la cartographie (aujourd'hui assez nombreuses et très agréablement illustrées). Au cours de la rupture évoquée, des représentations d'un univers plat, circulaire, sont effectivement dessinées. Le centre en est la Mecque dans les pays musulmans et Jérusalem dans les pays chrétiens. Cette régression dure un siècle ou deux dans l'Islam (où les œuvres de Ptolémée sont traduites dès le VIIIe siècle), un peu plus chez les chrétiens.

Peu après, certains modèles du monde seront illustrés par des *sphères armillaires*, où des anneaux plats métalliques (représentant les trajectoires des corps célestes) entourent la Terre, figurée par une petite boule sphérique centrale (par exemple, celles que faisait fabriquer le pape de l'an mil, Sylvestre II, alias Gerbert d'Aurillac).

Çà et là, des contestations prudentes sont formulées. Telle celle de Jean Buridan, philosophe et physicien parisien du XIVe siècle, à propos de l'explication donnée par Aristote du mouvement des projectiles. Telles celles de Nicole d'Oresme (XIVe) et Nicolas de Cues (XVe) qui, sans remettre en cause ouvertement le modèle de Ptolémée reconnu par les Pères de l'Église, expriment quelques doutes.

Copernic (1543) et plusieurs astronomes postérieurs (Tycho Brahé, 1546-1601 ; Giordano Bruno, 1548-1600) rejettent ce modèle qui subsistait depuis près de 2 000 ans : Copernic, en proposant un modèle héliocentrique qui finira par s'imposer (voir art. 21 et 22) ; Tycho Brahé, en abandonnant les sphères *solides* (ou *corporelles*, si l'on suit J. P. Verdet) et surtout en améliorant la précision des observations et des mesures astronomiques ; Giordano Bruno, en plaidant en faveur d'un univers illimité (ce qui lui valut le bûcher à Rome en 1600).

Le système de Copernic

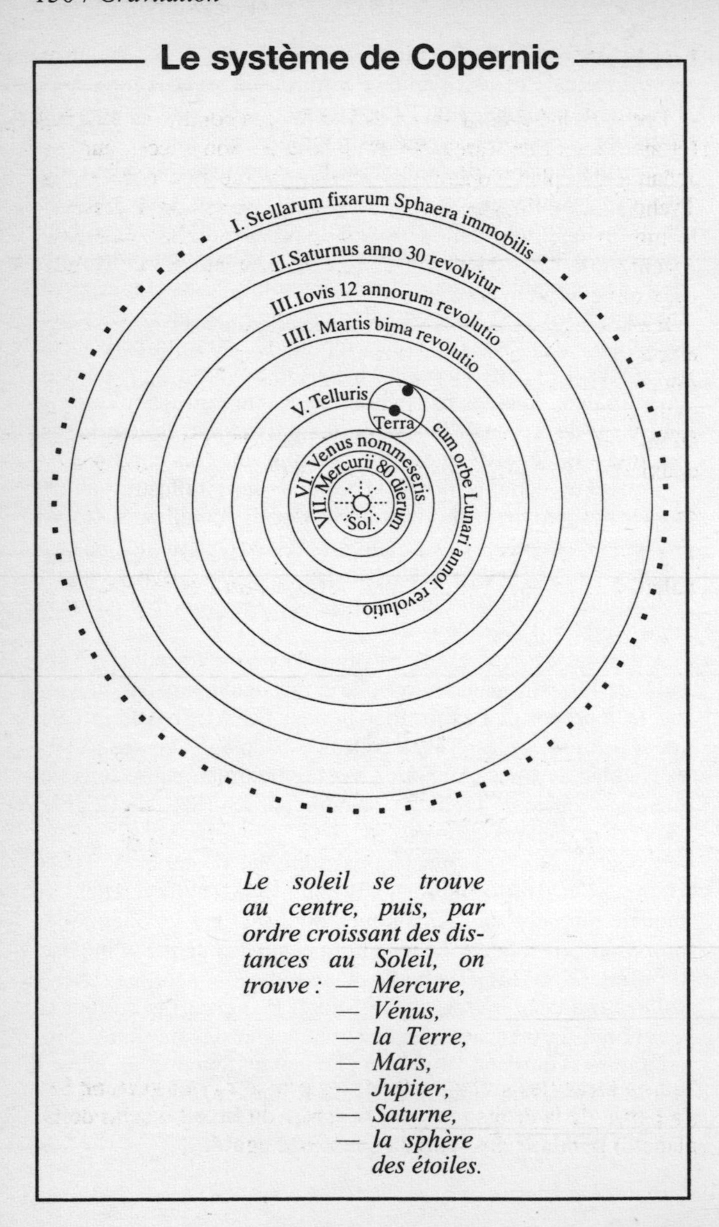

Le soleil se trouve au centre, puis, par ordre croissant des distances au Soleil, on trouve :
- *Mercure,*
- *Vénus,*
- *la Terre,*
- *Mars,*
- *Jupiter,*
- *Saturne,*
- *la sphère des étoiles.*

Les lois de Kepler

Tycho Brahé finit sa vie en 1601 à Prague comme astronome (et astrologue) de l'archiduc Rodolphe II. Son successeur est Johannes Kepler, copernicien convaincu (ce que n'était pas Tycho Brahé). Il recueille, dans l'héritage de son prédécesseur, le monceau d'observations précises faites pendant plusieurs décennies de travail intensif, et des instruments plus précis que ceux qui existaient auparavant.

Il essaie, grâce à ces observations et de manière uniquement empirique (c'est-à-dire, dans ce cas, sans démonstrations théoriques), en s'inspirant d'une argumentation inspirée par les pythagoriciens, d'expliquer comment les planètes circulent autour du Soleil. Kepler formule trois lois (la première et la deuxième en 1609, la troisième en 1619).

1. Chaque planète (du système solaire) **décrit, autour du Soleil, une ellipse dont le Soleil occupe l'un des foyers.**

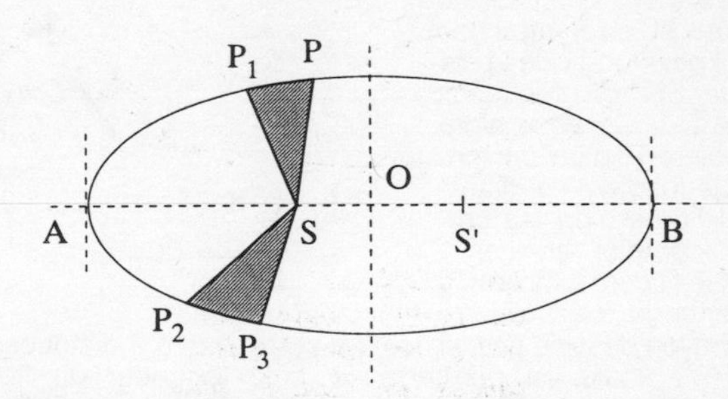

2. Les aires (les surfaces) **balayées par le rayon-vecteur SP** (la partie de la droite qui joint le centre du Soleil à celui de la planète) **pendant des temps égaux sont égales.**

L'ellipse

L'ellipse fait partie de la famille de courbes appelées **coniques** (ou *sections coniques*). Un cône est un volume (en forme de cornet, si l'on veut, comme certaines glaces de pâtisserie) qui a un sommet et dont les parois ont pour base une figure géométrique fermée (qui est un cercle si le cône est « de révolution » et, dans ce cas, il a un axe de symétrie). Si l'on coupe ce cône par un plan, la figure que dessine l'endroit (l'intersection) où le plan coupe les parois du cône est une conique. Selon l'inclinaison du plan par rapport à l'axe du cône, cette figure est une *ellipse*, une *parabole*, une *hyperbole* ou un *cercle* (quand le plan et l'axe sont perpendiculaires).

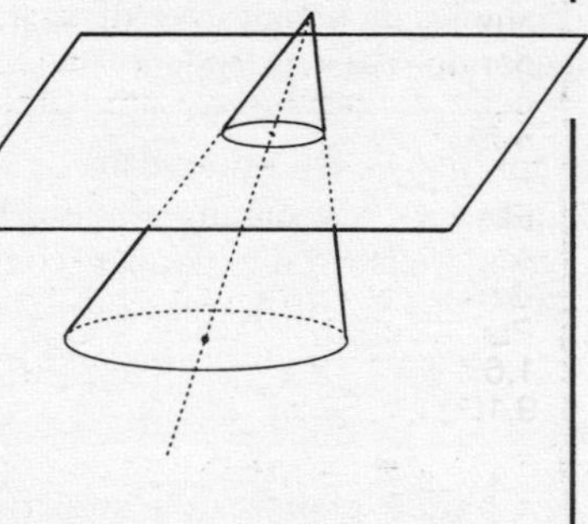

On peut dessiner une ellipse en plantant deux punaises en S et S' dans une feuille de papier et en y attachant un fil plus long que la distance SS' de ces deux punaises. On pose alors la pointe P d'un crayon sur le papier, en tirant sur le fil, et l'on fait un tour complet en gardant le fil constamment bien tendu. La pointe du crayon dessine une ellipse. La somme des 2 distances PS et PS', égale en permanence à la longueur du fil, est constante : PS + PS' = constante. C'est une autre définition de l'ellipse.

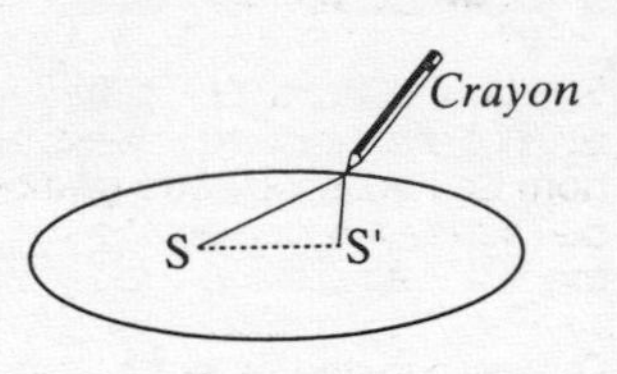

Les coniques étaient bien connues depuis longtemps. Leur étude géométrique figure dans les œuvres d'Euclide et d'Archimède (IIIe siècle av. J.-C.). Il a fallu cependant attendre Kepler pour savoir que l'orbite des planètes est elliptique. La raison en est sans doute que les Grecs étaient persuadés que les mouvements de tous les corps célestes sont nécessairement circulaires.

Les constantes

Dans la relation mathématique (la formule, l'équation...), qui exprime une propriété ou une loi physique, intervient parfois ce que l'on appelle une constante physique. Par opposition aux *variables* (qui, comme leur nom l'indique, peuvent changer de valeur, selon le lieu ou au cours de l'expérience, etc.), cette constante va, dans les conditions définies, garder la même valeur.

Elle peut être parfois *sans dimension*, c'est-à-dire un simple nombre sans unité, exprimant par exemple que **2 grandeurs de même nature sont proportionnelles** entre elles. Par exemple, la masse d'un proton au repos est m_p = $1{,}67263.10^{-27}$ kg, celle d'un électron au repos est m_e = $9{,}1094.10^{-31}$ kg.

Le rapport des deux :

$$\frac{m_p}{m_e} = \frac{1{,}67263.10^{-27}}{9{,}1094.10^{-31}} = 1{,}8.10^3$$

Ce nombre $1{,}8.10^3$ est sans dimension (mais ce n'est pas une constante universelle).

Elle peut aussi avoir la dimension d'une grandeur physique et le nombre qui indique sa valeur doit être accompagné du nom de l'unité de cette grandeur. Par exemple, la constante de gravitation universelle (voir plus loin) s'exprime en newton . m^2 . kg^{-2}.

Quatre constantes sont dites « *universelles* » :

— **la constante de gravitation, G** = $6{,}672.10^{-11}$ newton . m^2 . kg^{-2}

— **la constante de Boltzmann, k** = $1{,}38066.10^{-23}$ joule par kelvin

— **la vitesse de la lumière dans le vide, c** = 299 792 458 mètres par seconde

— **la constante de Planck, h** = $6{,}6261.10^{-34}$ joule par hertz.

Sur la figure, si le temps t mis par la planète pour aller de P à P_1 et de P_2 à P_3 est le même, les deux surfaces hachurées ont la même valeur. Il revient au même de dire que la surface balayée par le rayon-vecteur est proportionnelle au temps mis à la parcourir. Si donc j'appelle s, sur la figure, la valeur de chacune des deux surfaces hachurées, la loi s'exprime par la relation : s = k.t (k est *une constante*). Une conséquence de cette loi est que, la planète étant plus ou moins proche du Soleil selon le moment de l'année (SP a une longueur variable), **la vitesse de la planète sur son orbite n'est pas constante.**

3. Le carré de la période de révolution (c'est-à-dire du temps T que la planète met à parcourir son orbite) **est proportionnel au cube du 1/2 grand axe de l'ellipse.**

Sur la figure, le grand axe est AB. Le 1/2 grand axe est OA = OB. La loi s'exprime donc par la relation : $T^2 = k\,(OA)^3$ (k est une constante) ou : $\frac{T^2}{(OA)^3}$ = constante.

Contemporain de Kepler, Galilée étudie en détail un phénomène, déjà mentionné dans le présent texte, qui est la chute des corps. Il le fait expérimentalement mais souvent aussi de façon indirecte (par exemple en s'attachant à comprendre comment, à cause de la gravité, un corps glisse sur un plan incliné). Il procède en partie par ce que l'on a baptisé plus tard des *expériences de pensée*, c'est-à-dire **en imaginant comment les choses pourraient se passer dans l'idéal,** en l'absence de facteurs perturbateurs dont l'existence, dans les conditions où il travaille, est susceptible de modifier le cours de l'expérience. Il raisonne par conséquent, comme tout physicien depuis cette époque, **par approximations successives.** En fin de compte, il faut **comparer** les résultats obtenus par cette démarche expérimentale à la réalité. S'ils ne coïncident pas, il faut revoir l'ensemble et repérer ce qui, dans la suite d'opérations, ne va pas : la théorie ou tel ou tel de ses aspects ; l'une des approximations ; un élément négligé à tort, etc. Et cela jusqu'à ce que les deux (les résultats de l'analyse du savant et la réalité) soient conformes. La **méthode expérimentale**, dont Galilée reste la figure emblématique, c'est cela. En ce qui concerne la chute des corps, une composante a ainsi été négligée, c'est le frottement de l'air. **Les lois établies ne sont rigoureuses que dans le vide.** En substance, Galilée établit que la hauteur de chute, au bout d'un instant t, est proportionnelle au carré de cette durée (expression formalisée : $h = 1/2\ g\ t^2$, g ayant une valeur qui dépend du lieu) et que la vitesse, atteinte par le corps qui tombe, est proportionnelle au temps de chute ($v = g\ t$).

Le vide

L'existence du vide est pendant très longtemps restée un sujet de polémique chez les physiciens et les philosophes. Il faut attendre 1660 pour qu'un physicien allemand, Otto von Guericke, invente une pomme pneumatique pour réaliser le vide d'**air** (il reste quand même, entre autres, des particules provenant des rayons cosmiques, etc.) dans un récipient bien clos.

Cette invention (qui relève encore davantage du bricolage que de la science) aura une importance considérable. Dans l'immédiat, elle permettra par exemple à l'Irlandais Robert Boyle de constater que le son ne se propage pas dans le vide alors que la lumière le fait (voir art. 13). L'évolution de l'électronique à partir du début du XXe siècle, la conception de nombreux instruments par la suite (accélérateurs de particules, etc.), sont étroitement dépendantes des techniques de réalisation du vide (de matière, dans le sens courant du terme) et de leurs progrès. Et aussi, d'ailleurs, du maintien de ce vide (le problème de la fiabilité des joints dans certains cas).

Le magnétisme

Les *sphères corporelles* ayant été abandonnées, un problème surgissait (ou resurgissait) : comment les planètes « tenaient-elles » ainsi dans l'espace (au lieu de tomber sur le Soleil) et quelles étaient les causes de leur mouvement (et donc des trois lois de Képler) ?

Képler était un lointain héritier des pythagoriciens. Il croyait en *une harmonie de l'univers* (l'un de ses ouvrages parmi les plus importants s'appelle *Harmonia mundi*) basée sur des rapports numériques précis et constants entre les distances et les grandeurs astronomiques (un peu comme les notes des gammes en musique), sur des formes géométriques constantes et simples, etc. Pour autant, son exigence de scientifique le poussait à rechercher des réponses aux questions évoquées dans l'alinéa précédent. Il était logique de supposer l'existence de forces existant entre le Soleil et les planètes. Kepler émit l'idée que ces forces pourraient être magnétiques.

L'attraction et la répulsion magnétiques étaient en effet des exemples, que l'on connaissait, d'**influence à distance sans intermédiaire matériel** (au sens le plus courant du terme) **apparent.**

L'aimant (naturel)

La *pierre d'aimant* (ou *pierre de Magnésie*, du nom de leur colonie d'Asie Mineure où les Grecs l'ont initialement extraite) est l'un des **oxydes de fer**. Sa formule chimique est $Fe_3 O_4$.

Rappelons qu'un *oxyde* résulte de l'union d'un élément avec l'oxygène, donc d'une *oxydation*, appelée couramment *combustion*, surtout quand elle est vive ; il existe des combustions lentes dont on n'a pas toujours une conscience immédiate.

Cette connaissance est très ancienne. Les chroniqueurs rapportent que Thalès (VIIe-VIe siècles av. J.-C.) savait que la *pierre d'aimant* attire le fer, mais les Chinois devaient également être au courant (et depuis plus longtemps), ainsi sans doute que les Égyptiens.

Un nouveau progrès est réalisé après l'apparition de la boussole. La première étude connue à son sujet figure dans une lettre écrite en 1269 par un ingénieur militaire français, Pierre de Maricourt. Il décrit plusieurs expériences et baptise *pôles* les extrémités de cette boussole.

En 1600, le médecin et physicien anglais William Gilbert publie un livre (*De magnete*) où, après la reprise des expériences évoquées ci-dessus, il en expose de nouvelles et esquisse quelques tentatives d'explication. Ces phénomènes

La boussole

Aiguilles légères en *pierre d'aimant*, les premières boussoles tournent autour d'un axe et s'orientent parallèlement au *champ magnétique terrestre* (ou *géomagnétisme*) à l'endroit où l'on se trouve. En substance, **la Terre se comporte comme un gros aimant,** ayant *un pôle Nord* et un *pôle Sud* (distincts des pôles géographiques). Les origines de ce champ sont encore mal éclaircies aujourd'hui et différentes théories s'affrontent. Un aimant naturel (une *pierre d'aimant*) a aussi 2 extrémités (s'il s'agit d'un barreau ou d'une aiguille) produisant, comme les pôles magnétiques de la Terre, des effets opposés (d'où les appellations de *pôle Nord* et *pôle Sud*, données par Pierre Maricourt aux extrémités de la boussole).

Les premières boussoles sont d'origine chinoise. On sait donc alors que (contrairement à Thalès qui ne connaissait que le phénomène d'attraction) le pôle Sud et le pôle Nord de 2 aiguilles, situés l'un à côté de l'autre, s'attirent, et que 2 pôles de même nature se repoussent.

Il est admis que ce sont des navigateurs musulmans qui, empruntant l'objet technique aux Chinois au XIe siècle, l'ont utilisé pour s'orienter en mer. La boussole apparaît en Europe au XIIe siècle. Sa découverte a entraîné des progrès de plus en plus considérables pour la navigation en haute mer.

sont alors à la mode ; des idées sur le magnétisme se retrouvent chez de multiples auteurs (Descartes par exemple).

Le développement du magnétisme est anecdotique jusqu'à la fin du XVIIIe siècle où Coulomb publie, en 1785, une *loi fondamentale du magnétisme*, inspirée par son homologue relative à l'électrostatique (voir art. 1).

A côté des études classiques effectuées au XIXe siècle sur l'électrostatique, ce qui nous intéresse surtout est l'invention de l'**électro-aimant** par Arago en 1820, en application de l'expérience d'Oersted (voir art. 17). Si la circulation d'un courant électrique dans un fil provoque l'apparition d'un champ magnétique au voisinage de ce fil, il suffit d'imaginer des formes de circuit adaptées, des enroulements de fil de formes diverses, d'augmenter l'intensité du courant…, pour disposer d'**un aimant dont on peut faire varier l'influence** en fonction des besoins. On sait maintenant en fabriquer de très puissants. Ils sont en général refroidis (par de l'azote liquide ou, mieux, par de l'hélium liquide), parce que le froid diminue la résistance des fils (voir art. 22), ce qui a pour conséquence de faire baisser la température due au passage du courant (effet Joule).

Paul Langevin a publié, en 1905, une *théorie cinétique du magnétisme*, qu'il explique par le mouvement des électrons (qui équivaut à un courant électrique) dans l'atome. Dans le cadre de la physique moderne, les explications sur l'électricité et le magnétisme sont étroitement liées.

Newton

La proposition de Kepler pour expliquer les mouvements célestes, n'a guère eu de succès. Le physicien anglais Robert Hooke (contemporain et rival de Newton) évoque des forces pouvant exister entre les planètes et les astres, et suggère même que ces forces puissent être proportionnelles aux masses des corps concernés. Sa démarche, très intuitive et empirique, ne débouche toutefois sur aucune théorie bien établie.

Newton aboutit à un résultat dans le cadre de ses études de mécanique. Les observations effectuées au XVIIe siècle grâce aux nouveaux instruments, et aux observatoires construits pour les accueillir, confirment la validité des lois de Kepler. Les mouvements planétaires impliquent des forces entre les corps concernés. Il n'y a pas de mouvement sans cause(s) et le principe d'inertie ne suffit pas dans le cas présent. **Le problème,** en l'occurrence, **est de réussir à calculer, à partir des énoncés de Képler** (qui indiquent la trajectoire parcourue, la relation entre la valeur de la surface balayée et le temps, et enfin la période de rotation) l'**expression de ces forces.** Pour ce faire, Newton ne dispose pas des outils mathématiques (concepts, théories, procédés de calcul...) nécessaires. Alors, il les crée. Le résultat en est ce qu'il baptise le *calcul des fluxions* (1664). Le philosophe et mathématicien allemand Leibniz invente parallèlement (et sans avoir connaissance des résultats de Newton) la même théorie, à partir d'autres préoccupations. C'est ce

Le principe d'inertie

Esquissé par Galilée, précisé par Descartes puis par Newton, le principe d'inertie dit en substance que si la force (ou l'ensemble de forces) **qui est responsable du mouvement d'un corps, cesse d'agir (ou s'annule, si l'on préfère), ou bien le corps poursuit sa trajectoire en ligne droite et à vitesse constante** (mouvement rectiligne uniforme), **ou bien il reste immobile** (s'il l'était auparavant).

tésimal (ou *calcul différentiel et intégral*) et donnera naissance à l'**analyse mathématique.**

Cette création — qui marque une étape nouvelle de l'histoire des mathématiques et de leur utilisation en physique — permet à Newton de conclure la mécanique céleste de ses *Principes mathématiques de la philosophie naturelle* (1687) par *la loi de gravitation (ou d'attraction) universelle :*

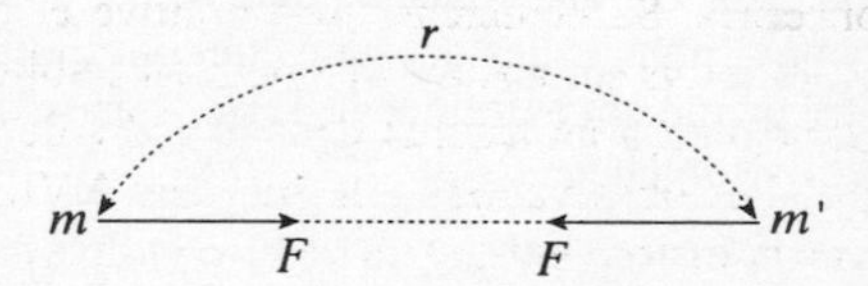

Deux corps pesants quelconques, de masses m et m', situés à une distance r l'un de l'autre, s'attirent réciproquement. La force d'attraction est proportionnelle aux deux masses, et inversement proportionnelle au carré de leur distance.

$$F = G. \frac{mm'}{r^2}$$

G est la constante universelle dont nous avons parlé précédemment : voir page 153.

Cette loi vaut pour tous les corps ayant une masse, quels qu'ils soient, y compris si ce sont deux objets quelconques à la surface de la Terre. Il est toutefois évident que, compte tenu de la faible valeur de G (un cent milliardième dans le système international d'unités), cette force est extrêmement faible pour deux corps ordinaires et peut donc être négligée dans la plupart des cas. Elle joue, par contre, entre les corps célestes et permet de retrouver la loi de la chute des corps, établie par Galilée. Cette dernière est une conséquence de la gravitation. La loi de gravitation explique notamment pourquoi les planètes ne tombent pas sur le Soleil, en dépit du rejet des «*sphères corporelles*» d'Aristote et de Ptolémée.

La mécanique céleste de Newton a permis d'expliquer, aux XVIIIe et XIXe siècles, la plupart des mouvements célestes. Elle a conduit à prévoir l'existence de planètes (inconnues jusque-là) et à les découvrir ensuite par l'observation. Elle reste à la base d'une bonne partie de l'astronomie d'aujourd'hui, même si certains phénomènes lui échappent et doivent, pour recevoir une interprétation, faire appel à la **relativité généralisée** d'Einstein (1916), dont l'un des postulats se rapporte à la gravitation (voir art. 20). Mais, au-delà de ces limites et en particulier pour la plupart des questions qui ont trait aux satellites envoyés fréquemment autour de la Terre, la base des calculs est la théorie newtonienne.

Le graviton existe-t-il ?

Nous exposons par ailleurs (voir art. 1), qu'en application du «modèle standard», **une particule est associée à chaque interaction.** On distingue actuellement quatre interactions fondamentales :

— l'interaction gravitationnelle ;
— l'interaction forte ;
— l'interaction faible ;
— l'interaction électromagnétique.

Les deux dernières sont souvent regroupées dans ce que l'on appelle l'*interaction électrofaible*.

A l'interaction gravitationnelle devrait correspondre une particule baptisée *graviton* et une *onde de gravitation*, associée à ce graviton et ayant une fréquence, transportant une certaine énergie (très faible), etc. Malgré tous les efforts faits, on n'a pas, **pour l'instant**, réussi à mettre le graviton en évidence expérimentalement.

REPÈRES

CARATINI, R., *Dictionnaire des Découvertes*, Paris, Éditions nº 1, 1990.

COHEN-TANNOUDJI, G., *Les Constantes universelles*, Paris, Hachette, 1991.

EINSTEIN, A., et INFELD, L., *L'Évolution des idées en physique*, trad. franç., Paris, Payot, 1963.

GAMOW, G., *La Gravitation, de la pomme de Newton aux fusées interplanétaires*, trad. franç., Paris, Payot, 1962.

VERDET, J. P., *Une Histoire de l'astronomie*, Paris, Seuil, 1990.

▶ **Accélérateur, Big Bang, Doppler (Effet-), Laser, Relativité, Révolution scientifique, Supraconductivité.**

12. Informatique

*Une part importante des transformations du monde depuis une trentaine d'années est due à une discipline nouvelle, l'informatique, et à son principal outil actuel, l'***ordinateur***. Sans lui, l'automatisation de la production n'atteindrait pas le stade auquel elle accède, la conquête de l'espace n'aurait pas eu lieu, l'évolution des sciences serait beaucoup plus lente, la médecine n'aurait pas connu certains de ses succès parmi les plus spectaculaires, etc.*

Nombre d'avancées attendues pour les décennies à venir seront permises par l'existence et le perfectionnement des ordinateurs. Les pays qui sont les plus armés dans ce domaine, auront des avantages économiques (et, hélas, militaires) considérables sur les autres, etc. Dans le même temps, l'informatisation, source possible de progrès politiques et sociaux, peut également être un facteur de chômage, un instrument favorisant l'avènement d'États totalement policiers.

Les encyclopédies actuelles nous apprennent que le mot *informatique* a été créé en 1962 par l'ingénieur français P. Dreyfus. La très respectable Académie française l'avalise en 1966 et le définit :

> **« Science du traitement rationnel, notamment par machines automatiques, de l'information considérée comme le support des connaissances humaines et des communications dans les domaines techniques, économiques et sociaux. »**

L'ordinateur n'apparaît pas dans cette définition, si ce n'est comme exemple de « machine automatique ». Pour la plupart des gens, aujourd'hui, la connexion entre les deux termes est cependant évidente. En les interrogeant, la réponse majoritaire serait en substance : « *L'informatique est la science qui étudie le fonctionnement des ordinateurs* ». Cela reflète un certain bon sens : l'ordinateur est effectivement l'outil principal de l'informatique contemporaine et cette dernière science a, pour une large part, été conçue pour son utilisation. Il n'en demeure pas moins que, si des instruments nouveaux étaient inventés, nombre des concepts et des théories élaborés demeureraient sans doute valables.

L'information et sa transmission

Une *information* est, au sens courant, un *renseignement* qui nous est fourni (ou que nous nous procurons) sur un événement. Aujourd'hui, par exemple, la radio m'informe du résultat d'un sondage : George Bush et Bill Clinton seraient presque à égalité dans le cadre de l'élection présidentielle américaine (au 31.10.92). Quand le présent livre paraîtra, le lecteur saura (comme moi-même), ce que valait ledit sondage (en l'occurrence, rien du tout). Mais ce n'est pas ici notre propos. L'annonce faite à France-Info : «*L'Institut de sondage x dit que...*» est bel et bien *exacte. Il est vrai* que ledit Institut a proclamé ce résultat. L'information (sur ce qu'a dit l'Institut) est correcte.

Le concept scientifique d'information, défini par C. E. Shannon (en 1948-49), a un sens différent (voir art. 22). La formulation de l'*Encyclopaedia universalis* est : «*Une information désigne... un ou plusieurs événements parmi un ensemble fini d'événements possibles*». Le mot «*fini*» indique que les événements concernés peuvent être comptés, qu'ils n'existent pas, dans les conditions de la définition, en une quantité si grande que l'on soit incapable de les dénombrer. L'encyclopédie citée poursuit en définissant la «*quantité d'information*», grandeur qui s'énonce sous forme d'une formule mathématique, et dont la valeur est d'autant plus élevée que les éléments, qui nous sont communiqués, permettent d'identifier facilement ce que nous recherchons.

Un exemple : je téléphone, dans le courant du mois d'octobre, à un ami habitant dans une région boisée — le Limousin, par exemple — pour lui demander de cueillir des cèpes de Bordeaux à mon intention. «*L'événement*», ici, est la cueillette de cèpes de Bordeaux ; «*l'ensemble fini d'événements possibles*» est constitué par toute la variété des champignons qui poussent dans la campagne limousine. J'augmente la *quantité d'information* chaque fois que j'ajoute une précision à mon interlocuteur :

1) ce cèpe apparaît le plus souvent dans des bois, des clairières ou au voisinage de ces bois ;

2) la proximité de chênes est un élément favorable ;

3) le chapeau du cèpe est arrondi et en coupole ;

4) la couleur de ce chapeau est le brun foncé (voire le noir) ou le marron fauve ;

5) le dessous de ce chapeau est constitué par des pores (et non par des lamelles), etc.

Si mon ami a de la chance, il trouvera les champignons souhaités, grâce à l'information que je lui ai communiquée. Cette information est ici formulée *en clair* (en utilisant notre langage habituel ; la nature du message implique cependant une connaissance minimale de la science qui s'intéresse aux champignons, la mycologie). Elle a été *transformée en un signal physique* par l'installation téléphonique, *transmise* sous cette forme, puis retranscrite *en clair*, reçue sous cette forme par mon ami, puis *traitée* par lui quand il va, à ma demande, sur le terrain.

La théorie de l'information, développée à partir de Shannon, est d'une très grande généralité. Si elle implique l'utilisation d'une certaine énergie physique, puis une série d'opérations impliquant des transformations de cette énergie initiale en d'autres formes d'énergie, il y a chaque fois une perte. La quantité d'information diminue et est obligatoirement moindre à la réception qu'à l'émission. Dans le meilleur des cas, elle pourrait théoriquement rester la même. La théorie de Shannon élargit ces conceptions (qui sont héritées de la thermodynamique, de Clausius à Boltzmann) et applique à des collections de renseignements (au sens courant du terme) un ensemble de définitions, d'expressions mathématisées, qui relevait initialement de la physique (voir art. 22, notamment les passages et le cadre sur l'*entropie*).

Codage et transmission de l'information codée

Une information — quelle qu'elle soit — doit être formulée (ou exprimée) de manière à pouvoir être *reçue* par son destinataire (volontaire ou non). «*Je vois une fleur rouge*». L'information (le fait que je voie cette fleur et qu'elle soit rouge) m'est parvenue par la lumière que je reçois en provenance de la fleur. Elle n'est ni brute, ni spontanée. Elle implique déjà toute une série de connaissances (dont celle des couleurs, dont la capacité d'identifier une fleur...), mais elle est directe. Toutefois, quand je pense explicitement (en me le formulant «dans la tête») : «*J'ai vu une fleur. Elle était rouge*», et que je le dis de surcroît à quelqu'un d'autre, l'information passe par un **mode de codage,** qui est le **langage.**

L'information et sa transmission : le langage

Il y a certainement eu, chez les hominidés, des formes de codage et de transmission de l'information qui ont précédé le langage. Il en existe chez les animaux. L'apparition de la parole articulée, l'accroissement progressif des possibilités d'expression et de transmission des idées, etc., ont marqué une étape décisive (sur le plan intellectuel, sinon sur le plan physique) du processus d'hominisation.

Un langage, c'est un accord au sein d'un groupe d'individus : pour désigner chaque objet, acte, notion..., par une association conventionnelle de syllabes, c'est-à-dire par des *mots* (son étude est aujourd'hui l'objet de la *lexicologie*), chaque syllabe étant représentée par un *son (phonologie)* ; pour fixer un certain nombre de règles (plus ou moins clairement définies, au départ) permettant d'associer ces mots entre eux, autrement dit de construire des phrases (l'ensemble de ces règles constitue la *syntaxe*) ; pour modifier ces mots, les accorder (en fonction éventuellement de leur place dans la phrase), les dériver pour obtenir par exemple d'autres mots dont les premiers sont les racines (*morphologie*) ; pour donner un sens aux phrases ainsi construites (*sémantique*).

Le rassemblement de ces différents champs (phonologie + lexicologie + syntaxe + morphologie + sémantique) constitue une partie de ce que l'on appelle traditionnellement la *grammaire*.

A quelques variantes près (dues à des différences entre les spécialités, à des querelles d'écoles...), les concepts évoqués se retrouvent dans les études de tous les langages (y compris ceux de l'informatique).

Dans toutes les histoires de l'information et de la communication (comme d'ailleurs dans celles de l'informatique) sont rappelés tous les modes (et toutes les techniques) de transcription, de codage et de transmission de l'information au cours de l'histoire : le tam-tam et les signaux de fumée ; l'**écriture** (celle des mots et celle des chiffres), dont l'apparition est essentielle (cours du troisième millénaire av. J.-C. ; Mésopotamie, puis Égypte) ; l'**alphabet** (phénicien, puis grec) ; les **chiffres arabes** (le zéro et les chiffres de 1 à 9, dans le cadre d'une numérotation décimale ; l'origine semble se situer en Inde, vers le Ve-VIe siècle, mais ils ont surtout été repris et systématisés par les mathématiciens arabes) ; **l'imprimerie...**

La volonté (la nécessité, quelquefois) de transférer à distance (et le plus rapidement possible) l'information a joué, dans des périodes récentes, un rôle d'incitation à l'innovation. Jadis les signaux optiques (fumées ou usage de miroirs), de colline en colline, ont favorisé des liaisons rapides. Le transport de l'information écrite était tributaire de la vitesse des déplacements humains (sauf appel à des procédés ingénieux, comme le recours aux pigeons voyageurs). Au moment de la Révolution française, Chappe propose, au gouvernement républicain, un *télégraphe*. Des dispositifs en bois, comportant des bras actionnés manuellement, sont installés en réseau dans toute la France. Des signaux codés sont ainsi transmis rapidement... de jour, et à condition que la visibilité soit bonne. Son existence joue un rôle indéniable pendant plusieurs décennies (notamment sur le plan militaire), freinant sur la fin l'émergence du télégraphe électromagnétique dans notre pays.

L'apparition de ce dernier procédé (Gauss et Weber, 1833 ; Morse, 1837 ; voir art. 14) est intéressante à différents égards. Par sa rapidité, sa fiabilité et sa capacité, bien sûr, mais aussi par sa technique de codage. Si le manipulateur appuie sur le contacteur et le relâche aussitôt, le stylet encreur marque un point sur le papier à la station de réception. S'il appuie un peu plus longuement, le stylet trace un petit trait. L'**alphabet morse** résulte de la transcription des lettres de notre alphabet courant (qui est d'origine latine) à partir de ces deux signes : le point ; le trait.

L'alphabet morse

a	• —	n	— •
b	— • • •	o	— — —
c	— • — •	p	• — — •
d	— • •	q	— — • —
e	•	r	• — •
f	• • — •	s	• • •
g	— — •	t	—
h	• • • •	u	• • —
i	• •	v	• • • —
j	• — — —	w	• — —
k	— • —	x	— • • —
l	• — • •	y	— • — —
m	— —	z	— — • —
1	• — — — —	6	— • • • •
2	• • — — —	7	— — • • •
3	• • • — —	8	— — — • •
4	• • • • —	9	— — — — •
5	• • • • •	0	— — — — —
point	• — • — • —	début de transmission	— • — • —
erreur	• • • • • • • •	fin de transmission	• — • — •

Automatisation du calcul et de diverses machines

Les histoires de l'informatique mentionnent le **boulier chinois** parmi les ancêtres des calculatrices modernes. Sans en détailler le principe, disons qu'il comporte une série de tiges (l'une relative aux unités, une deuxième aux dizaines, une troisième aux centaines...) portant des boules. La lecture d'un nombre, sur le boulier, se fait comme celle d'un nombre en base 10 sur le papier. L'addition se fait aussi de la même manière. Les commerçants et les comptables du Sud-Est asiatique calculaient très rapidement, il n'y a pas bien longtemps, à l'aide de tels instruments.

Les premières machines mécaniques à calculer datent du XVIIe siècle (Schickard, 1623 ; Pascal, 1643 ; Leibniz, 1673). Leur technique est empruntée à celles de l'horlogerie, qui avaient beaucoup progressé depuis le XIVe siècle. Celle de Schickard comportait une série de roues dentées (comptant chacune 10 dents, correspondant aux chiffres de 0 à 9 inclus). Quand, par exemple, on dépasse 9 sur la roue des unités, elle revient au zéro et un petit ergot fait tourner d'un cran la roue des dizaines, affichant alors le 1 sur cette dernière (la machine indique donc 10). Les machines du XVIIe siècle avaient comme objectif la facilitation du travail des comptables et des financiers (le père de Pascal avait reçu la mission de réorganiser les comptes publics et la perception des impôts en Bretagne). Celle de Leibniz (qui effectuait automatiquement les quatre opérations) était également destinée aux astronomes.

Parmi les premiers systèmes automatiques figurent les jacquemarts, ces petits personnages qui frappaient les heures dans les grandes horloges des cathédrales et beffrois du Moyen Age (il en existe encore à Strasbourg, Syracuse...). Les automates du XVIIIe siècle sont souvent cités, notamment ceux de Vaucanson. Ce sont, dans tous les cas, les techniques horlogères qui sont utilisées.

Le métier à tisser Jacquard (et plus tard les orgues de Barbarie) préfigure d'une certaine manière un objet technique auquel avaient recours les ordinateurs des années 60 : la *carte perforée*. L'invention de ce métier a été suscitée par les besoins de l'industrie textile. En consultant une histoire des techniques l'on constate que, dans le cours de ce que l'on nomme la *pre-*

mière Révolution industrielle (XVIIIe-XIXe), cette industrie s'est mécanisée particulièrement vite. Sa productivité a, de ce fait, crû dans de grandes proportions. Dans ce cadre, et pour travailler la soie à Lyon, le mécanicien Joseph Marie Jacquard a, en 1805, mis au point un métier à tisser automatisé. Les pleins des cartes perforées repoussaient les aiguilles arrivant en face, mettant hors d'action des crochets qui leur correspondaient. Les trous, au contraire, laissant passer les aiguilles, faisaient agir des crochets. Ceux-ci tiraient les fils de soie souhaités, etc. La *géographie* de la carte était composée en fonction du tissu conçu. Elle constituait donc ce que l'on appelle aujourd'hui, pour l'ordinateur, le *programme* de l'opération projetée.

Le mathématicien anglais Charles Babbage a réalisé, de 1821 à 1850, une série de calculateurs mécaniques dont l'*architecture*, selon les informaticiens, préfigure celle des ordinateurs. Il a été, pour cela, soutenu (et aidé) par la mathématicienne Ada Lovelace, fille du poète romantique Lord Byron. Le calculateur de Babbage, contrairement à la plupart des dispositifs utilisés pendant longtemps (et pas seulement pour les calculatrices), était **numérique** (**digital** en anglais) et non **analogique.**

De nombreuses machines à calculer mécaniques ont été inventées, fabriquées et utilisées, à la fin du XIXe siècle et au début du XXe. Tout le monde connaît les pittoresques *caisses enregistreuses* des magasins et des brasseries de jadis. La comptabilité commerciale en a effectivement fait un grand usage. Elles se situeraient plutôt dans la descendance des instruments de Schickard et Pascal, mais il est certain que leur existence a fait progresser la réflexion sur l'automatisation. Parallèlement, l'invention de la machine à écrire fait naître un nouvel objet technique qui sera ensuite utilisé par l'informatique.

Aux calculatrices purement mécaniques ont progressivement succédé, à partir de la fin du XIXe siècle, les machines électromécaniques. Hermann Hollerith (1860-1929) utilise les cartes perforées. Jusqu'à la Deuxième Guerre mondiale de tels dispositifs sont améliorés. Certaines utilisations démontrent que la demande d'un matériel dépassant les calculatrices (si perfectionnées soient-elles) se fait jour, tout au moins dans certains

Analogique et numérique

Un signal est dit **analogique** s'il est représenté (et transporté) par une grandeur physique qui varie de façon continue dans le temps. Une onde (sonore, électromagnétique), par exemple, est un mode analogique de transport d'une information.

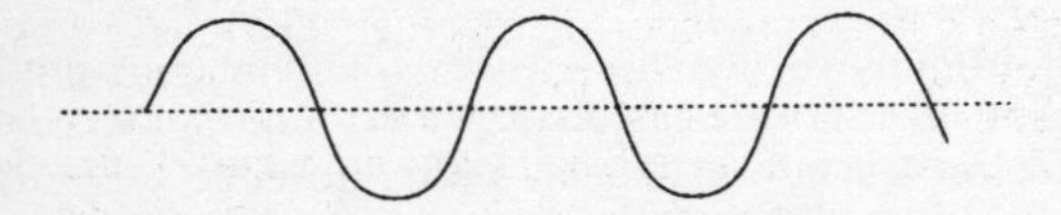

Exemple de signal analogique.

Dans un signal **numérique,** au contraire, le phénomène est découpé en une série de valeurs successives de son *amplitude*, à intervalles de temps réguliers.

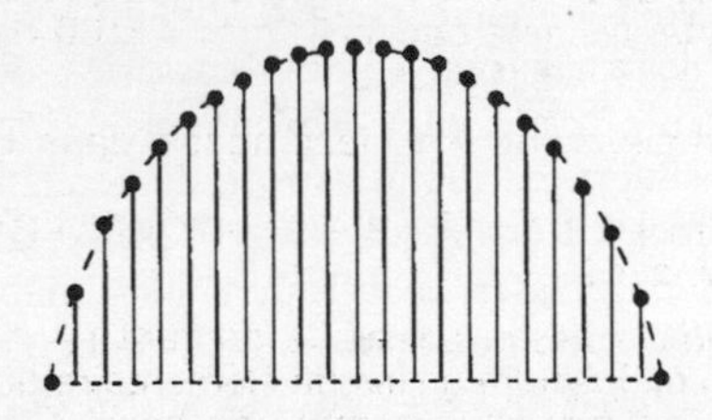

Exemple de signal numérisé.

Ces valeurs sont ensuite exprimées en notation **binaire** (voir plus loin). Le signal est transmis sous cette forme avant d'être éventuellement reconverti en analogique, à l'arrivée, pour exploitation.

secteurs de la vie sociale (par exemple pour le chiffrage et le déchiffrage des messages des services secrets — telle *Enigma*, inventée en 1919 par le Hollandais H. Koch, et qui fut utilisée exclusivement par les hitlériens). On constate aussi que plusieurs ingénieurs (ou mathématiciens) ont recours à des circuits *binaires* (G. Stibitz, 1937 ; K. Zuse, 1939…). **Le besoin social d'outils plus performants coexiste alors avec la possibilité de les réaliser.**

Circuits binaires

Le système le plus répandu de représentation des nombres est **décimal** (probablement parce que les hommes ont initialement compté sur leurs doigts), c'est-à-dire que *sa base est 10.* Dans le système binaire (ou en *base 2*), les deux seuls chiffres utilisés sont 0 et 1. Ce qui donne, par exemple, des représentations des nombres :

décimal :		**binaire :**
0	→	0
1	→	1
2	→	10
3	→	11
4	→	100
5	→	101

Les chiffres successifs, en partant de la droite, représentent les puissances de 2 : $2^0 = 1$; $2^1 = 2$ (ce qui correspond à une dizaine dans le système décimal) ; $2^2 = 4$ (100 dans le système décimal) ; $2^3 = 8$ (1000)…

63, par exemple, peut être décomposé dans le système décimal en :
$32 + 16 + 8 + 4 + 2 + 1 = 2^5 + 2^4 + 2^3 + 2^2 + 2^1 + 2^0$ soit, dans le système binaire : 1 1 1 1 1 1.

Un circuit binaire laisse passer le courant (→ 1) ou ne le laisse pas (→ 0). Il faudra un circuit élémentaire pour chaque chiffre dans l'écriture d'un nombre en base 2, donc 6 circuits pour écrire 63.

Le codage

Par convention, chaque lettre de l'écriture, chaque virgule, chaque signe (+ …), est représenté par un nombre binaire de 8 chiffres baptisé **octet.**

La « Révolution informatique »

La période 1939-45 a été très faste pour les fabricants de calculateurs. L'industrie et les laboratoires scientifiques étaient demandeurs. Ce sont toutefois les commandes militaires qui ont accéléré et amplifié le processus. La théorie a progressé, notamment grâce aux apports de l'**algèbre de Boole.** Des *programmes* ont été réalisés, principalement en recourant aux bandes et cartes perforées. Dans certains cas, des liaisons téléphoniques ont été utilisées. Certaines machines comportaient une **mémoire** (constituée dans certains cas par plusieurs centaines de relais téléphoniques). Mise en service en 1944, la machine Harvard-I.B.M. réalisait les conceptions de Babbage. Le recours à l'électronique était resté très discret, voire inexistant.

L'algèbre de Boole

Le mathématicien autodidacte anglais George Boole a, en publiant en 1854, *Les lois de la Pensée*, amorcé la transformation de la logique d'une partie de la philosophie en une branche des mathématiques. S'inspirant d'une idée du philosophe et mathématicien allemand Leibniz, il utilise la représentation binaire.

L'algèbre de Boole assimile le raisonnement logique à des règles de calcul. Le chiffre 1 est associé à une proposition vraie, 0 à une proposition fausse ; trois *opérateurs logiques* de base sont définis : ET, OU, NON, ce qui permet de remplacer les opérations arithmétiques par des relations entre ces opérateurs.

Il est ainsi possible de parvenir à un système de codage permettant l'écriture (comme des alphabets de type morse), mais aussi des calculs. Les circuits électroniques, déjà évoqués, peuvent figurer ces trois opérateurs : Boole ne connaissait pas, bien sûr, ces circuits, qui lui sont postérieurs de quelques décennies.

Les historiens de l'informatique réservent fréquemment le terme de « premier ordinateur » à E.N.I.A.C., calculateur universel essentiellement électronique. Sa conception et sa réalisation sont les conséquences d'une commande militaire. L'armée américaine avait créé un laboratoire de recherche balistique

Qu'est-ce qu'un programme ?

Un programme est un **ensemble d'instructions,** exprimées dans un *langage* approprié (codées de manière pertinente, si l'on préfère — voir page 181), qui déclenche la série d'opérations que l'on veut faire effectuer par la machine.

La partie agissante (si l'on peut dire) **ne réagit** (ne «*comprend*», si l'on veut, encore que le terme prête à confusion ; même très perfectionné, un ordinateur n'est pas un cerveau) **qu'à un code binaire.** Pour qu'un individu quelconque puisse utiliser la machine, il faut que celle-ci ait enregistré ce programme qui aura, entre autres, pour fonction de transformer les instructions venant de l'opérateur, de manière à ce que l'ordinateur puisse les accomplir.

Un ordinateur contemporain met en jeu plusieurs programmes. L'un d'entre eux est permanent et commande en fait le mode de fonctionnement des systèmes. Les constructeurs livrent maintenant en général un *programme de base* (ou *système d'exploitation* ; l'un des plus répandus actuellement est le MS-DOS). Il permet quelques opérations, à partir des instructions tapées par l'utilisateur sur un clavier ressemblant à celui d'une machine à écrire, et donne la possibilité à l'ordinateur de «*lire*» le programme spécifique dont on a effectivement besoin.

Il y a trente ans les programmes étaient transcrits sur des cartes perforées (comme dans la machine Jacquard et l'orgue de Barbarie). Ils le sont maintenant sur des disquettes et des disques par des procédés magnétiques.

Les mémoires

Physiquement, une mémoire est un système dont on a modifié certaines caractéristiques, ce qui traduit des changements d'une grandeur physique, et qui peut restituer ces changements. L'exemple du paléomagnétisme est évoqué ailleurs (voir art. 24). Une phrase en morse, sur une bande de papier, est une mémoire. En la lisant, le destinataire restitue l'idée exprimée à l'origine par l'opérateur.

Un ordinateur possède, en général, deux (ou trois) types de mémoire : la *mémoire morte* (R.O.M.), intégrée définitivement à l'ordinateur, dont le contenu peut être « lu » pour permettre à l'ordinateur de remplir les fonctions pour lesquelles il a été conçu (elle contient donc un programme préenregistré et, en principe, non destructible) ; la *mémoire vive* (R.A.M.) sur laquelle on joue, dont on peut modifier le contenu, etc. ; et quelquefois des *mémoires reprogrammables* (E.P.R.O.M.).

L'évolution des ordinateurs a également été favorisée par **le changement du support physique des mémoires.** Actuellement, on utilise principalement des bandes et des disques magnétiques.

en 1935. Le grand mathématicien Johannes von Neumann faisait partie de son conseil scientifique. La balistique est, en l'occurrence, une spécialité physico-technique qui se préoccupe du mouvement des projectiles. Le recours aux physiciens et aux mathématiciens, à ce sujet, n'est pas nouveau. Cette préoccupation apparaît dès l'Antiquité, s'accentue au cours du Moyen Age après l'apparition des armes à feu, figure parmi les intérêts de Galilée, etc.

Si les pouvoirs politiques se sont souciés au XVIIIe siècle de faire donner une formation en mathématiques aux officiers d'artillerie, c'est bien pour qu'ils puissent calculer les trajectoires des boulets projetés par leurs canons. L'exemple de Bonaparte est, à cet égard, significatif, de même d'ailleurs que l'orientation qu'il donnera aux études à l'École polytechnique quand il devint Premier consul puis Empereur. Les artilleurs utilisaient *des tables de tir.*

Selon H. Goldstine, qui effectuait son service militaire en 1940 au laboratoire de balistique américain, « ... *pour établir une table de tir d'importance moyenne, il fallait calculer entre 2 000 et 4 000 trajectoires, chacune exigeant quelques 750 multiplications* ». On comprend facilement que les intéressés aient pu souhaiter la mise au point de calculateurs rapides et de grande capacité. Parmi les autres personnes intéressées figuraient les acteurs du *Projet Manhattan*, c'est-à-dire de la mise au point des premières bombes atomiques (voir art. 4). Les demandes convergentes expliquent le nombre de calculateurs inventés au cours de cette période.

Les circuits électroniques répondaient très bien, sur le principe, aux exigences du calcul binaire. Contentons-nous, pour l'instant, d'évoquer la **diode** (voir art. 14).

• **Première possibilité :** le pôle négatif (-) du générateur électrique (d'une pile, si l'on veut) est relié à la cathode, le pôle positif (+) à l'anode. Les électrons négatifs sont attirés par l'anode positive. **Le courant électrique passe.**

• **Deuxième possibilité :** le pôle - de la pile est relié à l'anode, le pôle + à la cathode. Les électrons émis par cette dernière sont repoussés par l'anode. **Le courant ne passe pas.**

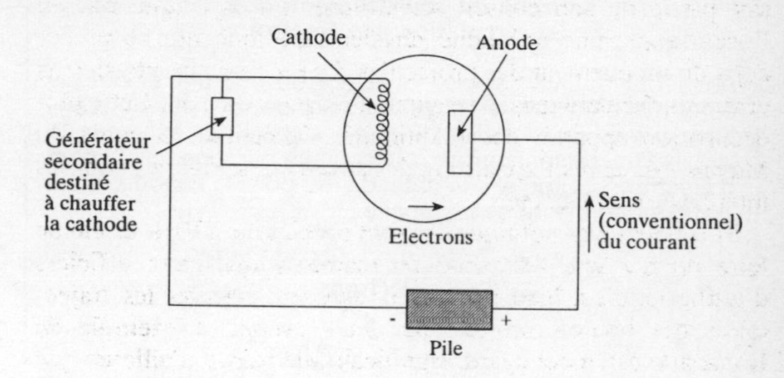

En comparant, par exemple, avec un contacteur du télégraphe, le premier cas de figure peut représenter conventionnellement 1, et le second zéro. Les possibilités sont analogues à celles du contacteur qui permet d'obtenir un point et un petit trait. Le type de codage, utilisant une représentation binaire, est donc analogue. Les différences sont toutefois nombreuses. La vitesse de codage du contacteur est limitée par les opérations mécaniques à l'émission du message et à sa réception. Ici, la seule limite est la vitesse des électrons. Ce qui veut dire que, en cas de remplacement de la diode par un autre *composant*, la vitesse de circulation des électrons dans ce milieu sera déterminante pour la rapidité d'exécution du système. Par ailleurs, le contacteur permet seulement une opération. En associant divers circuits électroniques, on peut imaginer le déroulement d'opérations complexes. L'intervention humaine peut, en tout état de cause, être très limitée.

La commande d'une machine à calculer électronique a été passée en juin 1943, par le laboratoire de balistique de l'armée américaine, à une équipe de l'Université de Pennsylvanie. Elle était au point en 1946. Figurée par le sigle E.N.I.A.C., elle comportait 18 000 tubes à vide (de 16 types différents), 70 000 résistances, 10 000 condensateurs et 6 000 commutateurs. Elle occupait 160 m^2, pesait 30 tonnes et consommait 150 kilowatts (une ampoule domestique courante va de 20 à 150 watts, envi-

**Sens du courant électrique
et circulation des électrons**

Au début du XIXe siècle, la nature du courant électrique étant mal élucidée, les physiciens ont décidé, **par convention**, que ce courant allait du pôle + au pôle - à l'extérieur de la pile. La représentation du courant par une circulation d'électrons (du pôle -, la cathode, au pôle +, l'anode, dans la diode) donne un sens opposé.

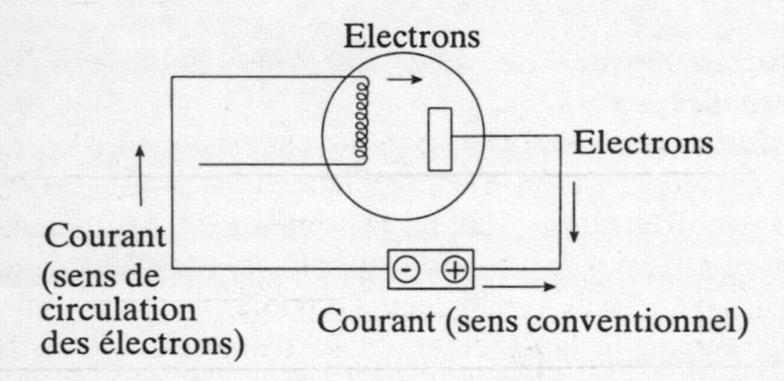

Malgré la contradiction apparue, les habitudes des électriciens avaient un siècle d'existence, les appareils portaient des indications en conséquences, etc., et l'on a conservé la notation initiale.

ron). Elle mettait 0,2 milliseconde pour effectuer une addition, 2,8 millisecondes pour une multiplication. Elle était 500 fois plus rapide que sa contemporaine, la machine Harvard-I.B.M. Elle gardait toutefois une structure décimale (un de ses compteurs était constitué par 10 tubes à vide, chacun représentant un chiffre) et son architecture s'inspirait de celle des machines mécaniques. Coûteuse sur le plan énergétique (du fait du nombre de tubes et de résistances), peu fiable et fréquemment inutilisable (il fallait compter que les 2/3 du temps se répartissaient entre les réparations fortuites et l'entretien courant), E.N.I.A.C. symbolise quand même une étape importante de la proche préhistoire de l'informatique.

A partir de quelle machine peut-on parler véritablement d'**ordinateur ?** Les réponses varient d'un auteur à l'autre. R. Moreau retient l'I.B.M.-SSEC (construite de 45 à 48). Elle fut conçue pour fonctionner grâce à un **programme enregistré.** Sa mémoire comportait une partie électronique, des relais électromécaniques et des bandes perforées. Elle était capable d'additionner 3 500 nombres de 14 chiffres décimaux par seconde ; la multiplication de deux de ces nombres prenait 20 millisecondes.

Le débat entre les partisans des machines décimales et ceux des machines binaires a duré plusieurs années. Il s'est résolu par la victoire des seconds au début des années 60.

Les progrès des ordinateurs ont été conditionnés dès lors par différents facteurs :

• **l'évolution de la demande sociale :** après les militaires (qui restent des demandeurs et commanditaires d'autant plus intéressants qu'ils disposent de moyens importants) sont venus les gestionnaires et les banquiers (à partir de 1951), les scientifiques, les industriels… puis le grand public.

• **les avancées de la théorie :** dues notamment à Von Neumann, mais aussi Shannon (père de la théorie de l'information), N. Wiener (créateur de la cybernétique)… Les apports des mathématiciens ont été importants, ainsi que ceux des linguistes. L'informatique, en tant que discipline à part entière, s'est constituée au cours des années 60-70.

• **les progrès scientifiques et technologiques :** les plus déterminants sont ceux des composants et des circuits électroniques (passage des tubes à vide aux transistors, puis aux circuits intégrés et aux microprocesseurs). Les conséquences sont identiques à celles qui ont affecté tous les domaine où ce type de matériel intervient (voir art. 14) : miniaturisation, augmentation de la fiabilité, diminution de la dépense d'énergie, accroissement des performances, chute des coûts… Il faut ajouter ceux qui ont affecté les mémoires, les dispositifs d'entrée des données, les écrans de visualisation (tubes cathodiques et écrans à cristaux liquides), les imprimantes…

• les améliorations apportées à **l'architecture des ordinateurs.**

• les travaux effectués sur **les langages de programmation.**

Architecture d'un ordinateur et fonction des différents organes

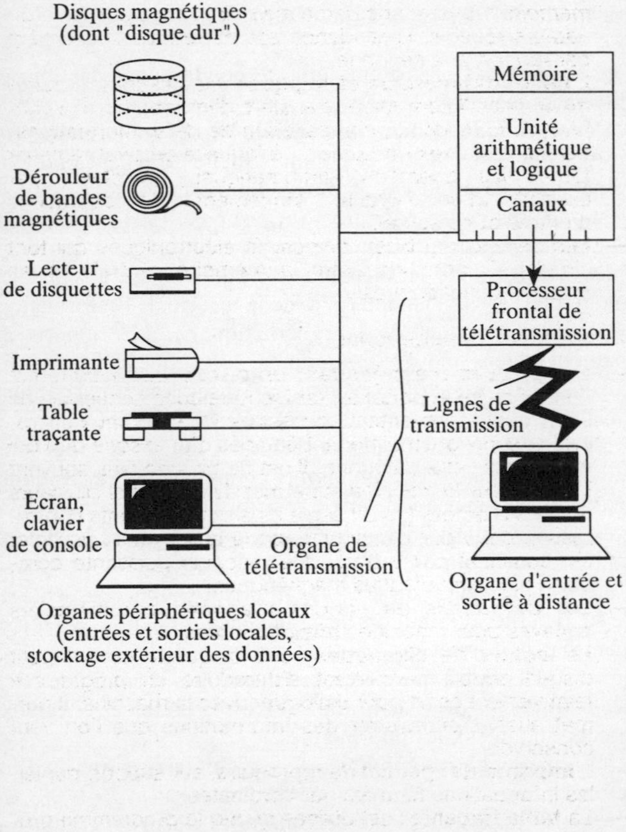

Disques magnétiques (dont "disque dur")

Dérouleur de bandes magnétiques

Lecteur de disquettes

Imprimante

Table traçante

Ecran, clavier de console

Organe de télétransmission

Organes périphériques locaux (entrées et sorties locales, stockage extérieur des données)

Mémoire

Unité arithmétique et logique

Canaux

Processeur frontal de télétransmission

Lignes de transmission

Organe d'entrée et sortie à distance

Exemple d'architecture (G. Brémond)

Il existe différentes «*architectures*» possibles. Le choix dépend des préférences des concepteurs, des fonctions que l'on veut faire remplir à l'ordinateur, de la puissance souhaitée... De manière générale, la volonté de lui faire effectuer des opérations difficiles ajoute à sa complexité, conduit à lui ajouter étages et mémoires supplémentaires, etc.

Les organes centraux

— La **mémoire centrale:** elle comprend une partie *mémoire morte* et une partie *mémoire vive*. Dans les ordinateurs récents, la tendance est de réduire la première par rapport à la seconde.
— L'**unité arithmétique et logique:** elle assure le «traitement» de l'information (transfert d'information à l'intérieur de la machine; comparaison de deux informations; addition de deux nombres — à laquelle on peut ramener toutes les opérations arithmétiques; décalage, par exemple d'une virgule; lancement des opérations d'entrée et de sortie).
— Les **canaux** (ou **bus**): dispositifs électroniques qui font circuler l'information entre la mémoire centrale et les organes périphériques.

Les organes périphériques

— Les **disques magnétiques:** un disque magnétique est une mémoire importante, rapide (quelques centièmes de secondes) et facilement accessible. De nombreux micro-ordinateurs sont maintenant équipés d'un *disque dur*, qui entre dans cette catégorie. Il est de plus en plus souvent intégré dans la machine et permet de conserver plusieurs millions d'**octets** (un *bit* est le plus petit éléments d'information codé par la machine, codé par 0 ou 1; un *octet* est constitué par 8 *bits*). Une machine puissante comporte plusieurs disques magnétiques.
— Les **dérouleurs de bandes magnétiques:** mémoires annexes pour machines très puissantes.
— Le **lecteur de disquettes:** une disquette est un petit disque souple permettant d'introduire un programme relativement court pour dialoguer avec la machine. Il permet aussi d'enregistrer des informations que l'on veut conserver.
— L'**imprimante:** permet de reproduire, sur support papier, les informations fournies par l'ordinateur.
— La **table traçante:** est utilisée quand le programme produit des courbes, des dessins, etc.
— Le **clavier** est l'organe extérieur de commande. L'*écran cathodique* permet de visualiser aussi bien les opérations d'entrée que de sortie.

Les organes de télétransmission

Un processeur frontal de télétransmission, véritable petit ordinateur intermédiaire (dont le rôle est, le plus souvent, assuré par l'ordinateur central lui-même), relié à un modulateur-démodulateur (ou **MODEM**) qui transforme les signaux binaires de l'ordinateur en signaux analogiques, transmissibles par les lignes de télécommunication. A l'autre extrémité de la ligne téléphonique, se retrouve un autre MODEM et un système d'exploitation (couple clavier-console, imprimante, mini-ordinateur, etc.).

(D'après G. Brémond).

Les historiens de l'informatique classent généralement les ordinateurs en deux générations : la première (1950-59) ; la deuxième (1959-74), qui se traduit par la substitution des semiconducteurs aux tubes. Des désaccords apparaissent ensuite. Certains auteurs définissent une troisième génération qui correspond à l'introduction du circuit intégré et au « tout semiconducteur » et une quatrième due à l'apparition de la « puce » électronique (avec, comme conséquences, la multiplication des ordinateurs « domestiques » pour les jeux, etc., et des traitements de texte qui remplacent de plus en plus les machines à écrire dans les bureaux). D'autres auteurs s'en tiennent aux deux étapes précitées.

Nous nous garderons de faire le point sur la vitesse de calcul, la capacité, le coût des ordinateurs, par crainte d'être très rapidement en retard sur la réalité. Une machine performante aujourd'hui risque fort d'être démodée dans deux ans.

« La » machine universelle

Conçu au départ pour être essentiellement une calculatrice très rapide, susceptible d'effectuer des opérations compliquées et répétitives, l'ordinateur a aujourd'hui pris, dans la société moderne, un rôle que ne prédisaient que les auteurs d'anticipation les plus audacieux. Peu nombreux sont les secteurs qui lui échappent.

Les langages

Le **langage « machine » :** instructions codées en binaires, directement exécutables par la machine.

Les « **langages évolués** » :
— pour des *applications scientifiques et/ou de gestion :* Fortran (1956) ; Algol 60 (1960), enseignement et publications scientifiques ; A.P.I. (1962), bien adapté aux applications mathématiques ; Cobol (1959), traitement et édition de données volumineuses (fichier) et gestion ; G.A.P.
— *langages universels :* certains sont complexes et nécessitent des systèmes importants : PL/1, Algol 68, Ada ; d'autres sont plus simples et ont surtout été imaginés depuis l'apparition des micro-ordinateurs : Basic, L.S.E., Pascal.
— *divers :* Logo, surtout outil pédagogique ; Lisp et Prolog (intelligence artificielle)...

Le nombre de langages existants est très grand, certains ayant d'ailleurs été conçus pour une utilisation spécifique. Des travaux sont menés sur le *langage naturel*, qui permettrait de s'exprimer « en clair » pour interroger la machine.

Production et vie économique

L'administration, le secteur bancaire et le commerce ont été les premiers — après les militaires et les scientifiques — à s'intéresser au nouvel outil (1951). Les programmes de gestion, les dispositifs aptes à délivrer cartes et fichiers, à faire les comptes, à imprimer les factures, les traitements de texte ont progressivement envahi les activités de la totalité du secteur tertiaire et des administrations. Le remplacement, dans les Bourses, du tableau (sur lequel un employé retranscrivait les offres des courtiers) par un affichage informatisé est, dans la société capitaliste, assez symbolique. Lesdits courtiers disposent d'un *terminal* sur lequel s'affichent les valeurs des actions dans les différentes bourses, les cours du change des monnaies... Au XIXe siècle, quand cette société s'est imposée dans les pays industrialisés, l'instauration du télégraphe électromagnétique a joué un rôle important dans le développement du système boursier. Le changement à cet égard est significatif.

Le terminal

Le terminal est un système informatisé, relié par télétransmission (par exemple par téléphone) à un ordinateur central. Il est ainsi possible, à partir d'un clavier situé à quelques centaines de kilomètres de l'installation principale, d'effectuer des calculs, d'interroger des banques de données, etc.

L'introduction de l'ordinateur dans le système de production lui-même, sans s'être complètement généralisée encore, marque une étape décisive vers *l'automation* complète. On peut actuellement programmer quantité d'opérations, et ce faisant les automatiser, en limitant considérablement l'intervention humaine. Un exemple est donné par B. Coriat à propos des robots-peintres des chaînes de montage des automobiles Renault.

> **« Le robot-peintre est muni d'un manipulateur (partie mobile destinée à la projection de la peinture), doublé par un « pantin », plus léger et plus maniable que lui, doté des mêmes capteurs et des mêmes accessoires que lui. Le peintre humain se saisit du pantin et effectue manuellement son travail. Un calculateur enregistre toutes les 20 millisecondes ses gestes. Le pantin est alors mis de côté et le robot, grâce aux enregistrements du calculateur, est capable de restituer les gestes de l'ouvrier, peignant la voiture à l'aide d'une trompe. »**

Le peintre lui-même, dans ce cas, communique au robot une partie de son savoir, de sa *culture technique*. Nous progressons dans le cadre de ce que R. Escarpit appelle « *la famille Frankenstein* ». Ce ne sont pas des artefacts d'êtres humains que l'on réalise mais des machines électroniques très sophistiquées. Sans atteindre (loin s'en faut) la perfection des robots d'Asimov, nous en prenons peut-être le chemin.

Le militaire et l'espace

Les différents armements ont été, nous l'avons vu, les premiers commanditaires de l'informatique. Ils le sont restés, comme ils en sont aussi des utilisateurs intensifs. Les commandes informatisées des canons, des fusées téléguidées, des procédés de détection, sont quelques exemples — parmi beaucoup d'autres — des utilisations que le domaine militaire assigne aux ordinateurs.

La conquête de l'espace a été à la fois une entreprise militaire et une opération de prestige politique. Elle en serait restée au niveau de ses premiers essais sans les apports de l'informatique.

Les télécommunications

Parmi les satellites mis en orbite autour de la Terre, plusieurs d'entre eux sont destinés aux télécommunications, qu'elles soient militaires ou civiles. Le premier d'entre eux, Telstar 1 (1962), était destiné à la transmission d'émissions de télévision à travers l'Atlantique. Ces satellites ont permis de s'affranchir de différentes limitations, liées au relief, à l'absorption des ondes, etc. Les centraux téléphoniques sont aujourd'hui rendus beaucoup plus efficaces par l'informatisation. De nouveaux objets techniques sont apparus (le *Minitel*, par exemple) et l'on parle de *télématique* comme on évoque la *bureautique* dans l'administration.

Documentation, pédagogie...

Depuis l'apparition de l'écriture, l'essentiel de la documentation enregistrée, venant des sociétés où l'on savait écrire, était constitué par des textes : sur des fresques et du papyrus en Égypte, des tablettes d'argile en Mésopotamie, du parchemin (peau de mouton traitée) au Moyen Age, du papier ensuite. L'apparition de l'imprimerie a, à cet égard, accru considérablement la production de documentation, et donc les possibilités de l'exploiter.

L'invention du phonographe (à rouleaux de cire, au départ), l'apparition ultérieure des disques — (les « 78 tours » qui ne sont plus produits mais dont de nombreuses familles conservent des exemplaires) — puis des bandes magnétiques et des microsillons, des disques compacts à lecture laser récemment, ont donné la possibilité de stocker de la documentation sonore (orale, musicale…).

Le couplage de l'ordinateur et des supports modernes de stockage de l'information produit, dans ce domaine, une révolution plus importante que celle due à l'imprimerie.

Un vecteur, d'intérêt croissant, est constitué par le réseau des **banques de données.** Elles peuvent être générales, mais elles sont le plus souvent spécialisées. Dans une telle banque sont réunies en mémoire, de manière structurée, les renseignements relatifs à un domaine précis. Par exemple, le C.N.R.S. emmagasine ainsi les articles scientifiques qui paraissent, dans le monde, sur les différents sujets. Grâce à un programme adapté (le terme **logiciel** est maintenant souvent utilisé) on peut interroger la banque pour retrouver les articles traitant d'un sujet précis et que l'on recherche. Si je reprends le cas des champignons, évoqué au début de cet article, on peut réunir (peut-être l'a-t-on fait, d'ailleurs), dans une telle banque, toutes les caractéristiques de tous les champignons de France. Les choses pourraient se passer ainsi : je mets en route le programme « identification d'un champignon ». L'ordinateur affiche toutes les régions de France et me demande d'indiquer celle où le champignon a été trouvé. Je le tape sur le clavier et j'entre l'information en tapant sur la touche appropriée. L'ordinateur demande ensuite, par exemple, le type de paysage où il a été cueilli. Une fois répondu, il affichera : « à pores » ou « à lamelles »… et ainsi de suite jusqu'à l'identification complète souhaitée.

On dispose aujourd'hui de supports de l'information remarquablement performants. Il en est ainsi des CD-Rom, disques compacts lisibles grâce à un rayon laser (voir art. 13), que l'on peut interroger grâce à un système informatique, et qui peuvent contenir une encyclopédie complète.

Dans le domaine des technologies de l'éducation, l'ordinateur devrait également jouer un rôle grandissant. Des logiciels pour apprendre à lire jusqu'à ceux qui sont utilisés en linguistique ou dans les laboratoires de travaux pratiques scientifiques, le nombre et la variété de ses applications ne cesse de croître.

La cybernétique

Science (?), ou système en partie idéologique, la cybernétique a été créée par N. Wiener en 1948. Le dictionnaire de physique la définit comme « *la science des systèmes autorégulateurs, capables d'adapter leur fonctionnement pour atteindre un but déterminé* ».

Applicable certes aux machines, elle vise aussi les êtres vivants et tente d'être « ... *une pratique pluridisciplinaire tendant à modifier quantitativement les relations de l'homme avec son milieu* » (R. Escarpit).

Comme exemples de dispositifs cybernétiques, on peut citer le régulateur à boules des anciennes machines à vapeur, mais aussi « ... *le système de régulation thermique des animaux à sang chaud* » (ibid.).

La cybernétique fait un grand usage de la *rétroaction* (ou *feed-back*), qui existe dans de multiples circuits électroniques, et donc dans les ordinateurs.

Exemple de rétroaction :

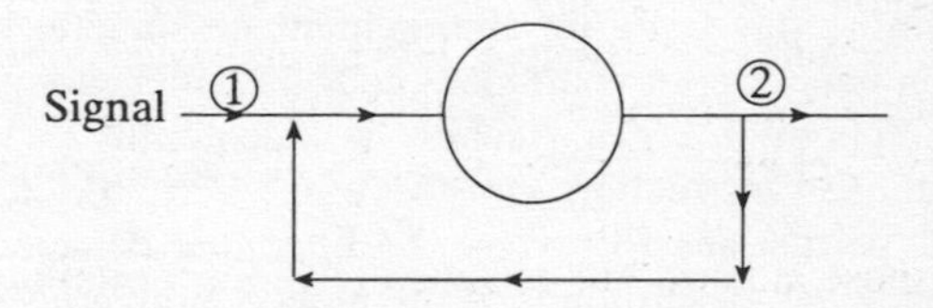

Le signal (1) traverse un composant quelconque (une diode, par exemple) et donne (2) ; lequel est (partiellement ou complètement) renvoyé sur l'entrée. Ce qui traverse ensuite le composant est le résultat d'une synthèse entre (1) et (2). En généralisant : **l'effet se répercute sur la cause qui l'a produit.**

Informatique et société

Marx recensait, parmi les éléments déterminant les changements de société, la lutte des classes et ce qu'il appelait « *l'augmentation du niveau des forces productives* ». Ce dernier facteur est directement conditionné par les avancées technologiques (ou techniques) depuis la préhistoire et, plus récemment, par celles des sciences (voir art. 23). La « révolution informatique » introduit, à ce propos, des transformations fondamentales. La productivité s'accroît, le mode de production se rationalise et devient plus scientifique. La possibilité est offerte de réduire les tâches répétitives en les confiant à des machines, d'éliminer certains travaux dangereux.

Ceci étant, la production (dans le sens cartésien « *maître et possesseur de la Nature* », et dans le sens marxien qui n'est pas très différent) ne conditionne pas à elle seule la société. L'information grandissante, l'apport de l'informatique dans ce domaine, participent également à la transformation, et d'une manière décisive. On peut y ajouter les façons de penser, de réagir, l'évolution des mœurs, etc., sur lesquelles, dans certains cas, la montée de l'informatisation n'est pas restée sans influence.

Mais **la démonstration a été faite à différentes reprises qu'une technologie, qu'une innovation, si efficace soit-elle, ne détermine pas seule un changement de société.** L'informatisation peut être un instrument pour travailler moins, diminuer la pénibilité des tâches à accomplir, améliorer l'information, l'instruction, construire une véritable démocratie… Elle permet aussi l'inverse. La littérature de science-fiction abonde de descriptions d'un monde gouverné par un super-ordinateur et dont les régimes ne sont pas particulièrement démocratiques. Moins futuriste, le livre de Georges Orwell, *1984* (publié en 1949) décrit un régime totalitaire fonctionnant grâce aux progrès techniques. Pour rester dans le réel concret, l'informatisation a surtout comme conséquences, pour l'instant, d'accroître le nombre des chômeurs et l'enrichissement de quelques privilégiés. Il a plutôt été utilisé pour développer la désinformation que pour réaliser une démocratie véritable…

Bref, **l'ordinateur est un outil puissant, mais seulement**

un outil. Un marteau peut être utilisé pour enfoncer un clou, pour briser une vitre, mais aussi pour fracasser un crâne (voir art. 23)...

Questions à suivre

Un domaine déjà largement exploré, sans être épuisé, est celui de **l'intelligence artificielle.** On vise à réaliser des ordinateurs, des langages,... susceptibles de simuler le fonctionnement du cerveau. Si des résultats intéressants ont été obtenus, les chercheurs sont encore loin du but..., si tant est qu'il soit accessible.

Autres sujets : *les réseaux d'ordinateurs*, dont l'actualité sera sans doute plus proche ; le remplacement de l'électron par le photon (*les ordinateurs optiques*), ce qui augmenterait considérablement la vitesse et la capacité des machines ; les *machines neuronales* inspirées par l'architecture du cerveau...

Si l'on extrapole l'évolution amorcée en 1946 les décennies à venir devraient amener des changements... qu'il serait bien imprudent d'essayer de prédire.

REPÈRES

BIRRIEN, J. Y., *Histoire de l'informatique*, Paris, P.U.F., Que Sais-Je ?, 1990.

BREMOND, G., *La Révolution informatique. Dictionnaire thématique,* Paris, Hatier, 1982.

BRETON, P., *Histoire de l'informatique*, Paris, La Découverte, 1987.

BRETON, P., DUFOURD, G., et HEILMANN, E., *Pour comprendre l'informatique*, Paris, Hachette, 1992.

CORIAT, B., *La Robotique*, Paris, La Découverte, 1983.

ESCARPIT, R., *L'Information et la communication. Théorie générale,* Paris, Hachette, 1991.

MOREAU, R., *Ainsi naquit l'informatique*, Paris, Dunod, 1982.

TAURISSON, A., *Du boulier à l'informatique*, Paris, Presses Pocket/La Villette, 1991.

La Révolution Informatique, *Science et Vie*, n° spécial, suppl. au n° 763.

Les Nouveaux ordinateurs, *La Recherche*, n° spécial, n° 204, 1988.

▶ **Atome, Cristal, Laser, Microprocesseur, Neurosciences, Photoélectrique (Cellule-), Révolution scientifique, Technosciences.**

13. Laser

Le mot laser *fait, en cette fin de XX*^{e} *siècle, partie du langage courant en France. Il évoque, pour la plupart, le* compact-disc, *les mises en scènes spectaculaires qui mettent en valeur la prestation de certains hommes politiques et de chanteurs au Zénith ou celles de la célébration du bicentenaire de la Révolution de 89. Il fait aussi penser quelquefois à des utilisations militaires ou médicales...*

Cet instrument est, en fait, l'un des résultats parmi les plus frappants de plus de deux mille ans d'avancées des connaissances sur la lumière, sur la structure de la matière... mais aussi de progrès technologiques qui, pour l'essentiel, découlent de découvertes scientifiques. « Objet technique » actuel (il existe seulement depuis une quarantaine d'années), il devrait avoir aussi une brillante carrière après l'an 2000.

Imaginé en 1958 à partir d'une théorie d'Einstein datant de 1917 (l'émission stimulée), le laser a été effectivement réalisé en 1960. Il y a trente ans, seuls quelques laboratoires en possédaient un exemplaire. Cette source de lumière, très régulière, d'une couleur parfaitement pure, et très directive, a rapidement fait l'objet de multiples améliorations, en même temps que son coût de fabrication diminuait. La première lumière laser était rouge ; aujourd'hui, il en existe de multiples couleurs. Et l'on en réalise de puissances très variées pour des utilisations qui vont du music-hall aux armements.

« *Dieu dit : "Que la lumière soit" et la lumière fut* ». Ce passage de la Bible montre l'importance que, depuis fort longtemps, les hommes attachent au phénomène lumineux. Symbole de vie, de chaleur, de clarté, la lumière a été pendant des millénaires considérée comme de nature divine. Témoins les nombreux cultes solaires qui ont existé un peu partout dans le monde.

Le physicien français Jean-Baptiste Biot écrivait en 1816 :

> **Lorsque le Soleil, d'abord caché sous l'horizon, se lève et paraît tout à coup à nos yeux, on conçoit qu'il existe nécessairement entre cet astre et nous un certain mode de communication qui nous avertit de son existence, sans que nous ayons besoin de le toucher. Ce mode de communication, qui s'exerce ainsi à distance, et se transmet par les yeux, constitue ce que l'on appelle la lumière. »**

Parler de *mode de communication*, c'est reconnaître une nature matérielle au phénomène. L'on est loin de la lumière identifiée à Mâât, fille du dieu Rê, ou (selon les auteurs) à Chou, dieu de l'air et de la lumière, par les anciens Égyptiens. De l'Antiquité au XIXe siècle l'on est passé, en optique, de l'interrogation religieuse au raisonnement scientifique. En ce qui concerne la production de la lumière, par contre, les choses n'ont pas tellement changé. Alors que, de Biot à nous-mêmes, le bond a été, à cet égard, considérable.

Les sources de lumière : de la torche au laser

Le **soleil** est, bien évidemment, la toute première source connue. Elle restera longtemps — pratiquement jusqu'au XXe siècle — la plus utilisée, y compris par les physiciens, parce que la plus vive. Quitte d'ailleurs à imaginer des dispositifs (comprenant d'abord des miroirs-plans, puis des miroirs concaves — comme le four solaire d'Odeillo dans les Pyrénées orientales — et plus tard des lentilles) permettant de concentrer le faisceau lumineux, de l'orienter…

Le **feu** en est la seconde. Les hommes savent l'allumer depuis 500 000 ans, peut-être davantage. Et ils ont longtemps (jusqu'à ce que le chimiste français Lavoisier élucide, à la fin du XVIIIe siècle, le mécanisme chimique de la combustion) assimilé la lumière à une forme du feu. « *La lumière est le feu le plus pur* » écrit Novalis, poète allemand du XVIIIe siècle.

La torche de bois a d'abord servi. Puis, la technique progressant, les hommes ont fabriqué de ces **petites lampes à huile** en terre cuite dont on a trouvé des quantités importantes sur de nombreux sites archéologiques. Il en est de plus sophistiquées, telles celles qui sont décrites par Héron d'Alexandrie (IIe siècle av. J.-C.). A partir du XVIe siècle, les inventeurs améliorent les dispositifs : la combustion est facilitée par une aération appropriée, on purifie l'huile, on la remplace parfois à la fin du XVIIIe siècle par du gaz provenant de la distillation du **charbon**. A la fin de ce siècle, grâce à Philippe Lebon, l'éclairage public au gaz se développe à Paris, un peu après Londres (Murdoch). Les dernières décennies du XIXe siècle, avec le forage des puits aux U.S.A., voient le remplacement rapide de l'huile (animale ou végétale) par le **pétrole** («*huile de terre*»). Idem pour les gaz de distillation des hydrocarbures devant lesquels le gaz de houille résistera plus longtemps.

Il est un autre phénomène naturel qui produit de la lumière et que l'on peut songer à imiter (fût-ce en petite dimension), c'est l'**éclair**. Thalès (philosophe et mathématicien grec du VIIe siècle av. J.-C.) savait qu'une tige d'**ambre** frottée attire des corps légers. Dans l'obscurité, on distingue aussi de petites étincelles. (Voir art. 1.)

En 1660, l'Allemand Otto von Guericke invente une machine grâce à laquelle il fabrique en plus grande quantité de ces «*charges électriques*», comme on les appellera plus tard. On constate, au XVIIIe, qu'elles sont de deux sortes et que leurs effets sont opposés : elles seront baptisées par l'Américain Benjamin Franklin — qui démontre aussi que l'éclair est une étincelle électrique et invente le paratonnerre — «*positive*» et «*négative*». En rapprochant deux boules métalliques chargées d'électricité, on provoque une étincelle, bien sûr très brève.

L'invention de la **pile** par Volta en 1800 donne la possibilité d'avoir un courant électrique, de durée plus longue. Quand on cisaille le fil d'un circuit où passe ce courant, si ce dernier est assez intense, une étincelle électrique permanente s'établit entre les bords de la coupure. C'est l'**arc électrique**, réalisé par l'Anglais Davy en 1810 entre deux tiges de carbone. La plupart des grandes salles de cinéma étaient encore, il y a une trentaine d'années, équipées de projecteurs à arc électrique.

En 1857, l'Allemand Heinrich Geissler présente un tube de verre, comportant deux électrodes, branché sur une pompe à faire le vide d'air. Le tube contient un gaz et les électrodes sont reliées aux bornes d'un générateur électrique (une pile, par exemple). Quand le gaz, dans le tube, est à la pression atmosphérique, aucun courant ne passe dans le circuit. Si l'on

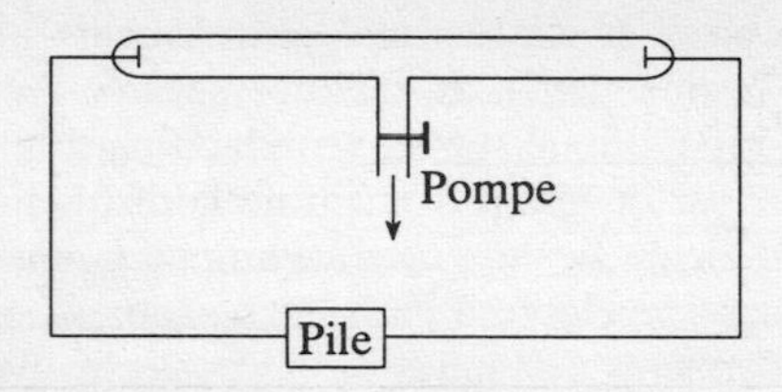

pompe, quand la pression devient assez faible, les atomes restants se séparent en *ions positifs* et en *électrons*, qui sont attirés par les électrodes. De ce fait un courant passe et, par suite de différents phénomènes (les chocs des particules entre elles, notamment), une lueur apparaît dans le tube et finit par l'envahir tout entier. La couleur de la lumière dépend de la nature du gaz. Le néon, par exemple, produit un beau rouge. Améliorés par l'ingénieur français Georges Claude vers 1910, ces **tubes** sont aujourd'hui très utilisés, entre autres pour les enseignes des magasins.

En 1878, l'inventeur et homme d'affaires américain Thomas Edison réalise la **lampe à incandescence** (la lumière est provoquée par un filament, chauffé par le passage du courant électrique, et situé dans une ampoule vide ou contenant un gaz chimiquement inerte). Cela reste le mode d'éclairage le plus utilisé de nos jours.

Dans toutes les sources connues jusqu'en 1960, la lumière — même si une couleur domine — est plurichromatique, c'est-à-dire composée de plusieurs couleurs. Pour la rendre monochromatique, il faut un filtre. Si l'on considère la lumière comme un ensemble de vibrations, celles-ci ont un *« comportement anarchique »* les unes par rapport aux autres. Si on la considère comme un ensemble de **particules** (des *photons*), ceux-ci se comportent aussi différemment les uns des autres. La lumière est dite **incohérente**.

Par un dispositif que nous ne décrirons pas, en s'inspirant entre autres des travaux sur le «*pompage optique*» qui valurent le prix Nobel à Alfred Kastler en 1966, dispositif qui comporte en particulier une sorte de long cylindre terminé par deux miroirs entre lesquels la lumière se réfléchit (de la matière dont est composé le cylindre dépend la couleur de la radiation ; le premier était en rubis), on obtient **une lumière cohérente et parfaitement monochromatique.** Cet appareil est un *laser*.

Propagation de la lumière et instruments d'optique

Aristote (IVe siècle av. J.-C.), Euclide (IIIe) savent que **la lumière se propage en ligne droite.** Euclide connaît la manière dont elle se réfléchit sur un **miroir-plan** (en bronze poli ou en obsidienne, qui est une sorte de verre naturel d'origine volcanique). Il constate que, passant d'un milieu transparent dans un autre (par exemple de l'air dans l'eau ou le verre) le rayon de lumière s'infléchit (phénomène dit de « réfraction »). Il note aussi qu'un **miroir sphérique concave** (qu'il baptise « *miroir ardent* ») concentre en un point (son « foyer »), après réflexion, un faisceau de lumière initialement parallèle.

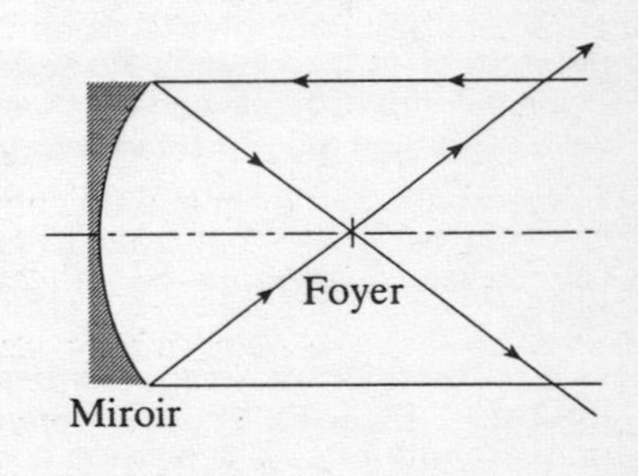

Cela peut servir à allumer du feu, comme le font les enfants à l'aide d'une loupe. Des chroniqueurs de la fin de l'Antiquité racontent qu'Archimède (IIIe siècle av. J.-C.) utilisa un miroir de ce type, de grande dimension, pour incendier les voiles de galères romaines assiégeant Syracuse (le fait n'est pas prouvé). Héron d'Alexandrie décrit un petit four solaire comportant un miroir concave.

Les **lentilles convergentes** (les loupes, si l'on préfère) apparaissent à la fin du XIIIe siècle, dans la région de Florence, dans les bésicles pour presbytes. On les utilise ensuite pour corriger l'hypermétropie. Et l'on invente des **lentilles divergentes** qui corrigent la myopie. Ces premières lentilles sont des morceaux de verre, limités par des faces qui sont des portions de sphères. Les artisans opticiens les améliorent pendant plusieurs siècles. L'astronome et physicien allemand Johannes Kepler démontre (1604 et 1611) comment ces lentilles forment les images des objets. Descartes publie en 1637 la loi de la réfraction.

Les défauts de l'œil

L'œil se comporte, du point de vue optique, comme un appareil photographique. La lumière, venant d'un objet, est reçue sur une lentille convergente — le **cristallin** — qui produit une image de cet objet sur la **rétine**, qui tapisse la partie interne de l'arrière du globe oculaire. Cette rétine communique, par l'intermédiaire du **nerf optique**, l'information reçue au cerveau, ce qui produit la sensation lumineuse.

Le cristallin est une lentille **vivante**. La courbure de ses faces se modifie en fonction de l'objet regardé, de manière à ce que l'image de ce dernier se forme avec précision sur la rétine. Les possibles avatars principaux de ce système optique sont les suivants :

• l'individu vieillit et son cristallin ne répond plus correctement. Il n'arrive plus, en particulier, à former sur la rétine l'image d'un objet assez proche ; celui-ci tend à se former en arrière de la rétine et la vision de l'objet est trouble. Ce défaut est la **presbytie**. Presque toutes les personnes deviennent presbytes après 40 ans (plus ou moins vite). Cela se corrige à l'aide de **verres convergents.**

• le cristallin forme l'image de l'objet en avant de la rétine, la vision est également trouble. La personne est **myope.** Une lentille **divergente** permet de former l'image sur la rétine.

• le cristallin forme l'image derrière la rétine. Vision encore trouble. La personne est **hypermétrope**. Une lentille **convergente** rétablit une vision correcte.

Le premier défaut est lié à l'âge de l'individu. Les deux derniers sont consécutifs à l'œil lui-même. On peut les avoir à la naissance, ils peuvent aussi apparaître ultérieurement.

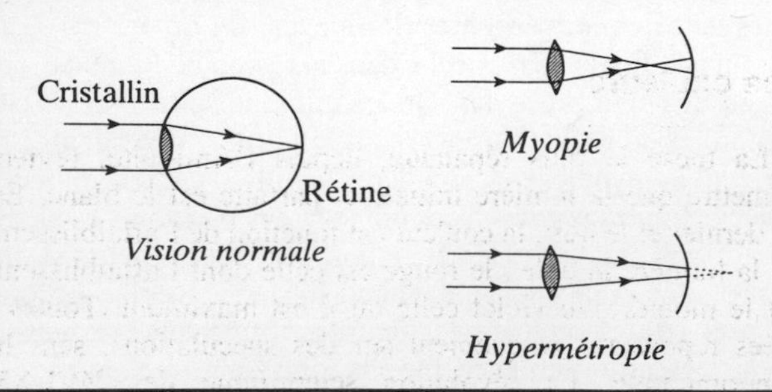

Des artisans ont, dès le XVIe siècle, peut-être par hasard, associé des lentilles différentes, les ont fixées dans des tubes coulissant les uns dans les autres, et ont constaté que, dans certaines conditions, le dispositif permettait de mieux distinguer des objets éloignés. Le physicien italien Galileo Galilei (**Galilée**), ayant entre les mains une telle **lunette** en 1609 (elle est constituée d'une lentille convergente et d'une lentille divergente, chacune dans un tube ; son grossissement n'est que de trois), l'utilise pour observer les astres et les planètes.

Grâce aux propriétés énoncées par Kepler, les physiciens et astronomes imaginent d'autres associations de lentilles, obtenant des lunettes astronomiques plus performantes que celle de Galilée.

A la fin du siècle, le physicien et mathématicien anglais Isaac Newton, reprenant une idée déjà relativement ancienne, remplace l'objectif (la lentille la plus proche de l'objet) par un miroir concave, réalisant ainsi un **télescope à miroir,** plus puissant et techniquement plus facile à réaliser que les lunettes.

Parallèlement, Galilée à l'origine, puis d'autres physiciens (Leewenhoek, etc.), ont constaté que, associées différemment, les couples de lentilles permettent aussi de distinguer des objets très petits, non visibles à l'œil nu. C'est l'origine du **microscope**. Au XVIIIe siècle, grâce aux progrès de l'optique, à ceux de la géométrie et d'autres branches des mathématiques, des améliorations notables ont été apportées aux instruments pour éliminer plusieurs défauts : remplacement fréquent des surfaces sphériques par des surfaces paraboliques, réalisation d'objectifs et d'oculaires, dits composés, en accolant des lentilles en verres différents… (voir art. 3).

Les couleurs

La thèse la plus répandue, depuis l'Antiquité, revient à admettre que la lumière initiale et parfaite est le blanc. Entre ce dernier et le noir, la couleur est fonction de l'affaiblissement de la lumière initiale : le rouge est celle dont l'affaiblissement est le moindre, le violet celle où il est maximum. Toutes ces idées reposaient uniquement sur des spéculations, sans base expérimentale. La révolution scientifique des XVI-XVIIe siècles (fréquemment baptisée **révolution copernicienne**) change radicalement la manière d'aborder les problèmes (voir art. 22).

La première étude scientifique réelle est due à Newton. Quand un rayon lumineux est *réfracté* — c'est-à-dire quand il franchit la surface de séparation entre deux milieux transparents — sa déviation change d'une couleur à l'autre. La différence est cependant trop faible pour être perçue et les couleurs restent confondues. Si le faisceau traverse un prisme en verre — donc deux surfaces successives inclinées l'une sur l'autre — la déviation s'accentue à la sortie et les différentes couleurs sont séparées. Ce phénomène est appelé **dispersion.**

Si le faisceau à l'entrée est limité par une fente percée dans un écran, un autre écran à la sortie reçoit une série de raies qui sont, elles, monochromatiques. Cette série constitue ce que l'on appelle le **spectre** de la lumière initiale.

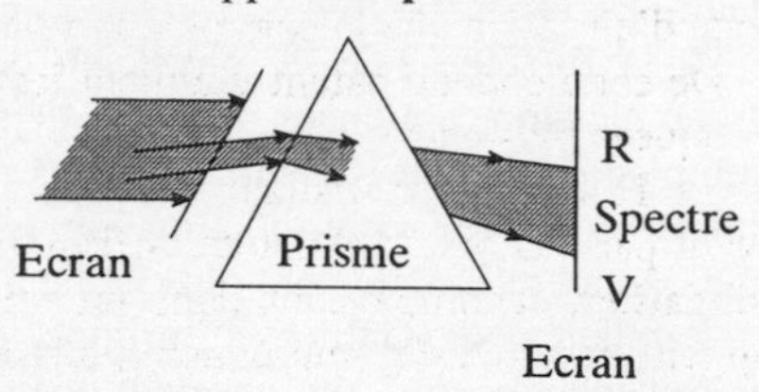

Newton en a compté sept pour la lumière blanche ; la rouge est la moins déviée, la violette est la plus déviée. En superposant ces couleurs grâce à un second prisme, Newton reconstitue la lumière blanche (voir art. 3 et 17).

Flux de corpuscules ou onde ?

Certains historiens ont tendance à présenter un peu rapidement l'histoire des représentations de la lumière comme celle d'une lutte séculaire entre une théorie corpusculaire et une théorie ondulatoire. La réalité est moins schématique.

Jusqu'à la fin du XVIIe siècle, les physiciens n'ont pas en leur possession les concepts, les méthodes, les instruments… qui leur permettraient de s'interroger scientifiquement sur un sujet aussi complexe. La réflexion est en général du domaine des philosophes. Ceux qui ont une conception « *granulaire* » (« corpusculaire », si l'on veut — voir art. 2) de la matière, l'étendent au feu et à la lumière. Raisonnant par analogie avec le son, dont il connaît la nature, Aristote assimile la lumière à une vibration. L'on retrouvera l'une ou l'autre conception au fil des siècles, selon la philosophie dominante (et l'état de la science et de la technique de l'époque), mais exprimées de manière plus confuse que le présent résumé et intégrées dans un ensemble de considérations souvent floues.

L'étude de différents phénomènes colorés, celle du dédoublement des rayons par les cristaux de spath d'Islande, la mesure de la vitesse par Roemer en 1676 (il trouve environ 215 000 km/s ; Mersenne avait obtenu 300 m/s pour le son en 1636), apportent des données nouvelles aux physiciens. Boyle montre expérimentalement que la lumière se propage dans le vide d'air, alors que le son ne le fait pas.

De cette époque datent vraiment les deux théories opposées évoquées plus haut.

Le Hollandais Christiaan Huygens, reprenant le raisonnement par analogie d'Aristote, affirme que **la lumière est une vibration**, se propageant dans un milieu hypothétique qu'il appelle *éther*, et qui imprégnerait aussi bien le vide que toutes les substances transparentes. Newton opte pour un flux de corpuscules, tout en reconnaissant que certains effets lumineux ont des caractéristiques ondulatoires.

Après une centaine d'années de vogue des idées de Newton, le médecin et égyptologue (il a été le rival malheureux de Champollion dans le décryptage des hiéroglyphes), Thomas Young découvre les **interférences,** d'abord pour le son, ensuite pour la lumière. Dans l'expérience représentée, deux faisceaux lumineux, issus de deux fentes S 1 et S 2, ont une partie commune (hachurée sur le dessin). Sur l'écran E 2 apparaissent des bandes alternativement colorées (rouges, par exemple, si l'on a placé un filtre rouge entre S et E 1) et

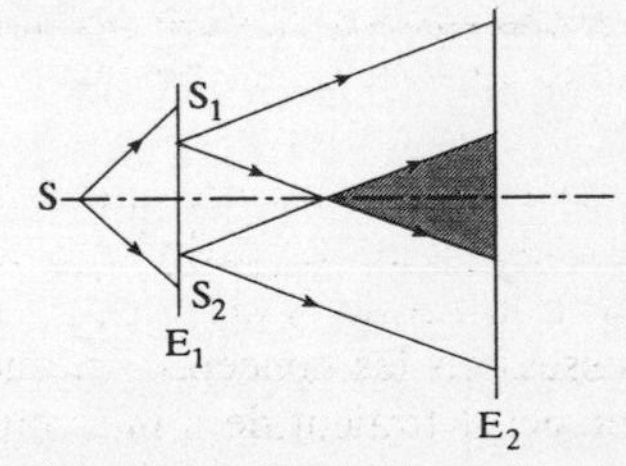

noires. En un point de l'une de ces dernières, l'addition de deux rayonnements lumineux — l'un provenant de S 1, l'autre de S 2 — donne donc de l'obscurité. De même, d'ailleurs, que la superposition de deux sons est susceptible de provoquer un silence. Young, utilisant la théorie des ondes, donne une explication intuitive de cet effet (1802).

Reprenant le *principe des interférences* du physicien anglais, une théorie ondulatoire moderne est bâtie par le Français Augustin Fresnel de 1814 à 1827, grâce au développement des instruments et à celui des outils théoriques. Elle permet d'expliquer tous les phénomènes optiques connus, d'en découvrir de nouveaux, de les expliquer et de réaliser des montages d'une sensibilité et d'une précision remarquables. Si la théorie a, à ce propos, joué un rôle décisif, il est certain que l'habileté et le savoir-faire des artisans spécialisés ont été indispensables à ces progrès. La vitesse de la lumière avait été déterminée par Bradley en 1728 (295 000 km/s) ; elle est mesurée en laboratoire par Fizeau en 1849 (315 000 km/s). Le résultat actuel est **299 924,58 km/s** (il s'agit, dans tous les cas, de la vitesse dans le vide).

Le XIXe siècle a été, pour l'édification de l'optique ondulatoire, une très grande époque (je ne parle pas ici de la spectroscopie qui est décrite à l'article 2). Mais, quels que soient ses succès expérimentaux, ses réussites dans l'explication de la plupart des phénomènes, **toute la théorie ondulatoire du XIXe siècle reposait sur l'hypothèse de l'éther**, reprise par Fresnel, et rendue plus complexe encore par les découvertes successives. Les physiciens ont essayé, à de multiples reprises, de démontrer concrètement son existence, fût-ce de manière indirecte. Des résultats ont certes été obtenus. Par exemple Foucault a montré expérimentalement que la lumière est plus rapide dans l'air que dans l'eau, réglant ainsi une question en suspens depuis un débat entre Descartes et Fermat au XVIIe siècle. Fizeau a établi que le mouvement d'un milieu transparent (l'eau, en l'occurrence) modifie la vitesse de la lumière s'y propageant. Par contre, **dans le vide, cette vitesse est constante**, ne dépendant ni du mouvement de la source, ni de celui de l'observateur.

Mais, malgré les assauts d'ingéniosité d'opticiens talentueux, la réalité de l'éther restait inaccessible. L'assimilation, par l'Écossais James Clark Maxwell en 1864, de la lumière à une onde électromagnétique (c'est-à-dire à la propagation d'une modification périodique des propriétés électriques et magnétiques de l'espace), n'a pas simplifié le problème, bien au contraire (voir art. 17).

Le physicien américain Michelson a tenté en 1881 (puis en 1887 avec Morley) de mettre expérimentalement en évidence l'existence de ce qu'il appelait les «*vents d'éther*» dus au déplacement des corps célestes. Non seulement sa tentative a échoué mais sa conclusion permettait d'affirmer que la démonstration recherchée est impossible à réaliser et **qu'aucune expérience, réalisée sur la Terre, ne peut mettre en évidence le mouvement de la planète par rapport à l'éther.** L'échec de Michelson fait partie du contexte d'où a émergé la théorie de la relativité (voir art. 21).

La dualité onde-corpuscule

Le XIXe siècle a été, même dans des domaines où la progression paraissait continue, une période où sont apparues de nombreuses contradictions par rapport à des théories devenues classiques, pour certaines depuis le XVIIe siècle, pour d'autres depuis quelques décennies seulement.

C'est le cas de l'optique. En plus des difficultés liées à l'éther, d'autres problèmes sont apparus. C'est ainsi que l'**effet photoélectrique** (voir art. 18), découvert par l'Allemand Heinrich Hertz en 1887, n'a pas reçu d'explication dans l'immédiat. L'étude du rayonnement produit par les corps chauffés (dit «rayonnement thermodynamique») s'est heurtée, à la fin du siècle, à un résultat absurde découlant de la théorie, parfaitement en contradiction avec l'expérience.

Un début de solution à cette dernière question est apportée en 1900 par l'Allemand Max Planck. Il admet, à son corps défendant, que l'erreur vient de l'assimilation du rayonnement à un phénomène continu, comme l'est l'onde de Fresnel. Il faut accepter de considérer qu'il est constitué de petits «grains d'énergie», qu'il baptise *quanta*. L'interprétation de l'effet photoélectrique, par Einstein en 1905 et Millikan en 1912, tend à conforter l'idée du caractère discontinu de la matière. Ce sont les prémisses de la **physique quantique** qui se généralise progressivement à l'ensemble des sciences physiques.

L'optique se trouve alors dans une situation parfaitement ubuesque. Pour comprendre certaines propriétés, il faut admettre que la lumière est formée de grains, de corpuscules (que l'on baptisera *photons* par la suite). Pour tout ce qui relève des phénomènes étudiés par Fresnel et ses successeurs, elle est indubitablement une onde. La porte de sortie (provisoire, dans une science qui est en perpétuel mouvement) est fournie par Louis de Broglie, physicien français (étudiant en Histoire à l'origine). S'inspirant des propositions d'Einstein, il avance qu'à une particule doit être associée une onde, dont la fréquence peut être déterminée à partir de l'hypothèse de Planck (voir art. 17 et 18).

La forme contemporaine de la théorie de la lumière est l'**électrodynamique quantique,** dont l'un des inventeurs principaux est l'Américain Richard Feynman.

Le laser et le renouveau de l'optique

Une compréhension complète du fonctionnement du laser demande une connaissance poussée des propriétés de l'atome (voir art. 2) et de la physique quantique. Contentons-nous de retenir qu'un apport d'énergie extérieur, à des atomes dans un état approprié, l'existence d'interactions diverses dans un dispositif qui comprend un interféromètre, conduisent à l'émission d'une **lumière d'une couleur très pure, et cohérente.** Le choix des matériaux (le rubis au départ, le cristal de grenat, l'yttrium, divers mélanges solides, des mélanges gazeux de plus en plus fréquemment — mélange hélium-néon, dioxyde de carbone, etc.) donne la possibilité de choisir la couleur ; on peut aussi faire varier la puissance (de quelques millièmes de watt à 10 000 watts, voire davantage).

L'apparition du laser en 1960, l'essor de sa technologie « *a été à l'origine d'un développement immense dans différents domaines de la physique* » (M. Françon). Ses applications ne se comptent plus : que cela soit dans les pratiques médicales où il remplace parfois le bistouri (voir art. 20), dans le guidage des missiles militaires, dans les télécommunications (grâce en particulier aux fibres optiques), dans la reproduction de la musique (disques compacts…). Les films de science-fiction, grâce à certains « effets spéciaux », en font fréquemment usage. **Il s'agit là de l'un des meilleurs exemples d'un « objet technique », dérivant directement de la recherche fondamentale, et rapi-**

dement introduit dans la vie sociale (en moins de trois ans si l'on ne retient que le sujet pointu de la recherche elle-même ; en une quarantaine d'années si l'on remonte à l'émission stimulée prévue par Einstein).

REPÈRES

DERIBERE M. et P., *Préhistoire et histoire de la lumière*, Paris, France-Empire, 1979.

FEYNMAN R., *Matière et lumière, une étrange histoire*, trad. franç., Paris, Inter-Éditions, 1989.

FRANÇON, M., *L'Optique moderne et ses développements depuis l'apparition du laser*, Paris, Hachette, coll. « *Liaisons scientifiques* », 1986.

MAITTE, B., *La Lumière*, Paris, Seuil, 1981.

▶ **Atome, Cristal, Doppler (Effet-), Onde, Photoélectrique (Cellule-), Relativité, Technosciences.**

14. Microprocesseur

Une évolution très rapide (qu'il n'est pas abusif d'intituler révolution*) a marqué, depuis un peu plus de vingt ans, toutes les fonctions et les instruments utilisant des dispositifs électroniques. Elle est le résultat d'un processus de miniaturisation très rapide des circuits, rendu possible par les recherches sur la physique du solide, par l'utilisation des semi-conducteurs (principalement du silicium) et de technologies empruntées aux avancées les plus récentes des connaissances.*

Conséquence de ces transformations, le microprocesseur est aujourd'hui d'usage courant. L'électronique est une science (fortement liée à la technologie) qui est à peine centenaire. Ses progrès ont été rapides à partir de l'apparition des tubes à vide (1904 et 1906); ils se sont considérablement accélérés quand on a remplacé, en 1947, ces tubes par les ***transistors,*** *puis miniaturisé de plus en plus les circuits. Peu d'objets techniques modernes peuvent actuellement s'en passer. La communication d'informations, leurs modes de production, nombre des actes de la vie sociale en ont été bouleversés. Et, peut-on dire, cela ne fait que commencer!*

S'il est un objet symbolique des avancées récentes des sciences, des technologies et de leurs interactions réciproques, c'est bien le **microprocesseur** (la *puce*, en langage courant). La miniaturisation de nombre de nos actuels objets familiers (dont les nouvelles *cartes à puce* des banques), la baisse relative spectaculaire de leur coût (les ordinateurs, le matériel audiovisuel et les chaînes haute-fidélité, notamment), sont en grande partie dues à son invention en 1971 par l'ingénieur américain M. E. Hoff.

Cette réalisation est l'une des étapes (essentielle, très certainement, mais elle n'est sûrement pas la dernière) de l'évolution d'une science née à la fin du XIXe siècle et longtemps enseignée comme un chapitre de l'électricité, l'**électronique**, ainsi baptisée à cause du rôle essentiel joué par les électrons dans les phénomènes qui la concernent.

Les tubes à vide

L'une des sources de l'électronique est l'**électromagnétisme**, élaboré de Oersted à Hertz. L'activité générée par la découverte des ondes électromagnétiques, les travaux expérimentaux effectués sur leur propagation et sur leur utilisation pour la transmission des signaux, ont suscité de multiples recherches (tant des scientifiques que des techniciens-inventeurs) (voir art. 17 et 18). Une autre source est l'**étude de la structure de la matière,** dont les acteurs principaux ont été les chimistes pendant les deux premiers tiers du siècle passé, les physiciens prenant en quelque sorte le relais ensuite (voir art. 2).

Les premiers émetteurs et récepteurs de la *télégraphie sans fil* (T.S.F.) étaient peu commodes (éclateurs à étincelles, cohéreurs à limaille, etc. — voir art. 18). Après ses débuts, rendus possibles grâce à ces dispositifs, l'électronique connaît sa première révolution avec l'apparition des circuits oscillants et des tubes à vide : la **diode** (Fleming) en 1904 et surtout la **triode** (Lee de Forest) en 1906. Les possibilités de ce dernier composant* apparaissent clairement quand son inventeur réussit à l'utiliser en 1912 comme *oscillateur* (qui peut servir aussi bien dans un *émetteur* que dans un *récepteur* d'ondes électromagnétiques), puis quand il conçoit, la même année, un dispositif à triode capable d'*amplifier* le signal initial, c'est-à-dire d'augmenter la puissance du rayonnement.

En 1916, les techniciens parviennent, grâce aux nouveaux composants et à des montages empruntés à Lee de Forest, à transmettre un signal électromagnétique (*radio*, si l'on veut) à travers l'Atlantique. Il s'agit bien d'un signal (au sens commun du terme) ; les phrases sont codées comme elles le sont dans le télégraphe électrique avec l'alphabet morse, puis décodées après réception. A ce stade, le télégraphe a, sur ce qui devient la T.S.F., une notable avance. Des câbles, comportant un grand

---

* On appelle *composant*, en électricité et en électronique, tout élément d'un circuit.

L'amplification

Le terme *amplification* est généralement utilisé mais il est scientifiquement incorrect. L'énergie du signal initial, émis par la source, n'est pas augmentée, comme pourrait le laisser penser l'usage du mot. En fait, ce signal originel est remplacé, grâce au montage comportant notamment une triode (éventuellement plusieurs), inventé par Lee de Forest, par un signal de même forme, mais d'énergie très supérieure. On substitue maintenant de plus en plus au terme *amplificateur* celui de *relais*.

La diode

L'un des problèmes à résoudre au début du siècle, pour passer de la communication de signaux électromagnétiques codés à leur utilisation pour transmettre la voix, est la très grande différence de fréquence des deux types de vibrations (électromagnétiques et mécaniques). Cela reste d'ailleurs un problème actuellement. Aucun haut-parleur n'a de performances équivalentes à celles des circuits électroniques qui le précèdent dans la chaîne.

La **diode de Fleming** remplit le rôle d'*une valve*. Une valve aortique, par exemple, laisse passer le sang quand le cœur l'évacue, mais se ferme ensuite pour l'empêcher de revenir en arrière. La diode initiale était une ampoule de verre vide.

La température d'un filament métallique (de *tungstène* en général), parcouru par un courant électrique, augmente et il est, de ce fait, entouré d'électrons libérés par leur atome d'origine (*effet thermoélectronique*, découvert par Edison en 1884). Ce filament (appelé *cathode*) est relié au pôle - d'une pile. Face à lui se trouve une plaque, métallique elle aussi (elle peut d'ailleurs être cylindrique et entourer la cathode), reliée au pôle + de la même pile. Cette plaque est l'*anode*. On peut avoir une pile annexe dont le seul rôle est de chauffer le filament.

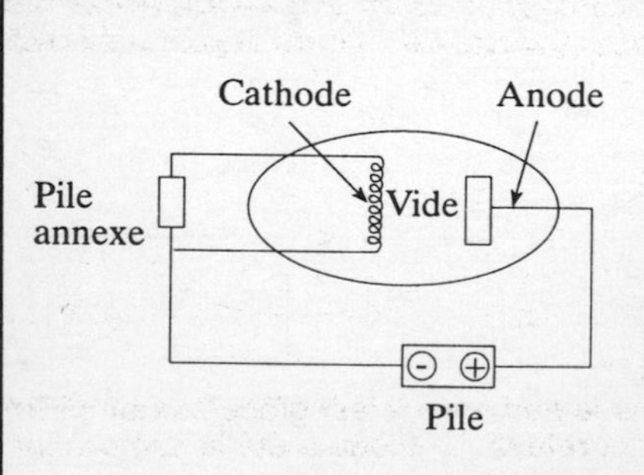

Un courant électrique résulte, en substance, d'une circulation d'électrons. S'il n'y avait pas l'*effet thermoélectronique*, le circuit étant interrompu par le vide dans l'ampoule, il n'y aurait pas de courant. La cathode émettant des électrons (négatifs), ceux-ci sont attirés par l'anode (positive) — (voir art. 1, 2 et 18). Il y a donc un courant. Par contre, si l'on inverse les pôles de la pile, la plaque devient négative et repousse les électrons. Le courant ne peut plus passer (il n'existe pas). **La diode est donc,** comme une valve cardiaque pour le sang, **un dispositif qui ne laisse circuler l'électricité que dans un seul sens.** L'une des conséquences : le dispositif récepteur de l'onde électromagnétique «*efface*» une alternance sur deux (celle qui correspond au moment où le courant est dans le «*mauvais*» sens) de ce signal (voir art. 17). Sans entrer dans les détails, il en résulte que l'on réussit, par ce moyen, à aboutir à une oscillation, transformable ensuite en un son audible.

La triode

Lee de Forest a ajouté, entre la cathode et la plaque de la diode, une **grille** (constituée, en général, par une hélice de fil métallique dont les spires sont assez écartées l'une de l'autre). Reliée à une pile (c'est-à-dire portée à un certain **potentiel** électrique), la grille permet de faire varier le flux d'électrons qui arrive à la plaque, et donc le courant qui passe dans le circuit. On s'en est servi, dans des montages astucieusement conçus, pour améliorer l'émission et la détection des signaux (des ondes), mais aussi pour les **amplifier**, donc pour en augmenter la puissance, l'intensité, etc. Si nous pouvons — avec la chaîne HI-FI de notre appartement ou le matériel sophistiqué des chanteurs en tournée — faire varier le son émis, c'est grâce aux **amplificateurs** (ou plutôt aux **relais**). La triode a été le *composant* déterminant du premier d'entre eux.

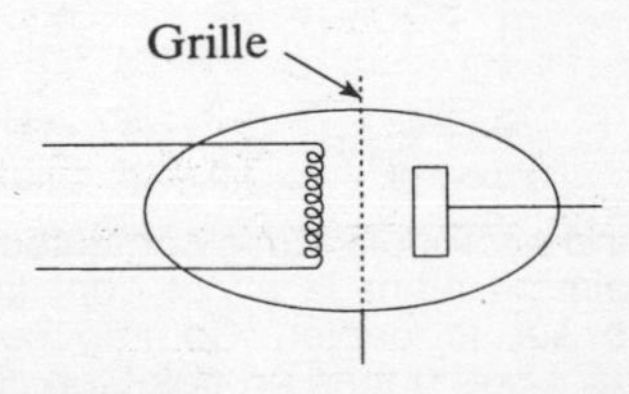

nombre de fils individuels, ont été immergés dans la Manche en 1851, dans l'Atlantique après 1865. Des informations peuvent donc, dès cette époque, être échangées très rapidement entre les continents. La pose des câbles est certes une véritable aventure, la mer les malmène, ils sont parfois coupés, mais il s'agit d'une transmission fiable et bien rodée (qui est d'ailleurs toujours utilisée). L'invention du **téléphone** par Graham Bell en 1876 (il était baptisé à l'origine *télégraphe parlant*), permettant cette fois de transformer la voix en signal électrique, de transmettre ce dernier à distance, puis de procéder à l'arrivée à la transformation inverse, ajoute une dimension supplémentaire au transport, par fil, de l'information : **ce ne sont plus des signaux codés que l'on échange, les interlocuteurs s'entendent, peuvent se parler,** etc. A grande distance, l'audition est cependant difficile. En cas de conflit, il est facile de couper fils et câbles et le dispositif n'est guère commode qu'entre des installations fixes.

Le télégraphe et l'alphabet morse

Le télégraphe est constitué d'un *contacteur* (un interrupteur) dans le bureau émetteur, d'une source de courant continu, et d'un *électro-aimant* dans le bureau récepteur. L'électro-aimant peut attirer un *stylet* encreur en fer au-dessous duquel se déroule une feuille de papier. Contacteur, pile et électro-aimant sont reliés par un fil conducteur :

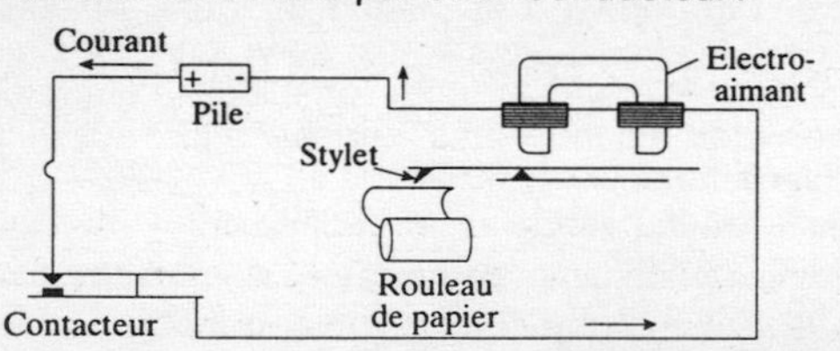

Quand on appuie sur le contacteur, le courant passe, l'électro-aimant attire le stylet dont la pointe encreuse appuie alors sur le papier. Comme ce dernier se déplace, un contact bref donne un point, un contact plus long donne un trait. Dans l'alphabet morse, chaque lettre de notre alphabet usuel est représentée par une série de points et de traits (voir art. 12).

Le téléphone

Le principe du téléphone n'est pas très différent de celui du télégraphe. La voix provoque un **courant périodique** dans un micro(phone). A l'autre extrémité, dans l'écouteur, deux petits électro-aimants attirent une membrane de fer doux qui, en vibrant, reproduit la voix.

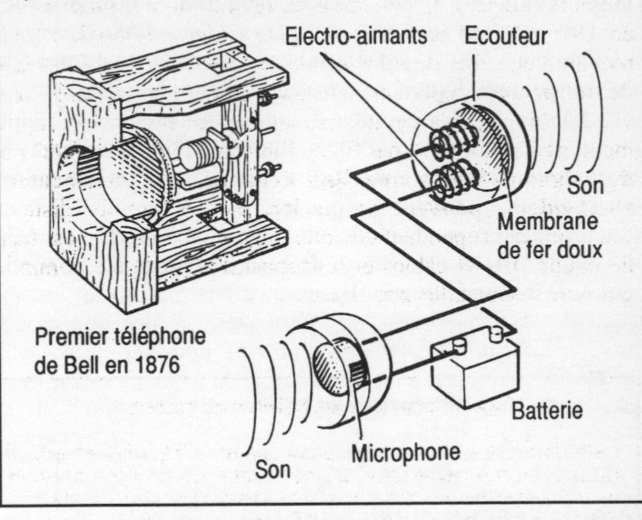

La T.S.F., pour peu que l'on améliore ses performances, était donc susceptible d'offrir des avantages nouveaux. Les modifications techniques des tubes à vide, celles des montages, des antennes, etc., font que, la Guerre de 14 terminée, les réalisations du nouveau mode de communication de l'information progressent rapidement, en empruntant pour une part des éléments des technologies concurrentes (le micro, le haut-parleur, etc.), celles-ci agissant d'ailleurs de même (les amplificateurs à tubes, par exemple, ont été utilisés par le téléphone).

L'apparition de radios commerciales, aux U.S.A. et en Grande-Bretagne d'abord (1920), puis en France (1921) mobilise des industriels importants. Le secteur de l'électronique, relativement limité à quelques applications *lourdes* (utilisation par les militaires, entre les bateaux et tout le domaine du téléphone qui, en France, ne se généralisera vraiment qu'après 1960), prend une très grande extension. Les stations d'émission de T.S.F. se multiplient, des millions de postes récepteurs sont fabriqués pour les ménages...

Les tubes à vide sont perfectionnés (cathodes à oxydes métalliques, cathodes à chauffage indirect...), d'autres apparaissent (tétrode, pentode...), des composants nouveaux sont introduits dans certains montages (la *cellule photoélectrique*, par exemple. Voir art. 18). Le **tube à rayons cathodiques** (ou tube cathodique), lointain successeur de celui de Braun (1897), permet à Zworykin d'inventer l'**iconoscope**, premier véritable tube de télévision (L'iconoscope est toutefois un tube d'analyse à **l'émission** : image → signal. Le tube cathodique est utilisé pour **la réception :** signal → image).

La volonté de produire des radiations de longueur d'onde plus courte (quelques dizaines de centimètres, quelques centimètres...), notamment pour les installations *radar* (voir art. 8), suscitent des recherches qui permettent à des ingénieurs d'inventer des tubes émetteurs d'un type nouveau : le *magnétron* (1935 — qui sert aujourd'hui aussi dans les fours à micro-ondes) et le *klystron* (1938).

L'ère des semi-conducteurs

Les tubes à vide, quelles que soient les améliorations successives apportées par les chercheurs et les ingénieurs, présentaient plusieurs inconvénients notables. Même en réduisant au maximum leurs dimensions (grâce à la mise au point de cathodes plus performantes, de matériaux plus intéressants...), leur taille restait relativement grande (quelques centimètres) et les circuits auxquels ils appartenaient occupaient un espace non négligeable. L'émission des électrons (même dans les cathodes dites à « chauffage indirect ») nécessitait d'élever la température d'un conducteur en y faisant passer un courant (*effet Joule*). Ce procédé a, en l'occurrence, deux désavantages. Le premier est une importante consommation d'énergie. Le second est une relative fragilité : la durée de vie des tubes était limitée. Allant dans le même sens, l'existence de vide d'air (ou de gaz

Le tube cathodique

Des électrons sont émis par une cathode (ou canon à électrons) par effet thermoélectronique, accélérés par une anode positive (souvent en forme de cylindre). Cela donne un mince faisceau d'électrons qui, dirigé et contrôlé au passage par des dispositifs électromagnétiques (voir art. 1), va frapper un écran en verre, recouvert d'une couche d'un *matériau fluorescent*, qui s'illumine au point d'impact de l'électron.

La fluorescence, dans ce cas, est l'émission de lumière (de photons, si l'on préfère), due au choc des électrons sur les atomes du matériau utilisé.

Les tubes cathodiques sont utilisés dans les oscilloscopes, la télévision, les moniteurs des ordinateurs, le minitel, le radar...

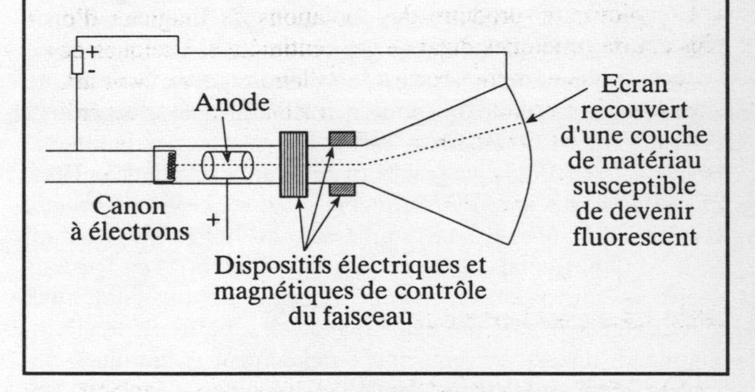

inerte à faible pression) n'était pas indéfiniment garantie. Une ampoule de verre assez mince a tendance à devenir poreuse et, si un peu d'oxygène pénètre, l'ampoule « claque ».

L'effet Joule

L'effet Joule est un dégagement de chaleur dans un conducteur quand il est parcouru par un courant. Il est d'autant plus grand que *la résistance électrique* de ce conducteur est élevée. Causant une déperdition d'énergie, c'est souvent un effet parasite gênant. Mais il arrive également qu'on l'utilise : chauffage et éclairage électrique (lampes à incandescence), etc.

Pour toutes ces raisons, certains « gros utilisateurs » de matériel électronique (les militaires, au premier chef) demandaient des composants plus petits, plus robustes et énergétiquement moins coûteux. L'antique *poste à galène* des bricoleurs du début du siècle se passait des tubes à vide. Ses possibilités étaient malheureusement limitées. On a, dans les années 30, utilisé des *diodes à cristal* mais sans bien en comprendre le fonctionnement.

La solution est venue à l'issue de travaux menés sur la physique du solide dans les laboratoires de la compagnie américaine Bell Telephone, grâce à l'utilisation des semi-conducteurs (voir art. 18). Ceux-ci laissent passer le courant, mais difficilement (leur *résistance* est donc élevée). Il arrive qu'ils le laissent circuler dans un sens, mais non en sens inverse. Des associations astucieuses de différents types de semi-conducteurs dans divers dispositifs ont conduit à réaliser des systèmes rendant les mêmes services que la diode (donc, entre autres, un effet de *valve*) et que la triode. C'est ce que l'on désigne globalement sous le terme de **transistor**, même s'il y a eu des variations dans leur technologie (**transistors :** *à pointes*, Bardeen et Brattain, 1947-48 ; *à jonction*, Schockley, 1951 ; *à effet de champ*, Mueller, 1951-60...). Le système aujourd'hui le plus courant est le M.O.S. (métal-oxyde de silicium-silicium). Les tensions électriques utilisées sont, en général, beaucoup plus faibles que celles exigées par les montages à tubes. La perte d'énergie est minime. L'on est parvenu assez rapidement à fabriquer des transistors très robustes et dont les dimensions n'excèdent pas quelques millimètres. Les défauts initiaux (par exemple, un chuintement permanent — baptisé *souffle* — existait dans les premiers postes de radio à transistors) ont été progressivement éliminés.

Le résultat a été rapide : en quelques années, le transistor a remplacé le tube, à quelques fonctions particulières près (le premier ordinateur à transistors date de 1959) ; le coût des composants diminuant, celui des appareils a baissé également (ce qui coûte cher, aujourd'hui, dans une chaîne HI-FI performante, ce sont les haut-parleurs et non la partie électronique) ; la dimension de ces appareils s'est réduite.

Les transistors

Dans un conducteur, les électrons périphériques des atomes (voir art. 2) sont faiblement liés aux atomes eux-mêmes — et donc relativement libres. Ils peuvent facilement (par exemple sous l'influence de l'attraction d'un pôle +) passer d'un atome à l'autre, et par conséquent circuler dans le conducteur. Cela constitue, en substance, le courant électrique. Il n'en est pas de même dans un semi-conducteur — le silicium, par exemple — et la circulation des électrons est beaucoup plus problématique.

La diode

Dans du silicium « *de type N* », on insère, dans le cristal de silicium, un atome d'un élément cristallin (le phosphore ou l'arsenic, par ex.) possédant un électron de plus. Celui-ci, moins lié que les autres, est plus disponible (silicium « *dopé* » au phosphore ou à l'arsenic).

Dans du silicium « *de type P* », on insère au contraire un atome ayant un électron en moins (de l'aluminium ou du bore, par ex.). Il y a donc, de ce fait, un déficit de un électron, un « *trou* » de un électron (silicium « *dopé* » au bore ou à l'aluminium) (voir art. 18).

Si l'on accole un type P et un type N, au voisinage de la zone de contact, les électrons en surnombre dans l'un vont combler les trous dans l'autre.

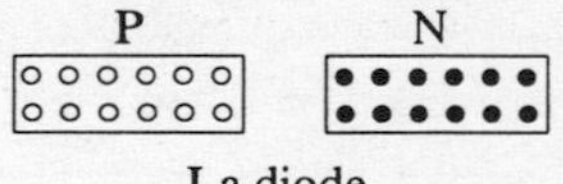

La diode

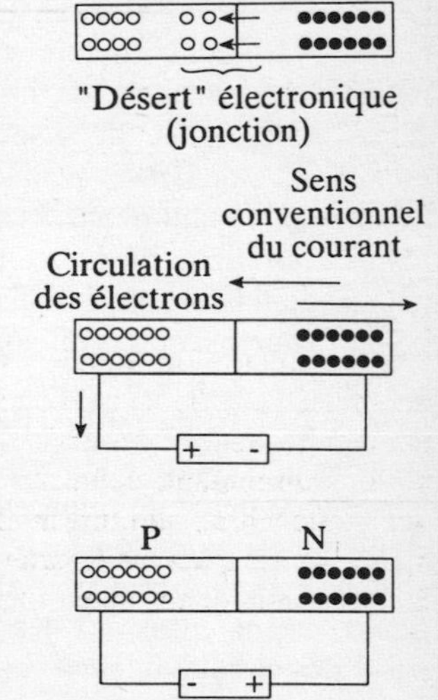

La zone N étant reliée au pôle - et la zone P au pôle +, celui-ci attire les électrons de la zone N et ceux qui, dans la « *fonction* » ont « comblé » les « trous ». Le courant électrique passe.

Ici, au contraire, les « trous » s'accumulent à l'extrémité de la zone P, les électrons à l'extrémité de la zone N, la « jonction » s'élargit et le courant ne passe pas.

Le transistor

Le transistor résulte de l'association de 3 zones de type N et P. Les 2 zones situées aux extrémités jouent en substance le rôle de la cathode et de l'anode dans la triode. La zone médiane joue le rôle de la grille. Selon la nature des zones (N-P-N ou P-N-P), le fonctionnement diffère.

Exemple :

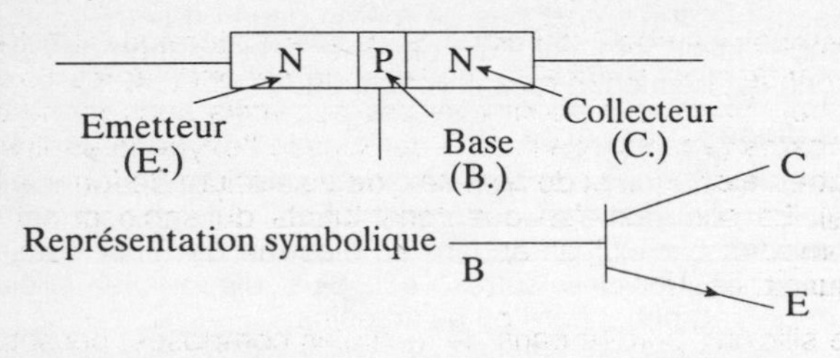

L'ultra-miniaturisation : circuits intégrés et microprocesseurs

D'un circuit, où le transistor a complètement remplacé les tubes et où les dimensions des autres composants ont été réduites le plus possible, jusqu'au circuit intégré (Kilby et Noice, 1959) et au microprocesseur (1971), il n'y a pas de différence fondamentale de principe. Mais l'on est passé, par étapes successives, de dispositifs qui restaient relativement importants à de petites plaques de quelques millimètres carrés de surface, portant plusieurs milliers de circuits complexes.

Les ressources de la science ont certes été utilisées pour obtenir de tels résultats, mais aussi celles des technologies de pointe (microscopie, photographie, traitements chimiques, informatique…). La partie active est une plaque très fine (moins de 1/10 de millimètre) de **silicium** monocristallin, sur laquelle on coule une fine couche isolante de silice dans laquelle on perce de minuscules orifices pour atteindre le silicium, qui est alors ponctuellement « *dopé* » en fonction du rôle attribué au micro-transistor ainsi créé. De fines couches métalliques relient entre eux les différents composants. L'on est passé des circuits intégrés à petite échelle (moins de 100 composants, en 1960), à ceux à moyenne échelle (de 100 à 1 000 composants en 1966), à grande échelle (1 000 à 10 000 en 69), à très grande échelle (plus de 10 000, en 74). En 1983, on en était au million de composants…

Le silicium

Élément (symbole chimique Si, numéro atomique 14) très répandu à la surface de la Terre (le second, après l'oxygène). On ne le rencontre jamais pur, mais sous forme de *silicates* (résultant de l'union de Si avec l'oxygène et divers autres éléments) et de *silice* (oxyde de silicium de formule SiO_2). La silice est l'un des constituants du sable et est le composant principal de cristaux parmi les plus connus (quartz, opale…).

Le silicium, entrant dans de multiples composés, constitue 25 % de la croûte terrestre. Il existe généralement *sous forme cristalline* (atomes disposés selon un arrangement géométrique régulier et périodique), mais peut être obtenu aussi *sous forme amorphe* (atomes en désordre) (voir art. 6).

Outre la constitution des circuits intégrés et microprocesseurs, le silicium est utilisé dans de nombreuses applications (par exemple dans la fabrication des *silicones*, produits qui ont de multiples propriétés : anti-adhésives, isolantes, fluidifiantes, graissantes…).

Les gains sont considérables : en coût, en performances scientifiques, en rapidité, en dimensions… Il y a, aux avancées futures, des limites physiques (la vitesse de déplacement des électrons dans le silicium, par exemple). Des matériaux de substitution ont déjà été envisagés, ainsi que de nouveaux vecteurs pour remplacer l'électron (la lumière, par exemple).

REPÈRES

ANTEBI, E., *La Grande épopée de l'électronique*, Paris, Hologrammes, 1982.

BERTHO, C., *Télégraphes et téléphones. De Valmy au microprocesseur*, Paris, Librairie Générale Française, 1981.
CARRÉ, P., *Du tam-tam au satellite,* Paris, Presses Pocket/La Villette, 1991.
CAMUS, M., *12 clés pour l'électronique*, Paris, Belin, 1986.
HALLOPEAU, F., *Le Monde de l'électronique, son évolution et son avenir*, Paris, Radio, 1981.
HANDEL, S., *La Révolution de l'électronique*, Verviers, Marabout Université, 1967.
ROSMORDUC, J., et BRÉZEL, P., *L'électronique, de l'éclateur de Hertz au microprocesseur, Cahiers Maupertuis*, n° 2, C.R.D.P. de Rennes, 1985.

▶ **Accélérateur de particules, Atomes, Cristal, Informatique, Laser, Onde, Photoélectrique (Cellule-), Technosciences.**

15. Neurosciences

Les recherches sur le comportement humain se sont, depuis une trentaine d'années, raccordées à quelques spécialités proches, mais aussi à des disciplines auparavant assez éloignées. Les neurosciences, en pleine expansion, se sont fédérées à d'autres approches au sein d'une entreprise pluridisciplinaire, la **science cognitive***. Ce sont les travaux sur l'*intelligence artificielle *qui sont à l'origine de ce regroupement. Soupçonnées parfois de faire preuve d'un certain impérialisme par des spécialistes de disciplines appartenant à la même nébuleuse et qui craignent d'être absorbés, les sciences cognitives sont dans une phase de développement rapide.*

Les neurosciences (ou *neurobiologie* dans son acception anglaise, selon J. F. Le Ny) constituent l'une des composantes des **sciences cognitives** (ou de la *cognition*). Si la réunion des différents éléments de cet ensemble est nouveau, la plupart d'entre eux ont une existence relativement ancienne. Les recherches sur l'intelligence artificielle (voir art. 12) ont amené, au début des années 70, l'établissement d'interconnexions entre des spécialités qui, tout en ne s'ignorant pas complètement, n'entretenaient auparavant que des rapports épisodiques. Nous en sommes maintenant au stade d'un travail pluridisciplinaire, auquel les grands organismes de recherche portent un intérêt grandissant. L'existence du programme *Cognisciences* du C.N.R.S., par exemple, montre qu'il s'agit d'une question d'actualité.

Que sont les sciences cognitives ?

Le mot *cognition* n'est pas une création du XXe siècle. Le *Robert* spécifie qu'il est synonyme de *connaissance* en philosophie et que le français l'a emprunté au latin au XIVe siècle. Son utilisation fréquente par les scientifiques est cependant récente.

Un numéro spécial du *Courrier du C.N.R.S.* est consacré tout entier aux sciences cognitives. Le directeur du programme sus-mentionné, préfaçant la revue, constate que :

> **« les questions abordées ont trait de quelque manière aux processus de codage, de traitement ou de transfert d'informations, tels qu'ils sont réalisés par le cerveau ou par l'ordinateur ».**

Les domaines concernés sont l'étude du langage, celle du raisonnement, de la perception, de la mémoire, de l'apprentissage, etc. L'intelligence artificielle est impliquée, de même que la psychologie de la connaissance, que la didactique, que les interactions homme-machine, que la neurobiologie, etc. F. J. Valera résume cela dans un tableau qui représente les différentes disciplines participant aux *Sciences et Technologies de la Cognition* (S.T.C.) :

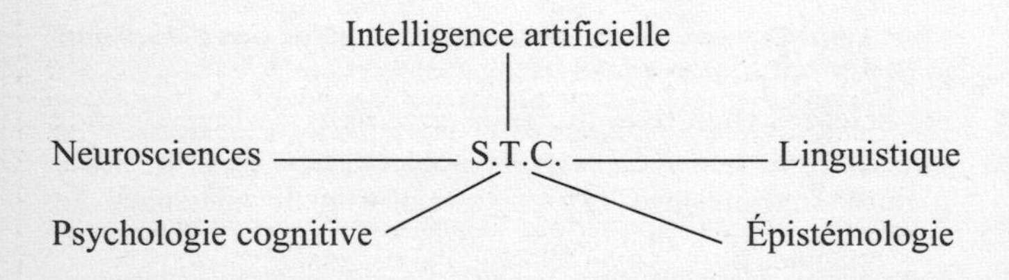

Dans chacun de ces domaines, comme le fait remarquer le préfacier de la revue, « *plusieurs discours se côtoient* ». Les différences peuvent venir de la formation des chercheurs (un psychologue, par exemple, n'abordera pas le fonctionnement du cerveau de la même manière qu'un neurophysiologiste). Leur origine peut être de nature idéologique… Mais le projet global des sciences cognitives est, dans tous ces secteurs et avec toutes ces approches, de « *faire prévaloir une démarche unificatrice* », d'essayer de :

> **« … créer des langages qui puissent décrire avec une pertinence convenable le fonctionnement du cerveau, les opérations mentales et celles réalisées par des machines construites par l'homme… »**

Le projet est, de toute évidence, « … *d'une difficulté redoutable* » (A. Holley).

Signification de quelques expressions du vocabulaire des sciences cognitives

• Le mot *apprentissage* est utilisé ici dans un sens plus large que dans le langage courant. Il s'applique aussi à des notions et des démarches plus abstraites que celles que l'on considère habituellement. Devenant « apprenti », un jeune est embauché par exemple par un menuisier. Il le regarde travailler, accomplit d'abord quelques tâches simples, puis des travaux plus compliqués en imitant son maître. Celui-ci lui apprend progressivement ses « trucs », ses tours de main, jusqu'à ce qu'il soit aussi habile que lui pour concevoir et réaliser un meuble et tout objet en bois. **L'apprentissage, dans les sciences cognitives, est relatif au mode d'acquisition et de construction d'un savoir** (lequel peut, d'ailleurs, s'accompagner d'un savoir-faire). L'apprentissage d'une langue, par exemple, commence par la compréhension de quelques mots que l'on est capable de mettre en relation avec les objets (ou les idées) qu'ils représentent. L'intéressé apprend ensuite à les prononcer, à les associer pour construire des phrases, etc.

• La *didactique* (il serait plus correct de parler **des** didactiques) est une spécialité qui s'est édifiée depuis une vingtaine d'années. Le mot existait auparavant (apparition en français en 1554, dérivé du grec *didaskein* : enseigner). Dire, par exemple, « *un tel tient un discours didactique* », signifiait qu'il parlait clairement (et même un peu schématiquement, à la limite). Ce champ d'étude s'est surtout constitué, en France, à la suite des problèmes posés par la réforme dite *des maths modernes*.

La didactique étudie un (ou des) concept(s), les difficultés que les élèves ont à les comprendre (éventuellement à différents niveaux), les raisons d'être de ces difficultés (qui peuvent varier d'un individu à l'autre, mais aussi d'un milieu social à un autre), les manières de vaincre ces difficultés pour que l'élève réussisse l'apprentissage de ce (ou de ces) concepts, etc.

Contrairement à la *pédagogie* qui s'intéresse surtout aux manières les plus aptes à faire passer un message dans une classe, **la didactique est directement liée à une discipline**. Les problèmes posés par l'apprentissage d'une langue ne sont pas identiques à ceux que l'on rencontre dans le cours de l'apprentissage des sciences physiques.

• La *psychologie cognitive* se consacre à l'étude de l'esprit, de la pensée d'un être quand celui-ci apprend, se construit une connaissance (à la différence de la partie de la psychologie qui s'intéresse plutôt aux émotions, à l'affectivité, etc.). Le psychologue cognitiviste aborde donc, grâce aux concepts et aux méthodes de la psychologie, **les perceptions, les représentations, la mémoire, les langages**, etc., domaines que d'autres spécialistes étudieront avec d'autres outils.

La manière dont nos idées se forment est fonction des mécanismes du cerveau et du système nerveux, une fois les informations reçues. En amont du processus, le mode de perception intervient. La réaction (physiologique, organique…) dépend du contexte social, et notamment des informations que nous avons, auparavant, «*mises en mémoire*». Les techniques de saisie, de codage des données jouent, et ce à tous les niveaux : perception, compréhension et interprétation ; mise en mémoire ; utilisation et restitution ultérieure, sous de multiples formes. Nous nous situons cette fois en aval du processus. Il se produit parfois une «*action en retour*» (feed-back) sur le début de l'opération et par conséquent, après coup, sur l'ensemble du processus. Le langage articulé, par exemple, participe à la fois à la perception d'une information, à sa compréhension, à son stockage, à l'élaboration de nouvelles connaissances susceptibles de modifier dans certains cas l'information initiale (et donc ultérieurement l'ensemble du processus).

Il serait correct d'assimiler aussi la science cognitive à la *théorie de la connaissance* (sujet abordé depuis près de 2 500 ans par la philosophie), traitée aujourd'hui grâce à tous les apports des sciences et des technologies contemporaines et non plus de manière essentiellement spéculative.

En plus des matières clairement identifiées ci-dessus et qui constituent l'ossature des sciences cognitives, d'autres spécialités sont également susceptibles d'intervenir. Par exemple, certains aspects de la physique, telle la connaissance des *verres de spin* qui a permis de mieux comprendre les *réseaux de neurones*. Par exemple, certains outils mathématiques (la théorie des probabilités ou celle des systèmes dynamiques) utilisables dans le cadre de la théorie de tel ou tel système cognitif. On en arrive ainsi à une *physique mathématique de la cognition*, que le mathématicien et le physicien développent en s'associant à des spécialistes du cerveau.

De l'étude du cerveau et du système nerveux central à l'imitation de leur fonctionnement

Le vieux rêve de l'humanité — fabriquer des machines imitant le comportement de l'être humain et capables de le rem-

Les « réseaux de neurones »

Le mot *neurone* lui-même (en fait l'expression correcte est *neurone formel*) montre que le dispositif est apparu dans le cadre du projet d'« intelligence artificielle » et qu'il a été pour partie inspiré par l'imitation du fonctionnement du cerveau humain.

La définition de l'objet précise qu'il s'agit d'un *automate* (d'un dispositif automatisé, si l'on veut) qui, recevant plusieurs « *signaux* » à l'entrée, est capable d'en faire la somme (ou de *les traiter*), en prenant en compte les caractéristiques de chacun de ces signaux, pour donner un signal de sortie qui est la résultante des opérations effectuées.

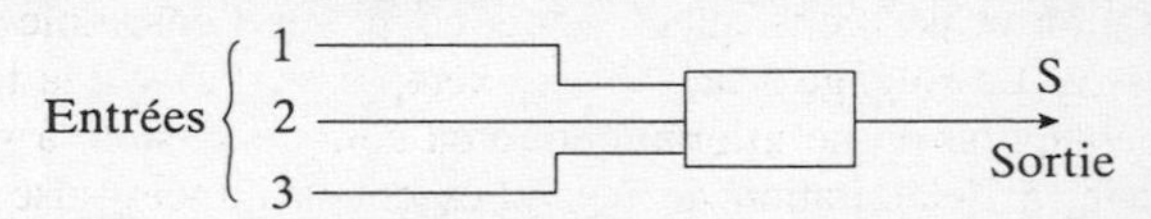

Schématisation d'un neurone formel

Les neurones formels sont associés *en réseaux*, la structure et les composants du réseau étant calculés de manière à « imiter quelques-unes des fonctions du cerveau humain en reproduisant certaines de ses structures de base » (voir p. 221).

L'un des premiers exemples de réseau de neurones est le *perceptron* (Rosenblat, 1965). Parmi ses utilisations possibles figure l'analyse d'images, à partir des réactions d'une couche de petites cellules constituant une rétine artificielle.

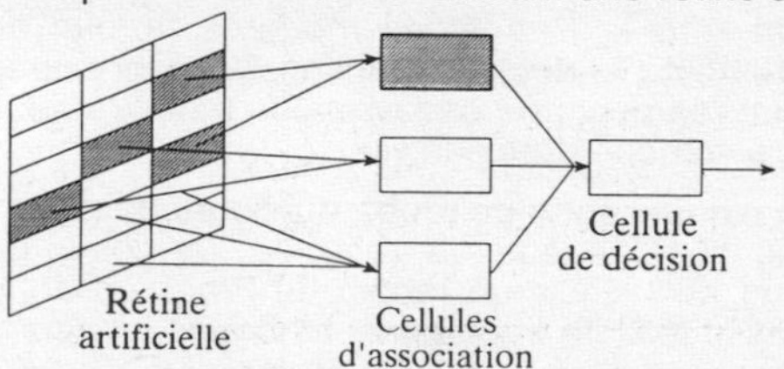

Représentation schématique d'un perceptron utilisé en analyse d'image.

La *cellule de décision* répond par 0 ou par 1. Supposons qu'on lui ait appris à reconnaître la lettre A, en sachant que le A, qui apparaîtra sur la rétine, sera un A « *physique* », peut-être un peu flou ou perturbé, etc. Malgré cela, si ce A s'affiche sur la rétine, le réseau le reconnaît et la cellule de décision répond par 1.

Si un autre dessin s'affiche sur la rétine, la cellule répond par zéro.

placer — est évoqué art. 12. Cela va des mécanismes de Dédale aux robots actuels, en passant par les automates de Vaucanson et les produits de la littérature mêlant science-fiction et fantastique (Frankenstein, le Golem…).

Dédale

Ingénieur et architecte grec légendaire, qui aurait fait les plans du Labyrinthe pour le roi Minos de Crète (XVIe-XVe siècle av. J.-C.), Dédale aurait également fabriqué des machines perfectionnées, des automates…

Vaucanson

Jacques de Vaucanson (1709-1782), ingénieur français célèbre pour les automates qu'il réalisa (le joueur de flûte ; le canard qui lissait ses plumes, nageait, mangeait et digérait…). Il inventa aussi (avant Jacquard) un métier à cartes perforées à tisser la soie, mais qui ne fut pas utilisé. Une grande partie de sa collection d'automates est exposée au Conservatoire national des Arts et Métiers.

Frankenstein, le Golem

Frankenstein ou le Prométhée moderne, roman de Mary Shelley (1818) où le docteur Frankenstein fabrique, en utilisant divers fragments de cadavres, un monstre auquel une décharge électrique donne la vie (voir art. 12).

Le *Golem* est une sorte de robot, qui figure dans la tradition juive ancienne. Une légende, relative à un golem qu'aurait fabriqué au XVIe siècle un rabbin de Prague, Rabbi Loew, figure dans le folklore traditionnel tchèque.

Les interrogations, les hypothèses sur l'esprit, la formation des idées et leur évolution, sont aussi anciennes que la philosophie. La connaissance scientifique de l'anatomie et de la physiologie humaines n'est vraiment édifiée qu'au XVIIe siècle (même si les savoirs d'Hippocrate et des médecins arabes du Moyen Age n'étaient pas négligeables). Celle du cerveau se structure au XIXe siècle.

Les chercheurs sont infiniment plus avancés aujourd'hui. Le cerveau, et tout le dispositif d'appréhension et de transmission des informations extérieures, constituent un **système matériel.** Les transformations qui s'y produisent sont de nature physique et chimique. Quelques auteurs, notamment au XIXe siècle, sont allés jusqu'à affirmer que le cerveau «*secrète*» la pensée (tout comme la vésicule secrète la bile). Il s'agit là de conceptions extrêmes mais, sans pousser le raisonnement jusqu'à cette limite, il est assez tentant d'essayer de réduire le fonctionnement de la pensée aux seuls processus physico-chimiques. A l'inverse, il est envisageable de construire des systèmes visant à reproduire artificiellement les démarches intellectuelles de l'être humain. En substance, c'est cette intention qui se profile à l'horizon du projet d'*intelligence artificielle* dont l'instrument principal est l'ordinateur.

Le cerveau et le système nerveux central

Au cours de l'Antiquité, si les médecins de l'école hippocratique avaient des idées correctes sur le rôle du cerveau, Aristote croyait que le cœur est le siège de la pensée. Deux naturalistes de l'école d'Alexandrie, Hérophile et Érasistrate (IIIe siècle av. J.-C.) reprirent les thèses d'Hippocrate. Il en fut de même de Galien (131-201), médecin de Pergame dont l'œuvre, commentée à l'infini, a été la base de toute la médecine de l'Europe médiévale chrétienne.

Il faut attendre Broca (1824-1888) et les avancées de l'anatomie clinique au XIXe siècle pour que la connaissance du cerveau fasse des progrès notables. Ceux-ci se sont accentués au XXe siècle, particulièrement grâce aux nouveaux instruments scientifiques (voir art. 19).

Les éléments de base du cerveau, et de tout le système nerveux central, sont les **neurones**. Leur nombre serait approximativement de cent milliards. Le neurone est une *cellule* dont les composants principaux sont : le *corps cellulaire*, les *dendrites* ; l'*axone*.

• Le *corps cellulaire*, qui contient le *noyau* du neurone, est en quelque sorte à la fois le centre vital de la cellule et ce que l'on pourrait appeler, par analogie avec l'informatique (voir art. 12), l'*unité de traitement de l'information*. C'est dans le corps cellulaire que se produisent les réactions biochimiques qui assurent la vie et l'activité du neurone.

• Les *dendrites*, qui se présentent sous forme de fins tubes ramifiés constituant une sorte de « chevelure » autour du corps cellulaire, sont en quelque sorte des récepteurs qui captent les signaux qu'elles transmettent ensuite au corps cellulaire.
• L'*axone* (ou *fibre nerveuse*) transmet les signaux que le neurone émet. Quelquefois assez long (il peut dépasser le mètre), il est ramifié à son extrémité, communiquant à cet endroit avec d'autres neurones.

Les connexions entre neurones sont complexes. L'endroit où elles se produisent sont les *synapses*.

Les signaux reçus et émis par les neurones sont de nature électrique et/ou biochimique. Les signaux, provenant de neurones voisins, sont reçus par le neurone. Celui-ci les traite (les intègre, si l'on préfère). Il y répond par un nouveau signal (dit : « *influx nerveux* ») qui est transmis, via l'axone, à un autre neurone.

Le cerveau peut être considéré comme l'organe central de commande de tout le système. Il reçoit les informations en provenance de différentes sortes de ce que l'on appelle en physique des *capteurs* (« les mécanorécepteurs — pression, son... les chimiorécepteurs ; les thermorécepteurs ; les électrorécepteurs ; les photorécepteurs »). Parmi les capteurs les mieux connus figurent les *yeux*.

L'étude du cerveau a contribué aux progrès des ordinateurs. En retour, les travaux menés sur la logique (en vue d'imaginer des architectures nouvelles des ordinateurs ainsi que des logiciels) ont aidé à mieux comprendre ce qui se passe dans le cerveau. L'on est également parvenu à faire assumer, par des machines, **certaines des fonctions** dudit cerveau. Des engins mécaniques, bien plus sophistiqués (grâce à l'électronique) que les automates de jadis, sont capables d'effectuer des opérations à la place des hommes. On peut songer, par exemple, aux dispositifs automatisés (quelquefois télécommandés) qui existent dans les expéditions spatiales sans êtres humains, ou à ceux qui sont utilisés dans le cœur des centrales nucléaires.

F. J. Varela, faisant l'historique des sciences cognitives, juge que la *cybernétique* (voir art. 12) est l'une des premières étapes de leur gestation. Depuis son créateur, N. Wiener, les systèmes auto-régulés, grâce notamment à la rétro-action (ou *feed-back*), ont notablement progressé, de même que l'automatisation en général. Les sciences et les technologies ne peuvent cependant pas mettre au point un système aussi complexe et performant que le cerveau. Il n'est d'ailleurs pas certain (ni même probable, mais la prospective est un exercice risqué) qu'elles y parviennent un jour !

Perspectives

La variété et le nombre des possibilités, recensées dans le dossier susmentionné du *Courrier du C.N.R.S.*, sont impressionnants. Quelques exemples (parmi beaucoup d'autres) : un neurobiologiste explique les idées suscitées par l'étude de l'œil à facettes de la mouche ; des spécialistes de la psychologie du développement et de l'éducation de l'enfant exposent comment le bébé se construit mentalement *une représentation* de son environnement et en quoi cette connaissance nous est utile ; un ingénieur d'E.D.F. relate comment la réflexion sur les « *systèmes experts* » conduit à une meilleure compréhension des processus de *modélisation* et, par là, contribue au progrès de la psychologie cognitive ; un psychologue expérimentaliste, expliquant qu'un système cognitif... *« c'est d'abord un système à mémoire »*, justifie le caractère prioritaire des multiples études sur la mémoire dans les sciences cognitives ; des neurologues et psychiatres évoquent l'intérêt des recherches sur les influences de certains médicaments sur le fonctionnement du cerveau... Dix-huit articles sont consacrées au langage et à la lecture, quatorze à la relation entre la perception et l'action (l'un d'entre eux porte sur la réalisation de *rétines au silicium* pour la vision des robots)...

Pour conclure, un rapprochement me paraît intéressant. Le texte imprimé sur la couverture de la revue citée précise clairement le projet des sciences cognitives : « *Études théoriques et recherches expérimentales joignent leurs efforts pour comprendre le fonctionnement du cerveau et de l'esprit et concevoir des moyens artificiels pour* ***amplifier les pouvoirs de l'intelligence*** ». Par ailleurs, les deux numéros spéciaux de la revue *Sciences et Techniques* (consacrés à un essai de prospective en matière de sciences, techniques et technologies industrielles) sont titrés *La Révolution de l'intelligence* (voir art. 23).

Les « systèmes experts »

Le système expert peut être défini comme un ***logiciel associé à une base de connaissances*** *permettant d'aider ou même de remplacer un spécialiste d'un domaine particulier* » (A. Taurisson).

Exemple : système expert d'aide au diagnostic médical. Un malade se présente chez un médecin. Celui-ci lui demande s'il a mal, à quel(s) endroit(s) et de quelle manière, s'il a de la température, etc. Ensuite le praticien, au lieu de faire seulement confiance à sa mémoire et à son expérience, entre ces données dans le système. Celui-ci lui demande en retour de poser une série de questions au patient. Les réponses à ces dernières étant également entrées, le système affiche une autre série de questions… et ainsi de suite, jusqu'à ce qu'il soit capable d'indiquer la (ou les) affection(s) dont souffre apparemment l'intéressé (ou qu'il affiche qu'il lui est impossible de répondre).

La modélisation

Les hommes pratiquent la modélisation depuis la nuit des temps, comme M. Jourdain fait de la prose sans le savoir dans *Le Bourgeois Gentilhomme*. Bâtir un *modèle* pour rendre compte d'un phénomène, ou du fonctionnement d'un quelconque dispositif, c'est se construire mentalement **une *représentation* de ce que l'on perçoit et que l'on veut expliquer**. Les modèles d'atomes (voir art. 2) et des systèmes de l'univers (voir art. 11) sont évoqués ailleurs dans le présent livre.

Le modèle est une schématisation de l'objet ou du processus réel. Il décrit, explique une partie des propriétés de l'original, mais n'est ni exhaustif, ni parfait. Dans les sciences contemporaines, les modèles sont souvent très mathématisés.

La modélisation est un puissant facteur d'évolution des connaissances. Elle permet de simuler des phénomènes, d'étudier théoriquement l'effet de tel ou tel facteur qu'il serait difficile de faire intervenir concrètement. Elle ne peut toutefois se substituer complètement à la pratique expérimentale. Il est nécessaire de **confronter** périodiquement les résultats de la démarche de modélisation à la réalité. On peut, par exemple, étudier à l'aide de modèles les turbulences causées par le déplacement d'un avion et leurs effets sur le vol. Mais il faudra ensuite travailler sur des modèles physiques (souffleries, maquettes, etc.), avant d'en arriver à l'avion lui-même (voir art. 21).

REPÈRES

ANDLER, D., *Introduction aux sciences cognitives*, Paris, Gallimard, 1992.

CHANGEUX, J. P., *L'Homme neuronal*, Paris, Fayard, 1983.

DAVALO, E., et NAÏM, P., *Des réseaux de neurones*, Paris, Eyrolles, 1989.

TAURISSON, A., *Du boulier à l'informatique*, Paris, Presses Pocket/La Villette, 1991.

VARELA, F. J., *Connaître les sciences cognitives. Tendances et perspectives,* Paris, Seuil, 1989.

Sciences cognitives, dossier scientifique du *Courrier du C.N.R.S.*, nº 79, octobre 1992.

▶ **Gène, Informatique, Microprocesseur, R.M.N., Révolution scientifique, Technosciences, Vie.**

16. Nucléaire (Énergie-)

Si certaines évolutions des sciences sont prévisibles, celle qui a suivi la découverte fortuite de la ***radioactivité*** *naturelle, par Henri Becquerel en 1896, était inattendue. Son résultat immédiat a été l'étude du noyau de l'atome par les physiciens, la découverte de rayonnements et de particules nouveaux, et des perspectives considérables dans le domaine de la production énergétique.*

La découverte de la réaction de fission de l'uranium 235 en 1938 par Hahn et Stressman, le contexte politique international de l'époque, ont conduit le gouvernement américain à privilégier, dans ce domaine, les recherches à finalité militaire et à fabriquer des armes d'un pouvoir de destruction considérable, mettant fin définitivement à l'assimilation de la science au progrès humain et changeant complètement les données de la politique internationale.

L'accroissement de la ***consommation énergétique****, le tarissement prévisible des sources d'énergies fossiles excessivement mises à contribution, ont déterminé des gouvernements à accentuer la production d'électricité par des centrales utilisant des réacteurs nucléaires à fission. Les accidents très graves survenus récemment dans des centrales de ce type, les prévisions d'une pénurie à venir des sources actuelles d'énergie, conduisent à s'interroger sur les possibles énergies de remplacement. Différentes formules sont crédibles, d'autres (le thermonucléaire en particulier) sont encore incertaines.*

Produit très symbolique de la physique et de la technologie du XXe siècle, l'**énergie nucléaire** n'a guère intéressé que les scientifiques, jusqu'au 6 août 1945. Ce jour-là, un aviateur américain a, sur l'ordre du président des États-Unis Harry Truman, lancé sur Hiroshima (Japon) la deuxième bombe à fission nucléaire de l'histoire (la première avait été expérimentée, peu de jours auparavant, dans le désert du Nouveau-Mexique). Plus de 100 000 victimes dans l'immédiat, davantage à Nagasaki quelques jours après, le choc psychologique produit (même si des bombardements *classiques* avaient fait auparavant autant de morts — à Dresde, par exemple) ternit, et sans doute à jamais, l'image de la science bienfaisante héritée du *scientisme* du XIXe siècle, et surtout marque vraiment le début de l'alliance des scientifiques et du pouvoir politique.

A la fin des années 60, l'utilisation de ce type d'énergie pour fabriquer de l'électricité à l'échelle industrielle a été l'occasion d'un débat particulièrement houleux, aggravé par de graves accidents plus récents (Tchernobyl, 1986), dans un contexte marqué par des problèmes énergétiques croissants.

Système énergétique et forme de la société

Énergie est un terme qui apparaît épisodiquement et brièvement dans le langage de la physique jusqu'au XIXe siècle. Ce sont, après l'essor de la *mécanique* depuis le XVIIe, la naissance de la *thermodynamique* (science de la chaleur) en 1823, et la structuration des rapports entre ces deux branches de la physique, qui instaurent définitivement le concept d'énergie, en obligeant du même coup à le définir.

A la fin du siècle, au moment même où les contradictions de la physique newtonienne s'aiguisaient, quelques savants (Wilhelm Ostwald, Pierre Duhem…) se sont faits les promoteurs d'une doctrine, baptisée l'*énergétisme*. Métaphysique et non théorie scientifique, l'*énergétisme* niait l'existence de la matière, prétendant résumer tous les phénomènes à des échanges d'énergie. Le contenu entier de l'*énergétisme* n'était pas faux (l'équivalence masse-énergie d'Einstein aurait d'ailleurs pu, dans un autre contexte… et dans un autre cadre théorique, le conforter), mais sa prétention à synthétiser toute la science, quelques contre-vérités flagrantes, le font figurer parmi les mauvaises réponses que des scientifiques ont tenté de donner à la crise de l'époque (voir art. 20 et 21).

La définition scientifique brute de l'énergie est : « *Propriété d'un système capable de fournir du travail* » (Fleury, Kastler et Mathieu). L'expression la plus simple d'un **travail** est relative au cas d'une force F, déplaçant son point d'application d'une longueur l, les directions de la force et celle du déplacement étant confondues (par exemple, un cheval tirant un chariot tout droit, à vitesse constante, sur une route horizontale). Dans ce cas, le travail exercé par la force est : W = F.1. L'unité légale de travail (S.I.) est le Joule. Le cheval dispose d'une énergie musculaire, dont il dépense une partie pour déplacer le chariot. Ce que l'on peut retenir, en plus, c'est que **l'énergie existe sous de multiples formes** (mécanique, chimique, électrique...) et qu'**il est possible de transformer une de ses formes dans une autre.** Par exemple, l'explosion d'un mélange de vapeur d'essence et d'air, dans un moteur d'automobile, permet de faire se déplacer cette dernière : énergie chimique → énergie mécanique. Il faut retenir aussi que **le prix à payer,** pour cette transformation, est **une diminution de l'énergie utilisable. Le rendement énergétique est obligatoirement inférieur à 1** (voir art. 22), même si l'énergie totale se conserve.

Pour écrire l'histoire des hommes, si l'on ne souhaite pas se limiter à une chronologie (et donc à une succession d'époques et de faits), il faut un *fil conducteur*, c'est-à-dire une question que l'on suit, en étudiant les rapports au long des siècles entre elle et les différentes sociétés. La relation *énergie dominante* ⇄ *forme de la société* est, de ce point de vue, très intéressante.

> **« En acquérant de nouvelles forces productives, les hommes changent leur mode de production, et en changeant leur mode de production, la manière de gagner leur vie, ils changent tous les rapports sociaux. Le moulin à bras nous donnera la société avec le suzerain ; le moulin à vapeur la société avec le capitaliste industriel »,**

écrit Karl Marx. En extrayant une phrase d'un texte, on schématise la pensée de l'auteur. C'est ce qui a souvent été fait de la présente phrase (entre autres). Elle a également été cataloguée parmi *les lois de l'histoire*, susceptible, comme telle, de prévoir l'avenir. Il est douteux que de telles « lois » existent, mais cela ne nous conduit pas à nier la relation entre l'énergie dominante dans une société et la forme de cette dernière. C'est un **constat provisoire**, valable tout au moins jusqu'à notre époque.

De la nuit des temps préhistoriques jusqu'au XIIe siècle environ, l'énergie dominante, celle qui a permis aux sociétés humaines de fonctionner et de se transformer, c'est l'**énergie musculaire** (des hommes seuls, d'abord, puis des hommes et des animaux après l'apparition de la domestication). Les instruments divers qui ont été inventés au fil des siècles (outils, armes, etc.) ne sont que ce que l'on nomme en physique des *machines simples* : elles facilitent le travail de l'homme, le rendent plus efficace, lui permettent de mettre en œuvre une force moindre (dans un temps plus long)..., mais **ne créent pas d'énergie** (ou, plus exactement, se limitent à un usage plus pertinent de l'énergie musculaire). **L'énergie ne se crée pas, elle se transforme**. Ces machines sont le levier, le treuil, la poulie, la roue, la catapulte, etc. D'autres énergies (celle du vent, par exemple, pour faire se mouvoir les bateaux) servent parfois, mais marginalement. **Les sociétés qui se succèdent ont un trait commun : le groupe social** (la classe sociale, si l'on veut) **n'a pas d'intérêt à promouvoir des changements profonds.**

Au cours de la période médiane de ce que les historiens européens ont appelé le Moyen Age, du fait de différents bouleversements sur lesquels nous ne nous attarderons pas, l'énergie musculaire devient insuffisante. Elle est alors complétée, remplacée souvent, par l'**énergie hydraulique** (« *la première forme d'énergie purement inorganique de l'histoire* », écrit l'historien M. Bloch). C'est celle des **moulins à eau**, plus tard renforcée par celle des moulins à vent. La catégorie sociale qui est à l'initiative du mouvement est la **bourgeoisie** naissante. Elle acquiert le pouvoir économique au détriment de la noblesse foncière et guerrière. Il faut attendre la fin de cette période, voire les débuts de la période suivante, pour qu'elle s'empare aussi du pouvoir politique. Contrairement aux catégories sociales qui l'ont précédée, **l'innovation dans les processus de la production est une nécessité pour elle**, à la fois pour exister et pour progresser.

Les limites (techniques, économiques...) du *système énergétique*, dont l'élément de base est le moulin, sont atteintes vers la fin du XVIIe siècle. D'autres problèmes se posent (notamment la pénurie croissante de bois, matériau et combustible dominant). Un nouveau système voit alors le jour, dont l'élément de base est la **machine à vapeur**, le combustible principal étant le **charbon** (dit « *de terre* » ; la houille, par conséquent). Nous entrons dans le *mode de production capitaliste*. La fin du XIXe et le XXe siècle ont vu des modifications importantes : le remplacement (provisoire, sans doute) du charbon par le **pétrole**, surtout marqué après la Deuxième Guerre mondiale ; et, plus importante, l'introduction généralisée de l'**électricité** dans la vie des sociétés (voir art. 23).

Il n'y a pas, pour l'instant, de pénurie d'énergie, contrairement à ce que des hommes politiques ont déclaré à l'occasion de certains événements (guerre au Moyen Orient, par exemple). Il y a, par contre, à envisager l'épuisement (dans quelques décennies) des réserves de pétrole. De graves problèmes dus à la dégradation accélérée de l'environnement se présentent par ailleurs (voir art. 9).

C'est dans ce contexte que se posent les questions : fallait-il — ou non — avoir recours à l'énergie nucléaire de fission ? Puisque cela a été fait, faut-il l'abandonner progressivement et — si oui — comment la remplacer ?

De la découverte de la radioactivité naturelle à celle de la fission de l'uranium

En 1896, en grande partie par hasard, Henri Becquerel constate qu'un minerai d'**uranium** et de plomb (la pechblende) émet un rayonnement (qu'il baptise au départ *rayons uraniques*) qui impressionne une plaque photographique. Il étudie le phénomène, bientôt rejoint par Marie Curie, puis par son époux Pierre Curie, l'Anglais Rutherford, etc. L'un des premiers enseignements des travaux effectués est que le rayonnement est dû à ce que l'on appellera bientôt le **noyau** de l'atome d'uranium. Marie Curie isole un nouvel élément qui possède la même propriété (laquelle est baptisée *radioactivité*) ; elle lui donne le nom de *polonium*. Ensuite, avec son mari, elle isole un autre élément, plus radioactif ; ce sera le *radium*.

Becquerel soumet le rayonnement à l'influence d'un aimant. Il constate que le rayon initial est divisé, par le champ magnétique, en trois parties distinctes : un rayon, non dévié par ce champ (le point d'impact sur l'écran est le même qu'en l'absence de champ), qui sera appelé γ ; un rayon, dévié dans le sens du champ, qui sera appelé β (ou plutôt β^-) ; un rayon, dévié dans l'autre sens, qui sera appelé α. En 1909, Rutherford et Royds identifient le rayon α comme étant un flux de particules positives, portant deux fois la charge élémentaire

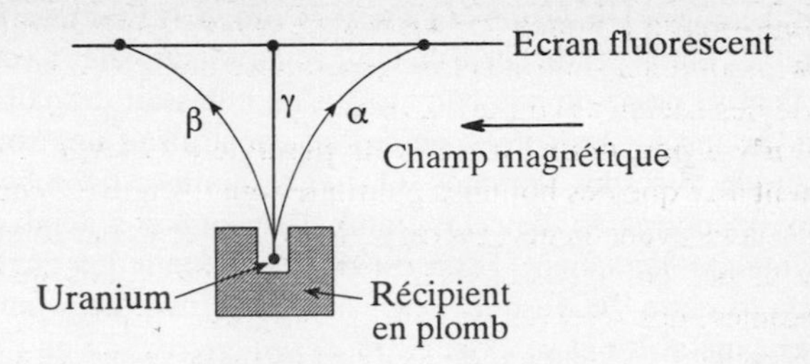

(+ 1,6.10^{-19} coulomb × 2, soit l'équivalent d'un noyau d'hélium). Pierre et Marie Curie reconnaissent que le rayon β^- est constitué d'électrons et Villard démontre que les rayons sont de nature électromagnétique, identiques aux rayons X, mais de longueurs d'onde encore plus courtes.

Les isotopes

La **nature chimique** d'un élément est déterminée par le nombre d'**électrons** qu'il possède (et par le nombre égal de **protons** - Z, numéro atomique. Voir art. 2). Mais il peut contenir, dans son noyau, un nombre variable de **neutrons**, sans que ses propriétés chimiques varient (par contre, certaines propriétés physiques peuvent changer — au premier chef sa masse, évidemment).

Deux atomes qui ont le même nombre d'électrons et de protons, mais des nombres différents de neutrons, sont des **isotopes.**

L'*hydrogène léger*, par exemple, a 1 électron, 1 proton et zéro neutron. L'*hydrogène lourd* (ou *deutérium*) a 1 électron, 1 proton et 1 neutron. L'hydrogène dit *super-lourd* (ou *tritium*) a 1 électron, 1 proton et 2 neutrons. **Pour autant, c'est toujours de l'hydrogène.**

L'origine de la radioactivité de substances telles que l'uranium est assez rapidement reconnue. Cet élément contient, dans son noyau, 92 protons (il y a donc 92 électrons autour de ce noyau) et, selon les cas, 147, 146, 143… ou 142 neutrons, selon l'isotope examiné. **Un tel noyau est très lourd** (l'uranium figure parmi les éléments de la fin du tableau de Mendeleïev : voir art. 2). Tout se passe un peu comme si l'on entassait des cubes de bois les uns sur les autres, ou si l'on construisait une sorte de pyramide avec des dominos. Quand le nombre de cubes (ou celui de dominos) devient grand, l'ensemble a tendance à s'effondrer facilement. Il en est de même pour les éléments. Ceux d'entre eux qui sont très lourds sont naturellement **instables** et se cassent (*se désintègrent*, si l'on préfère un langage plus savant), pour donner des noyaux d'éléments plus légers, en émettant différentes particules et rayonnements.

Les chaînes radioactives

Des éléments (dits radioéléments), tels que certains isotopes de l'uranium, se désintègrent en permanence pour donner d'autres éléments également radioactifs, qui font de même, etc., et ainsi de suite jusqu'à ce que l'on aboutisse à un élément stable qui est souvent du plomb. Cette succession d'éléments, qui se transforment les uns dans les autres, constitue une **chaîne radioactive.** Selon les cas, il peut se passer des millions (voire des milliards) d'années avant que toute la radioactivité ait disparu. Parmi les nombreux radioéléments, qui existaient au moment de la formation de la Terre, ne subsistent que les 4 dont la **période*** était suffisamment longue : le thorium 232 ; l'uranium 238 ; le potassium 40 ; l'uranium 235. La chaleur interne de la Terre est due aux réactions radioactives qui s'y produisent.

* **La période** d'un corps radioactif est le temps au bout duquel subsiste seulement la moitié de la masse initiale de ce corps. Celle de l'uranium 235 — que consomment les centrales nucléaires les plus courantes — est $0{,}7.10^9$ années. Rappelons que l'âge de la Terre est d'environ $4{,}6.10^9$ années.

Pendant plus de 30 ans, les équipes de physiciens les plus prestigieuses de plusieurs pays (France, Angleterre, U.S.A., Allemagne…) ont rivalisé d'ingéniosité et de talent dans l'étude des noyaux atomiques, des particules émises et — quelquefois — dans la comparaison avec des corpuscules *venus d'ailleurs* (par exemple avec *les rayons cosmiques* dans lesquels fut découvert l'*électron positif*). La perspective des scientifiques était, ce faisant, celle qu'exposait Pierre Curie (tué accidentellement en 1906) disant, dans son discours en 1905 à la réception du Prix Nobel (qu'il recevait avec son épouse et Henri Becquerel), «*Je suis de ceux qui pensent, avec Nobel, que l'humanité tirera plus de bien que de mal des découvertes nouvelles*».

A différentes reprises, les expérimentateurs ont *bombardé* des noyaux par des particules (fréquemment des rayons α issus des réactions de radioactivité naturelle) et obtenu des résultats qu'ils n'ont pas toujours su (ou pu) voir ou interpréter. Un exemple célèbre est une expérience de Rutherford en 1919, bombardant des noyaux d'azote de particules et obtenant des noyaux différents qu'il n'identifia pas (il s'agissait d'oxygène et d'hydrogène).

Réaction nucléaire de Rutherford (1919)

$${}^{14}_{7}\mathrm{N} + {}^{4}_{2}\mathrm{He} \rightarrow {}^{17}_{8}\mathrm{O} + {}^{1}_{1}\mathrm{H}$$

azote (stable)	rayonnement α (noyau d'hélium)	oxygène	hydrogène

Le chiffre en haut et à gauche du symbole est le *nombre de masse* du noyau ; celui qui est en bas à gauche est le *numéro atomique* ; voir art. 2.
Rutherford n'a pas identifié les noyaux d'oxygène et d'hydrogène.

Il n'en est pas de même en 1934 où Frédéric et Irène Joliot-Curie inventent la **radioactivité artificielle** (c'est-à-dire provoquent la radioactivité d'éléments qui étaient auparavant stables), en bombardant des noyaux d'aluminium avec des particules α, créant ainsi un noyau de phosphore qui, instable, se désintègre spontanément, en donnant un noyau de silicium.

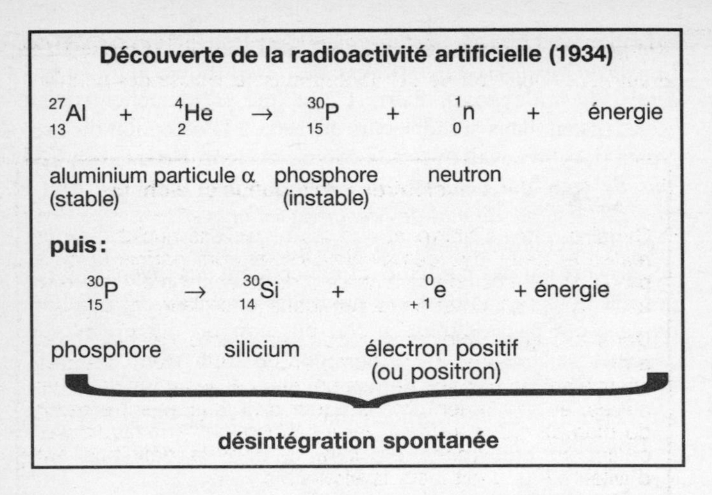

En 1932, la découverte du **neutron**, manquée de peu par les Joliot, est effectuée par Chadwick (voir art. 2). Indépendamment de l'avancée que cela représente dans la connaissance de la matière, les physiciens ont ainsi à leur disposition un *outil* plus facile d'usage que les particules déjà connues. Ils disposaient auparavant des électrons (de masse en général trop faible pour acquérir une énergie cinétique suffisante) et des particules α (c'est-à-dire des couples de protons), électriquement positives. Le noyau étant, lui aussi, positif, une force électrostatique de répulsion (voir art. 1 et 2) s'oppose à la rencontre de ces deux types de corpuscules. Pour qu'elle se produise quand même, il faut que l'**énergie cinétique** de la particule α (c'est-à-dire **l'énergie qu'il possède grâce à sa vitesse**) soit suffisamment grande pour vaincre la répulsion électrostatique. La même difficulté n'existe pas avec le neutron. Les physiciens n'en ont pas, pour autant, abandonné le proton comme projectile mais la possession du neutron leur a rendu quelquefois la tâche plus commode. Enrico Fermi propose en 1935 cette utilisation du neutron. Il démontre également que **le neutron a davantage de chances de heurter un noyau si sa vitesse est lente que si elle est rapide.** D'où l'utilisation ultérieure, dans les réacteurs, d'une substance (appelée «*ralentisseur*» ou

« *modérateur* », qui est généralement de l'eau, de l'eau lourde, du graphite...) dont le rôle est de diminuer la vitesse des neutrons.

Réactions nucléaires provoquées et alchimie

Certains auteurs affirment que les physiciens nucléaires ont *réalisé le vieux rêve des alchimistes* (et vont parfois jusqu'à prétendre que ces derniers étaient déjà capables d'y parvenir au Moyen Age). C'est du roman, dans le meilleur des cas.

Dans cet ensemble confus que représente l'alchimie, on arrive effectivement à comprendre que ses adeptes essayaient de **transmuter** les substances les unes dans les autres, et notamment de fabriquer de l'or (souvent à partir du plomb), grâce à une « *pierre philosophale* » miraculeuse, qu'ils ont recherchée en vain, et dont la définition est d'ailleurs tout à fait incompréhensible.

Dans leurs tentatives, ils mélangeaient les corps, les chauffaient, les faisaient s'évaporer en prononçant des phrases supposées avoir une *vertu magique*... Il leur est arrivé d'obtenir des réactions (en général inattendues), d'observer des propriétés et, ce faisant, de faire progresser les connaissances.

Mais tout cela est sans commune mesure avec la physique nucléaire qui obtient effectivement des transmutations (c'est-à-dire qu'elle fabrique les noyaux de nouveaux éléments en bombardant et en faisant éclater les noyaux d'éléments existants), sans rapport avec les changements imaginés par les alchimistes.

En 1938, deux physiciens allemands (Hahn et Stressmann) bombardent des noyaux d'uranium 235 à l'aide de neutrons ralentis. Les noyaux explosent (se désintègrent) sous l'impact des neutrons, et se divisent en d'autres noyaux plus légers que les expérimentateurs identifient comme étant du lanthane et du baryum. La **fission nucléaire** est découverte. F. Joliot, vérifiant le texte de ses collègues, le complète en affirmant que la réaction doit libérer d'autres neutrons. Et il suggère d'utiliser ces neutrons pour provoquer la désintégration d'autres noyaux d'uranium, émettant eux-mêmes d'autres neutrons... et ainsi de suite. C'est ce que l'on baptisera une **réaction en chaîne**. Joliot

La fission nucléaire

Elle peut être définie comme étant **la rupture d'un noyau de matière dite « fissile »** (en l'occurrence, il s'agit d'uranium 235), **sous le choc d'un neutron**, avec émission de deux noyaux d'éléments moins lourds, d'autres neutrons et d'énergie sous diverses formes (rayonnement, chaleur...).

L'une des réactions qui se produisent (il y en a plusieurs de possibles, celle-ci est l'une des plus fréquentes) est la suivante :

$${}^{1}_{0}n + {}^{235}_{92}U \rightarrow {}^{140}_{54}Xe + {}^{94}_{38}Sr + 2\,{}^{1}_{0}n + \text{énergie}$$

neutron ralenti (vitesse de l'ordre) de 1 km/s)	isotope 235 de l'uranium (92 protons, 143 neutrons)	xénon : instable	strontium : instable	neutrons à une vitesse de l'ordre de 20 000 km/s

Une réaction émet, en moyenne, 2,5 neutrons. Quand la masse d'uranium 235 rassemblée est suffisante (*masse critique*), la réaction s'amorce (on dit que *le réacteur diverge*) et se propage.

prévoyait que, de proche en proche, l'énergie libérée se propagerait, le milieu s'échaufferait, etc. On pourrait envisager de l'utiliser...

Origine de l'énergie libérée : la perte (ou le défaut) de masse

La cohésion d'une quelconque structure, d'un objet comme d'un noyau atomique, est due à l'existence d'une énergie de liaison (ou d'interaction ; voir art. 11) entre ses différentes composantes. Dans le cas du noyau, cette énergie de liaison (qui, selon la théorie d'Einstein, correspond à une « *perte* » — ou à un « *défaut* » — de masse), s'exerce entre les protons, les neutrons... Quand le noyau éclate, une partie de l'énergie de liaison est libérée.

Quand on additionne, par exemple dans la réaction indiquée dans l'encart précédent sur la fission nucléaire :

- d'un côté les masses des particules qui se trouvent à gauche de la flèche (1 neutron et 1 noyau d'uranium 235),
- de l'autre côté, celles qui se trouvent à droite de la flèche (le noyau de xénon, le noyau de strontium et 2 neutrons),

on constate que la deuxième somme est inférieure à la première.
Il y a donc eu *perte de masse*, qui correspond à la modification des énergies de liaison du premier au deuxième état.

Pour une réaction nucléaire de ce type, la *perte de masse* équivaut approximativement **au millième de la masse initiale.** Elle se transforme en une quantité d'énergie que l'on peut calculer en appliquant la relation d'Einstein :

$$\mathbf{w = m.c^2}$$

c, la vitesse de la lumière, vaut 300 000 km/s, soit 3.10^8 m/s et $c^2 = 9.10^{16}$ (un 9 suivi de 16 zéros). Une faible *perte de masse* libère donc une énergie énorme.

N.B. : on a aussi *perte de masse* (ou augmentation, cela dépend du phénomène) dans une réaction chimique ordinaire (une combustion, par exemple), mais elle ne concerne (pour le charbon, par exemple) que **le dix-milliardième de la masse initiale** et ne peut donc être perçue, même avec les moyens de mesure très précis dont on dispose aujourd'hui. La **loi de conservation de la masse**, héritée de Lavoisier, demeure donc une *approximation* parfaitement acceptable dans le cadre de la science classique.

Le nucléaire militaire - La fusion thermonucléaire

L'année de toutes ces découvertes n'est pas indifférente. Nous sommes en pleine période d'explosion du nazisme allemand et à la veille de la Deuxième Guerre mondiale. Les physiciens, pour la plupart, ne croyaient pas à une utilisation possible de la fission pour fabriquer des armes. Ils pensaient que la production d'énergie sur cette base serait envisageable, mais pas rapidement. Quant à l'armement, ils le repoussaient à une époque très lointaine. Et, du reste, ce n'était pas leur souci principal !

Le premier à s'inquiéter fut Leo Szilard, physicien hongrois d'origine juive, réfugié en Grande-Bretagne puis aux États-Unis. Il parvint à convaincre Einstein et à le décider à écrire à Franklin D. Roosevelt, président des États-Unis (voir art. 4).

Roosevelt se laisse lui aussi persuader et, à partir de 1941, un potentiel scientifique, industriel et humain énorme est mis à la disposition de ce qui devint le *Projet Manhattan.* Tout le monde connaît la suite : trois bombes étaient prêtes en 45, dont deux furent lancées sur le Japon (et non sur l'Allemagne qui avait déjà capitulé).

A la Deuxième Guerre mondiale a succédé la *guerre froide* entre les États-Unis et l'U.R.S.S. Malgré l'opposition d'une grande majorité des physiciens, les Américains (puis les Soviétiques) ont alors entrepris la mise au point de la **bombe à fusion thermonucléaire** (ou bombe H), beaucoup plus puissante que la bombe à fission. Une course démentielle aux armements s'en est suivie, dangereuse pour l'existence même de la planète. Cette course paraît heureusement régresser depuis quelques années (voir art. 4).

La « fusion »

Il existe des réactions nucléaires, autres que celles qui proviennent de la rupture d'éléments lourds, et qui libèrent des énergies importantes.

La « fusion », utilisée aujourd'hui dans les bombes H, résulte de la réunion de deux noyaux d'hydrogène pour donner un noyau d'hélium.

$$\underbrace{{}^{2}_{1}H + {}^{2}_{1}H}_{\text{hydrogène lourd (ou deutérium)}} \rightarrow \underbrace{{}^{3}_{2}He}_{\text{hélium}} + \underbrace{{}^{1}_{0}n}_{\text{neutron}} + \textbf{énergie}$$

Autre réaction possible :

$$\underbrace{{}^{2}_{1}H}_{\text{deutérium}} + \underbrace{{}^{3}_{1}H}_{\text{hydrogène « super-lourd » ou tritium}} \rightarrow \underbrace{{}^{4}_{2}He}_{\text{hélium}} + \underbrace{{}^{1}_{0}n}_{\text{neutron}} + \textbf{énergie}$$

Ce sont les réactions qui, se produisant en permanence, sont les sources des énergies du Soleil et des Étoiles. **Pour une même masse initiale, la fusion dégage environ 4 fois plus d'énergie que la fission**. Elle est plus difficile à obtenir (aujourd'hui même impossible, de façon non brutale) car elle se produit dans un milieu porté à une température d'une centaine de millions de degrés. Dans une bombe H, cette température est obtenue par l'explosion d'une bombe A, servant de détonateur.

Le débat énergétique

L'**énergie**, sous ses multiples formes, c'est ce qui alimente l'économie, mais aussi la vie quotidienne de la société. Le XIXe, et davantage encore le XXe siècle, ont vu régresser la part de l'énergie humaine (« *du travail vivant* », pour employer une expression marxiste) et augmenter celle de « *l'énergie inorganique* » (Marc Bloch), même si certains produits de base (charbon, pétrole...) sont d'origine organique. Ces deux cents années ont été marquées par un **productivisme** (*produire pour produire*, et toujours davantage), qui s'est surtout soucié des profits récupérés (même dans les pays qui se disaient *socialistes*) et fort peu des conséquences d'un système pareillement débridé, non plus d'ailleurs que des quantités de matériaux consommés (voir art. 9 et 25).

L'alerte donnée par des groupes qui annonçaient l'épuisement prochain de diverses ressources (le pétrole, notamment) et divers événements politiques ont mis à l'ordre du jour, principalement à partir de 1972, une discussion entre experts, économistes et politiciens, sur l'éventuelle diversification des sources énergétiques, sur les économies possibles... Dans les problèmes posés (en plus de celui des ressources), figuraient les risques entraînés par les dégagements accrus des résidus des combustions (le gaz carbonique, notamment — voir art. 9). L'idée d'un recours grandissant à l'**électricité**, comme *vecteur énergétique*, a été avancée.

L'énergie nucléaire de fission

Dès la fin de la Deuxième Guerre mondiale (le premier **réacteur nucléaire** a été construit par Enrico Fermi, en 1942, à Chicago dans le cadre du *Projet Manhattan*), des programmes d'utilisation pacifique du nucléaire ont été définis, principalement pour produire de l'électricité (pour mouvoir des bateaux, etc.). Une **centrale nucléaire** ne diffère pas, quant à son principe, de ses équivalentes au charbon, au pétrole ou au gaz. Une source de chaleur chauffe un *fluide caloporteur* (de l'eau, la plupart du temps, qui est vaporisée). Celui-ci, directement ou indirectement (un échangeur de chaleur peut être utilisé), fait tourner une **turbine** qui actionne ensuite l'**alternateur**, qui produit l'électricité. C'est une **machine thermique** (voir art. 22) comme les trois autres citées. La différence est que la source de chaleur, au lieu d'être un foyer (ou des brûleurs...), est une réaction nucléaire.

Il existe, du fait de choix scientifiques et technologiques différents, plusieurs modèles de centrales : selon la nature du *combustible* (c'est-à-dire du *matériau fissile*), celle du fluide caloporteur, et celle du *ralentisseur* (ou *modérateur*) de neutrons. Le type actuellement le plus répandu, le P.W.R., est à eau pressurisée, le modérateur et le fluide caloporteur étant tous deux de la vapeur d'eau sous pression. Le rendement **affiché** de ce modèle est de 33 %.

Il est impossible d'accorder une quelconque crédibilité au coût du kilowatt-heure nucléaire, annoncé par les sociétés productrices (E.D.F. en France). Toutes les dépenses ne sont pas prises en compte (en particulier celles qui concernent l'investissement) ; l'estimation des sommes à dépenser après la fermeture définitive de la centrale (de 15 à 35 ans, selon les experts) n'est jamais évaluée. En tout état de cause, cette énergie n'est certainement pas moins onéreuse que celle issue du charbon, et sans doute pas non plus (du moins pas beaucoup, cela dépend du taux mondial du baril) que celle provenant du pétrole.

Les problèmes que pose le nucléaire de fission sont considérablement minimisés par ses partisans (de gros intérêts — financiers et militaires — sont en jeu). Il en est deux qui sont plus graves que les autres.

L'un concerne les **déchets** (c'est-à-dire les produits qui restent dans le *cœur du réacteur* quand la réaction n'est plus intéressante). Certains d'entre eux demeurent radioactifs — donc dangereux (voir art. 9) — pendant des milliers, voire des millions, d'années. Ils sont *retraités*, enrobés dans des enceintes en principe protectrices, stockés (dans des endroits... discutables, et pas toujours contrôlables). Le nombre de centrales augmentant, bien évidemment, la quantité de déchets s'accroît aussi. **La question est, aujourd'hui, sans solution.**

L'autre est relatif aux **accidents possibles.** Ils sont plus ou moins graves, mais aucun n'est complètement inoffensif. Il est probable que, depuis trente ans, des accidents ont été dissimulés. Toujours est-il que des catastrophes très graves sont surve-

Schéma du réacteur P.W.R.

Le combustible est de **l'uranium enrichi** (l'uranium naturel est un mélange d'uranium 235 et d'uranium 238 ; la proportion d'uranium 235 est ici un peu augmentée par rapport à celle de l'uranium naturel ; l'uranium 238 est, de toutes façons, dans un cas comme dans l'autre, en proportion beaucoup plus forte). **Le modérateur est de l'eau. Le fluide caloporteur est de la vapeur d'eau sous pression.** Pour ralentir (et éventuellement arrêter) la réaction, des barres en matériau absorbant les neutrons (du **bore**, en général) peuvent être descendues dans le cœur du réacteur. Il existe 2 circuits d'eau pressurisée indépendants ; le premier recueille la chaleur au contact du cœur ; elle est communiquée à un deuxième circuit dans un échangeur. Le cœur est protégé par une enveloppe d'acier. Cette enveloppe et le premier circuit d'eau sont enfermés dans une enceinte en béton.

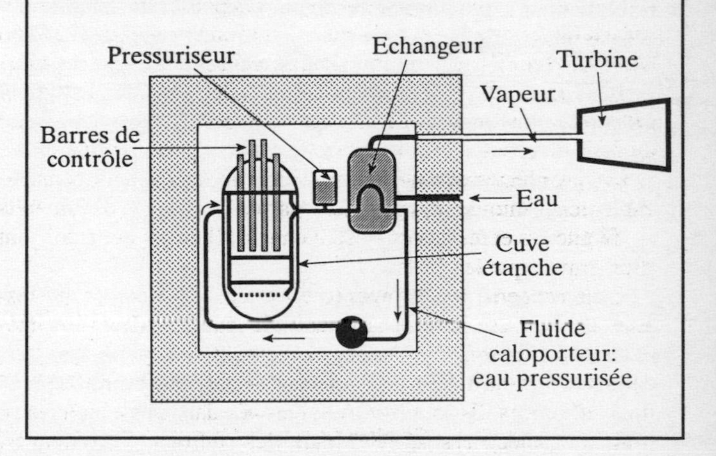

nues aux États-Unis, à Three Miles Island (1977) et surtout en U.R.S.S. à Tchernobyl (1986). Cela pourrait être encore pire. Le danger est accru, en France, par le nombre de sites : plus de 50, sur un territoire de 550 000 km^2.

L'étude de tous les systèmes techniques montre (voir les travaux de P. Lagadec) que, **quelles que soient les précautions prises, il se produit toujours des accidents** (dus à des causes diverses : défaillance technique ou humaine, événement imprévisible...), **et que la probabilité de réalisation du «*risque technologique majeur*» est très grande.**

Le recours au nucléaire de fission est donc périlleux. De plus, le produit de base — l'uranium — n'existe pas en grande quantité. Les réserves sont de quelques décennies (30 ans, peut-être un peu davantage).

L'énergie fossile

L'énergie fossile est constituée par le charbon, le pétrole et le gaz naturel. L'utilisation du charbon a beaucoup diminué depuis 1945, mais les réserves sont très importantes (plusieurs centaines d'années). Il n'en est pas de même des deux autres. Indépendamment des limites de ces ressources, les inconvénients les plus sérieux viennent des pollutions. Certaines sont réductibles (on peut, par exemple, filtrer les gaz sortant d'une cheminée, à condition d'accepter un coût de production plus important) ; par contre nous ne savons pas encore éliminer certaines autres (le gaz carbonique, CO2, par exemple). **Une forte reprise de l'utilisation de la combustion de produits fossiles poserait, sans aucun doute, de sérieux problèmes.**

Un échec* : le surgénérateur

Le surgénérateur a été, il y a quelques années, présenté comme la formule d'avenir, permettant de faire durer les réserves d'uranium aussi longtemps que celles de charbon (250 ans). Il «*brûle*» en effet de l'uranium 238, beaucoup plus abondant que le 235, mais qui n'est pas utilisable dans les réacteurs habituels. Sans entrer dans le détail des réactions, **le combustible est un mélange de plutonium 239** (qui émet, quand il se désintègre, trois neutrons rapides) **et d'uranium**. Après plusieurs réactions, **on obtient** à nouveau du **plutonium en quan-**

* Pour l'instant du moins.

tité plus importante que celle dont on disposait au départ. Le surgénérateur produit donc plus de matériau fissile qu'il n'en consomme.

La France a construit un petit surgénérateur (Phénix) à Marcoule en 73, puis Super-Phénix à Creys-Malville, dans le cadre d'une coopération internationale. Il aurait, théoriquement, dû être au point. Nombre de difficultés n'ont pas été résolues ; le fluide caloporteur est du sodium, qui est un métal dangereux. Divers accidents sont intervenus, la centrale a été arrêtée à plusieurs reprises, les partenaires de la France se sont retirés... Bref, le moins que l'on puisse dire est que l'expérience devrait être abandonnée et n'aura probablement pas de suite avant longtemps.

On peut ajouter que certains physiciens jugent que, en cas d'accident grave, le surgénérateur pourrait se comporter comme une « bombe atomique », ce qui n'est pas le cas des réacteurs les plus répandus.

Les énergies renouvelables

S'il n'y a pas dans l'immédiat — comme nous l'avons écrit plus haut — de risque de **pénurie** d'énergie, le problème de son coût, lui, se pose. D'une manière différente, bien sûr, selon les pays. Il s'agit là d'une question de ce que l'on nomme aujourd'hui la « géopolitique ». Ce n'est pas notre sujet, nous ne nous y attarderons pas. Il faut toutefois avoir son existence à l'esprit. C'est d'ailleurs un exemple de plus des interactions entre les sciences, les technologies et la politique (c'est-à-dire la vie de la société).

La mise en place d'une politique énergétique exige beaucoup de temps. Il faut aussi beaucoup de temps pour *en sortir* (si elle est jugée mauvaise ou est dépassée), c'est-à-dire pour adopter une politique radicalement nouvelle. L'exemple nucléaire est caractéristique : il faut plusieurs années pour déterminer un site, deux à trois ans minimum (une fois les études scientifiques et techniques faites, bien sûr) pour construire la centrale ; elle fonctionne ensuite pendant une trentaine d'années... En laissant de côté la reconversion (ou la démolition) ultérieure de l'équipement, un tel choix (surtout s'il comporte un nombre important de centrales, comme ce fut le cas en France de 73 à 75) conditionne l'avenir pour **une quarantaine d'années**, au minimum. Et **s'il n'y a pas de déficit énergétique actuel, il y en aura à terme.** Ne serait-ce que par suite de l'épuisement des réserves de pétrole et d'uranium. Sans oublier les problèmes écologiques qui ont déjà atteint un seuil inquiétant et qui — pour certains d'entre eux, du moins — exigeraient une réponse rapide (voir art. 9). Il y a donc, dès à présent, des formules alternatives à rechercher, en sachant que, pour certains pays, l'option prise il y a vingt ans et maintenue depuis par les gouvernements successifs, hypothèque gravement l'avenir.

Quelques solutions existent, même si certaines d'entre elles sont susceptibles d'apporter une contribution modérée aux besoins mondiaux. C'est le cas, notamment, de l'**énergie géothermique** (qui pourrait atteindre 10 % de la consommation globale, bien davantage dans certains pays et certaines régions — cf. l'Islande), de la **biomasse** ou *énergie verte* (production de gaz, de carburants ou directement de chaleur, à partir de matières organiques, en sachant que ce n'est énergétiquement et financièrement «rentable» que s'il s'agit de déchets : 10 à 15 % de la consommation), de l'**énergie thermique des mers**, de l'**énergie éolienne** (qui, du fait de son instabilité ne peut être que complémentaire), de l'**énergie hydraulique** (dans les régions où il reste suffisamment de sites intéressants à équiper, ce qui est vrai pour l'Amérique, l'Asie du Sud-Est, l'Afrique…).

L'énergie solaire et l'inconnue de la fusion thermonucléaire contrôlée

Les **cellules photovoltaïques**, qui utilisent l'énergie du soleil, promettent beaucoup pour l'avenir (au cours de la deuxième moitié du XXIe siècle selon les experts). On ne voit pas quels pourraient en être les inconvénients (ou, du moins, ils sont minimes), ce n'est pas polluant, ne présente aucun danger… (voir art. 18).

Il en est autrement de la **fusion thermonucléaire**. Les scientifiques et les ingénieurs ne savent, dans l'état actuel des choses, l'utiliser, sauf pour faire des bombes. Les difficultés d'un déroulement contrôlé de l'opération et de la récupération de l'énergie produite sont nombreuses : pour amener le plasma dans lequel se passe la réaction à la température nécessaire (plus de 100 millions de degrés C) et maintenir cette température ; pour obtenir une *densité de plasma* (c'est-à-dire le nombre d'ions par unité de volume) suffisante et durable ; pour mettre au point les matériaux capables de résister dans de pareilles conditions… Une partie des recherches relatives à la fusion n'est pas rendue publique pour des raisons militaires. Peu de scientifiques ont, de ce fait, une connaissance exhaustive de l'état de la question.

Le plasma

Le plasma est un milieu entièrement composé d'ions, d'électrons et de particules diverses. Les atomes et molécules sont tous rompus. Il est plus ou moins dense selon le nombre de particules électrisées par unité de volume (voir art. 1 et 2).

Le procédé le plus divulgué est le *confinement inertiel*. Les particules électrisées du plasma sont concentrées (ou *confinées*, d'où le terme) aux alentours de l'axe d'un électro-aimant. En Europe, une recherche associant quatorze nations est menée dans cette optique à Abinddon (Grande-Bretagne). L'instrument de ce travail est une machine baptisée le JET (Joint Européen Torus). Une deuxième voie utilise des lasers de forte puissance, mais les résultats la concernant sont *couverts par le secret militaire*.

Il n'est pas absolument certain que les conditions nécessaires à la mise au point d'un réacteur utilisant la fusion puissent être réalisées un jour. Néanmoins, quelques résultats positifs récents ont rendu les spécialistes un peu plus optimistes qu'ils ne le furent. Un succès expérimental décisif pourrait être obtenu dans une quinzaine d'années et des centrales pourraient peut-être voir le jour dans le cours de la deuxième moitié du XXIe siècle. Mais, pour l'instant, cela reste du domaine d'une science-fiction certes crédible.

Les avantages seraient nombreux par rapport aux réacteurs à fission : combustible inépuisable (l'eau) ; production plus importante ; absence de déchets, etc. Il y a aussi des inconvénients : accentuation de la centralisation de la production électrique ; maintien du risque de rejets accidentels de gaz radioactifs, etc. Il est probable que des problèmes, non perçus actuellement (ou que l'on ne rend pas publics), apparaîtront à l'usage. **Rien de ce qui a un rapport avec une énergie d'origine nucléaire (quelle qu'en soit la forme) n'est innocent.** Les problèmes énergétiques de l'humanité seraient évidemment réglés si la fusion était maîtrisée (voir art. 1, 2, 4, 9, 13, 14 et 23).

Retour à l'énergie nucléaire de fission

Pour reprendre un slogan politique connu, il faudra bien, à plus ou moins court terme, « sortir du nucléaire » (de fission). L'échéance n'est pas très lointaine sauf si, miraculeusement, les savants et les techniciens résolvaient les problèmes posés par le surgénérateur. Des solutions alternatives existent. Certaines peuvent être appliquées rapidement, d'autres demandent encore des avancées technologiques pour devenir vraiment intéressantes.

Ceci étant, nous n'avons abordé que la **production d'électricité.** D'autres sujets — qui relèvent aussi du domaine énergétique — se posent avec au moins autant d'acuité. Il en est ainsi, par exemple, de la **production de carburant** pour les automobiles. La voiture électrique sera peut-être rapidement mise au point, auquel cas nous serons ramenés à la question précédente. L'utilisation de **biocarburants** (alcool, etc.) est déjà pratiquée et pourrait être développée. Idem, en ce qui concerne des produits comme l'**essence de synthèse**, fabriquée à partir du charbon. Il ne semble pas que, dans l'immédiat, les **moteurs à hydrogène** soient technologiquement au point. Quand ils le seront (ce qui paraît envisageable), plusieurs obstacles seront levés : celui des réserves (l'hydrogène serait fabriqué à partir de l'eau, surtout par électrolyse — voir art. 2) ; celui de la pollution (la combustion de l'hydrogène ne donne que de l'eau)... Mais nous retrouvons **le recours à l'électricité** comme *vecteur* intermédiaire et, par conséquent, les questions abordées dans le présent article. Après coup, le sentiment de l'analyste est que l'**on aurait pu faire l'impasse sur le nucléaire de fission** sans, pour autant, changer fondamentalement les sociétés contemporaines, mais c'est de *la rétrofiction* (cf. B. Cazes, *Histoire des futurs*).

REPÈRES

C.F.D.T., *Le Dossier électronucléaire*, Paris, Seuil, 1980.

GOLDSCHMIDT, B., *Le Complexe atomique. Histoire politique de l'énergie nucléaire*, Paris, Fayard, 1980.

JORLAND, G. (dir.), *Des technologies pour demain*, Paris, Seuil, 1992.

JUNGK, R., *Plus clair que mille soleils*, trad. franç., Paris, Arthaud, 1958.

LAGADEC, P., *Le Risque technologique majeur*, Paris, Pergamon Press, 1981.

REID, R., *Marie Curie, derrière la légende*, Paris, Seuil, 1979.

ROSMORDUC, J., *Matière et énergie*, Paris, Messidor/La Farandole, 1991.

WEART, S., *La Grande aventure des atomistes français. Les savants au pouvoir*, trad. franç., Paris, Fayard, 1980.

WITKOWSKI, N., (dir.), *L'État des sciences et des techniques*, Paris, La Découverte, 1991.

L'Énergie nucléaire en questions, collectif (Ministère de l'Industrie), Paris, Le Cherche-Midi, 1991.

La Recherche sur les énergies nouvelles, collectif, Paris, Seuil, 1980.

▶ **Accélérateur de particules, Atome, Bioéthique, Écosystème, Laser, Relativité, Technoscience.**

17. Onde

Le terme onde, *dans son acception scientifique, est fréquemment utilisé. De même que des expressions dérivées : longueur d'onde, front d'onde... Il désigne le plus souvent un ébranlement, une perturbation* ***périodique****, qui se propagent dans un milieu matériel.*

L'un des cas les plus anciennement connus est celui du son. Celui de la lumière — assimilé à une onde par analogie avec le son — se complique à cause de l'impossibilité devant laquelle se trouvent les physiciens de mettre en évidence le milieu qui vibre (appelé éther).

*La naissance et le développement de l'électromagnétisme au XIXe siècle conduisent à la définition de l'onde électromagnétique et au champ électromagnétique par Maxwell, et à la démonstration, par ce dernier, des quatre équations de propagation de ce champ. La théorie quantique lui est aujourd'hui appliquée dans le cadre de l'*électrodynamique *quantique.*

La définition triviale d'une **onde** est relativement facile à formuler : **c'est une modification (un changement, ou une perturbation) d'une grandeur physique, qui se déplace dans un milieu** (matériel, évidemment). On peut l'opposer à un mouvement de **matière** : à des projectiles qui se déplacent, par exemple. Ici la matière ne se déplace pas latéralement (elle reste sur place, si l'on veut). C'est l'une de ses caractéristiques qui change, et cette modification se déplace, à une certaine vitesse et à une certaine distance (qui peut être limitée... ou non). Certains ajouteront que le mouvement de ladite perturbation est synonyme d'un déplacement d'énergie. Ce qui oblige à définir ce dernier concept et n'est pas véritablement simple (voir art. 16).

Quand la matière elle-même, dont l'une des caractéristiques se modifie, est perceptible, on se trouve devant un problème d'une difficulté... modérée. Cela se complique, comme dans le cas de la lumière, quand l'onde se propage sans support matériel défini.

S'il s'agit d'une perturbation très brève, d'une impulsion et non d'un phénomène durable, on ne parle en général pas d'onde. Ce terme reste, en fait, attaché la plupart du temps à un phénomène répétitif (fréquemment continu) et, en étant plus précis, **périodique**. Nous nous limiterons à ce sens, même si cela peut, en toute rigueur, être contesté (cas des ondes de choc, des ondes sismiques...).

Les caractéristiques d'une onde

« *Archélaos... fut le premier à avoir expliqué la voix par une vibration de l'air...* » écrit Diogène Laërce, lointain commentateur des philosophes grecs de l'Antiquité. L'une des difficultés (voir ce que nous avons écrit par ailleurs sur l'anachronisme), est de savoir ce que l'auteur entend par « *vibration* ». Le traducteur a simplement utilisé le mot qui, en français du XXe siècle, lui paraissait exprimer le mieux (ou le moins mal) le terme grec original.

Le dictionnaire d'aujourd'hui (le *Larousse*, par exemple) traduit *vibration* par : « *Mouvement périodique d'un système matériel autour de sa position d'équilibre* ». On peut admettre que, sans être aussi précis sur la formulation, le philosophe antique ait bien eu une telle conception de la vibration. Un diapason, une corde d'instrument de musique, vibrent. Ce que l'observateur perçoit est du domaine des sensations. Et, en reprenant le même dictionnaire, nous lisons comme définition scientifique de l'onde : « *Nom donné aux lignes et aux surfaces atteintes à un instant donné par un ébranlement ou par une vibration qui se propage dans l'espace* » (ce qui fait apparaître une confusion entre la « *surface d'onde* » et l'onde elle-même).

Nous allons nous intéresser aux ondes qui traduisent la propagation d'une vibration (phénomène périodique). L'onde formalisée la plus simple est **sinusoïdale**.

Une onde est doublement périodique. Elle est périodique **dans le temps :** les différentes caractéristiques de la perturbation physique qui se déplace reprennent (chacune d'elles) la même valeur, à intervalles de temps réguliers égaux. La portion de la courbe qui représente graphiquement la fonction se reproduit à l'identique à chacun de ces intervalles, et cela aussi long-

Le sinus et les lignes trigonométriques

La fonction *y = a.sinus x* vient d'une partie des mathématiques — **la trigonométrie —** dont de premières bribes existent dans l'astronomie de l'Antiquité, puis dans l'optique géométrique et chez les mathématiciens et astronomes des pays musulmans. Une forme proche de son expression actuelle lui a été donnée, au début du XVIIe siècle, par le Français François Viète. On peut définir le sinus d'un angle de la manière géométrique simple suivante. Soit un triangle rectangle ABC (l'angle droit, c'est-à-dire de 90°, est en B). Le sinus de l'angle A est :

$$\text{sinus A} = \frac{BC}{AC}$$

(ou sin. A, en abrégé)

C

90°

A B

C'est donc un rapport de longueurs, dont la valeur est la même, quelle que soit l'unité choisie pour exprimer les longueurs (pour employer le langage des physiciens, les **lignes trigonométriques** — sinus, cosinus, tangente, cotangente — sont des grandeurs *sans dimension*). Le sinus de l'angle est égal à zéro pour A = 0, 1 pour A = 90°, à nouveau à zéro quand A = 180°, à - 1 quand A = 270° et à zéro quand A = 360°. Donc y = a sin A est égal à 0 ; a ; 0 ; - a ; 0.

Il y a une vingtaine d'années, les libraires vendaient des **tables trigonométriques** qui donnaient, minute d'angle par minute d'angle (ou seconde par seconde), les valeurs des sinus, cosinus… des angles (presque toutes les calculatrices électroniques les déterminent maintenant). Leur valeur se retrouve périodiquement. On comprend donc que les lignes trigonométriques (le terme *ligne* semble, à première vue, un peu curieux) se prêtent particulièrement bien pour **représenter mathématiquement** les phénomènes périodiques.

Le graphique représentant la fonction y = a, sinus x (a est une valeur numérique, l'allure de la courbe serait la même si l'on posait a = 1) est la suivante :

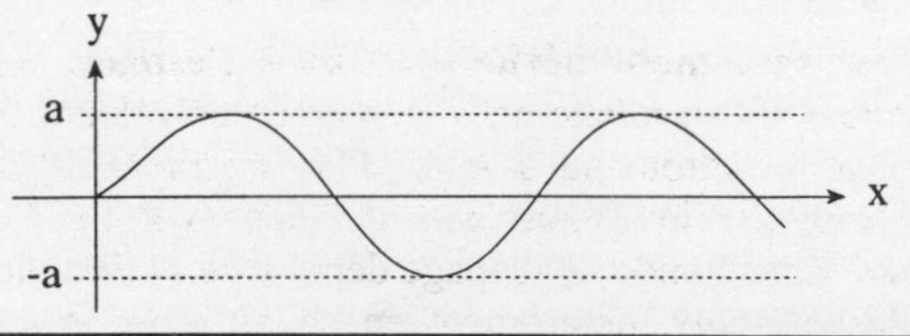

temps que dure le phénomène. L'intervalle de temps en question est la **période** et est fréquemment représenté par la lettre T. La fréquence est le nombre de périodes/seconde, donc N = 1/T. On exprime la fréquence en Hertz, ou dans ses multiples : KiloHertz (10^3) ; MégaHertz (10^6) ; GigaHertz (10^9...).

Les unités d'angles (et de temps)

Les unités qui représentent les grandeurs physiques sont **décimales** depuis l'adoption du **système métrique** à la fin de la Révolution française (1795 et 1799). Les multiples et sous-multiples de l'unité de base sont les valeurs de cette unité multipliées par 10, 100..., et divisées par 10, 100... Les seules exceptions (la tentative avait également été entreprise mais a échoué) sont le temps et les angles, dont les divisions sont **sexagésimales.**

L'angle qui correspond à une rotation complète vaut 360 degrés. Chaque degré vaut soixante minutes d'angle, chaque minute vaut soixante secondes d'angle.

Les unités relatives au temps combinent des données astronomiques et des choix arbitraires. L'année solaire moyenne est de 365 jours 1/4 (soit, dans la pratique, 3 années de 365 jours et une de 366). Un jour fait 24 heures. Chaque heure est divisée en 60 minutes, et chaque minute en 60 secondes.

Ces divisions sexagésimales sont héritées de Sumer et de Babylone.

Le système légal d'unités est actuellement le **Système International** (S.I., ou système Giorgi, périodiquement mis à jour). Le système métrique (d'ailleurs resté incomplet) n'a jamais été reconnu par tous les pays. Il n'en demeure pas moins la première tentative d'unification d'un ensemble d'unités qui, auparavant, étaient très disparates et incohérentes.

Elle est également périodique dans l'espace. Si l'onde se propage dans un même milieu, les mêmes valeurs des caractéristiques se retrouvent à intervalles réguliers de distance. A condition que le milieu soit isotrope (s'il ne l'est pas, la manière dont l'onde se propage dépend de sa direction. C'est le cas des *cristaux*, notamment en ce qui concerne la lumière

— voir art. 6). Il peut arriver aussi (c'est même, très fréquemment, ce qui se passe dans la réalité) que le milieu soit (ne serait-ce qu'un peu) **absorbant** pour l'onde. Auquel cas l'intensité de celle-ci s'affaiblit progressivement.

Autres caractéristiques d'une onde : l'**amplitude** (**a** sur le graphique de l'encadré), qui diminue progressivement si le milieu est absorbant ; la **vitesse** de propagation V (qui dépend du milieu, pour une onde donnée) ; la **longueur d'onde**, souvent représentée par la lettre grecque λ (lambda), qui est la distance parcourue par l'onde pendant une période. $\lambda = V.T.$

Le **front de l'onde** est la surface constituée, à un moment précis, par tous les points atteints, à ce moment-là, par la perturbation. Ce front peut, dans certains cas, constituer une surface (surface d'onde) simple. Par exemple, une lumière partant d'une source ponctuelle située dans l'air et se propageant dans toutes les directions a une surface d'onde qui est une sphère.

Ondes mécaniques

Les exemples fréquemment donnés dans les traités élémentaires de physique sont les ondes qui résultent du jet d'une pierre dans l'eau.

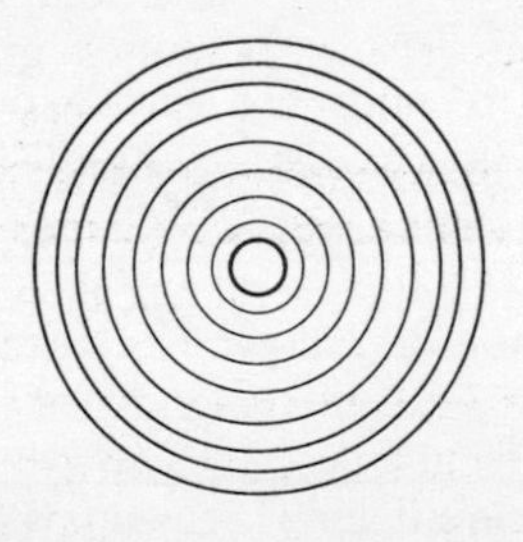

Il s'agit d'oscillations verticales des particules d'eau, la vibration se déplaçant, elle, longitudinalement. La vibration est donc *transversale* par rapport à sa direction de propagation. Avec des causes différentes, la houle, les clapotis, etc., sont des phénomènes du même type.

L'intérêt historique et physique de l'étude des sons est évident. Pythagore (Ve siècle av. J.-C. ?) et ses disciples, essentiellement connus comme mathématiciens, ont, semble-t-il, étudié les sons et les rapports entre les grandeurs les caractérisant (du moins, pour celles d'entre elles qu'ils définissaient et déterminaient ; les Grecs ne mesuraient presque pas — les physiciens, du moins, c'est-à-dire aussi les philosophes). Archélaos, cité plus haut, était pythagoricien.

Quand on regarde vibrer certaines cordes d'un instrument de musique, la persistance de l'image de la corde sur la rétine de l'œil (où elle ne s'efface pas instantanément) dessine très nettement le fuseau qui marque les amplitudes maximales des oscillations. Les pythagoriciens ont déterminé des gammes, c'est-à-dire des rapports numériques réguliers entre certains sons. Ce qui cadrait d'ailleurs très bien avec leur philosophie qui imaginait un monde entièrement gouverné par les mathématiques.

Le (ou les) dieu(x) des pythagoriciens est (ou sont) mathématicien(s), si ce n'est la Mathématique elle-même qui est dieu.

Rappelons, de plus, que l'acoustique des théâtres grecs était remarquable : cela peut se constater encore dans celui d'Épidaure. Cela ne suppose pas une connaissance scientifique très poussée, dominant la nôtre, contrairement à ce qu'affirment les ouvrages ésotériques — comme ils le font, d'ailleurs, pour la pyramide de Khéops et divers autres grands monuments anciens. Les «*secrets*» (s'il y en a) de ces architectures sont une grande patience, de multiples essais, une grande habileté, bref un empirisme bien codifié et transmis de maître à disciples.

Les mêmes qualités acoustiques se retrouvent, et pour les mêmes raisons, dans les cathédrales et les cloîtres du Moyen Age. Et, dans l'architecture des salles de spectacle, l'empirisme régnait encore en maître il y a peu de temps (il faut remarquer, du reste, qu'il n'existait pas, encore récemment, de formations d'ingénieur acousticien en Europe). Les techniques actuelles de calcul peuvent, bien sûr, compléter ce qui était jadis surtout le résultat de tâtonnements.

Si c'est la philosophie des sciences de Platon qui a, pour l'essentiel, été influencée par les pythagoriciens, leur réflexion sur les sons est surtout reprise par Aristote. Il entreprend une réflexion globale sur le mécanisme des sensations (voir art. 13), en s'inspirant certes de sa connaissance du *toucher*, mais surtout de celle de l'*ouïe*. Le raisonnement relatif à la vue (et donc, par conséquent, à la lumière), par analogie avec l'ouïe (c'est-à-dire avec le son), en est un résultat. Le son est la conséquence de vibrations élastiques des molécules d'air, de solides, de liquides (c'est-à-dire de milieux matériels au sens courant du terme). Les savants qui ont étudié (dans le cadre de l'étude de la propagation des ondes dans les fluides, et donc de la mécanique de ces derniers) l'acoustique aux XVIIe et XVIIIe siècles (Galilée, Mersenne, Huygens, Newton, Taylor…), ont établi les équations de propagation de ces ondes. Ces physiciens affirment que la vibration sonore est *longitudinale*, c'est-à-dire parallèle à la direction de propagation de l'onde. La forme de raisonnement (inspirée par Aristote) détermine en fait aussi la direction de la vibration lumineuse (voir art. 13). **Elle ne peut**, elle aussi, **être que longitudinale** (puisque la lumière est, selon Fresnel, une onde qui se propage dans un fluide, *l'éther*). Cette analogie a constitué un véritable *obstacle épistémologique* pour le créateur de l'optique ondulatoire (dans le sens donné par cette expression par G. Bachelard, voir art. 21).

Dans le domaine propre de l'acoustique, le XIXe siècle a été marqué par les études physiologiques de l'Allemand Helmholtz sur l'ouïe et le son. Parmi les déterminations de l'époque figure en particulier celle de la «*bande de fréquences*» à laquelle l'oreille humaine est sensible (entre 15 Hertz et 20 000 Hertz). Dans le domaine théorique l'acoustique a bénéficié (comme du reste tout ce qui concerne les mouvements périodiques, quels qu'ils soient) des travaux du mathématicien Joseph Fourier.

Les apports des technosciences du XXe siècle (et particulièrement ceux de l'électronique — voir art. 8, 12, 14, 18 et 24) ont changé les conditions d'émission et de réception des sons. Il est devenu possible de les amplifier. La théorie acoustique, néanmoins, n'a pas profondément changé. Elle était, pour l'essentiel, élaborée dans le cadre de la science classique.

Joseph Fourier

Joseph Fourier, pendant un temps préfet de l'Isère sous Napoléon 1er (et également auteur de travaux sur la propagation de la chaleur), a notamment montré que **l'on peut transformer, en une somme de fonctions trigonométriques** (dont les termes s'expriment par des expressions comportant des sinus ou/et cosinus), **une fonction périodique quelconque**, à condition qu'elle soit continue ou comporte un nombre « fini de discontinuités finies ».

Dans ces conditions, si l'on est à même d'effectuer le calcul desdites fonctions, on peut ramener un problème posé par une fonction périodique compliquée (ce qui est fréquemment le cas des sons naturels) à une somme de problèmes où les fonctions sont en sinus et cosinus et sont, en général, moins difficiles à résoudre. Il est certain que les instruments actuels de calculs rendent possibles des résolutions (ou tout au moins des déterminations de valeurs numériques) qui étaient auparavant inaccessibles aux scientifiques et aux ingénieurs.

Les ondes électromagnétiques

Le raisonnement sur la lumière, tenu par analogie avec le son (voir art. 13), nécessitait l'existence d'un *milieu matériel* entre la source lumineuse et l'œil. Les physiciens déduisaient les caractéristiques de ce milieu des propriétés de la lumière. Depuis le XVIIe siècle, il était nommé *éther*. Les découvertes de la fin du XVIIe, davantage encore celles du début du XXe, la très grande vitesse de propagation de la lumière, ont rendu plus compliqué le *modèle* de ce milieu. Il était néanmoins, à ce stade, indispensable aux physiciens.

Naissance et débuts de l'électromagnétisme

Les techniques de production des charges électriques étaient connues au XVIIIe siècle (voir art. 2 et 13). Mais la durée de vie d'une étincelle électrique — et donc la circulation des charges — était de l'ordre de la fraction de seconde.

L'éclair

La nature électrique des *éclairs* (au cours des orages) a été vérifiée expérimentalement par Benjamin Franklin en 1743. Il a, par la même occasion, inventé le *paratonnerre*.

En 1800, le physicien italien Volta présente à Napoléon un dispositif comportant deux électrodes (c'est-à-dire deux sorties, ou une entrée et une sortie, métalliques). En rejoignant ces électrodes par un fil *conducteur* (la distinction entre matières bonnes conductrices des charges électriques et corps très mauvais conducteurs, ou pas conducteurs du tout, c'est-à-dire *isolants*, a été faite au XVIIIe), de l'électricité circule pendant un certain temps (très bref, dans ce cas) dans le fil. Le **premier générateur électrique** est né.

Cette circulation, dans le cadre d'une science qui voit des *fluides* un peu partout, est appelée **courant électrique**. Elle est détectée à l'époque grâce à des pattes de grenouilles dépouillées de leur peau, qui se contractent quand le courant passe. A côté de l'**électrostatique** qui s'intéresse aux charges immobiles (ou presque), l'**électrodynamique** peut maintenant se développer. Ses lois élémentaires sont démontrées par Ohm en 1827.

La pile de Volta

La pile de Volta était constituée par un empilement (d'où son nom), alternativement de plaques de cuivre, de zinc et de carton imbibé d'eau salée. Plus il y a de cellules de base de ce type, plus l'énergie fournie par la pile est élevée. **C'est**, en fait, **un exemple de transformation d'énergie chimique en énergie électrique.** Elle durait peu de temps parce que le passage du courant électrolysait l'eau salée. Des piles plus durables (Daniell, Leclanché, etc.) ont été inventées au cours des décennies suivantes. L'accumulateur (qui réalise, d'une autre manière, le même type de transformation) est inventé par Sinstede en 1854, puis par Planté (accu au plomb) en 1859.

La pile et l'accumulateur délivrent un **courant continu**, c'est-à-dire circulant toujours dans le même sens.

En 1820, le physicien danois Oersted réalise l'expérience simple suivante : il dispose d'une pile qu'il branche à différents dispositifs conducteurs. Un interrupteur permet d'ouvrir et de fermer le circuit. L'interrupteur ouvert, Oersted oriente une des portions de fil parallèlement à une boussole qu'il laisse à cet emplacement (sur l'aimant et la boussole, voir art. 11).

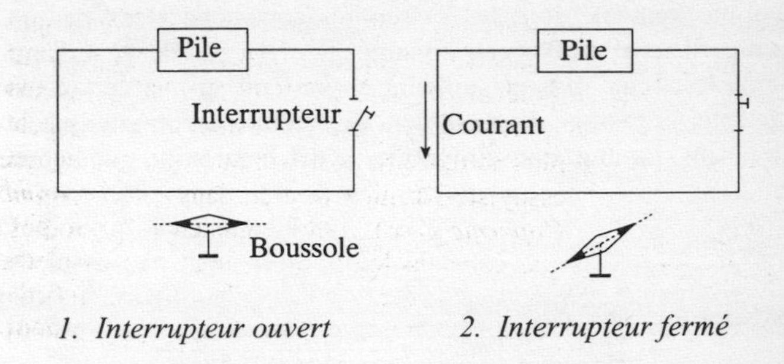

1. Interrupteur ouvert *2. Interrupteur fermé*

Il ferme l'interrupteur, laissant donc le courant parcourir le circuit. Instantanément, la boussole tourne d'un certain angle. Expérimentalement, Oersted constate que l'angle grandit si ce que les physiciens nomment l'*intensité* du courant augmente. Il diminue si le manipulateur éloigne la boussole du circuit.

Pour l'instant, tenons-nous à la constatation : **une circulation d'électricité produit, à distance, un effet magnétique** (lequel se traduit par un phénomène mécanique : la rotation de l'aiguille).

Oersted a mis en évidence une relation entre l'électricité et le magnétisme (soupçonnée et recherchée depuis longtemps par quelques physiciens). Au cours des années qui ont suivi, une foule d'expériences a été effectuée, créant encore une branche nouvelle : l'**électromagnétisme**.

Faraday et l'induction (1831)

Parmi le très grand nombre d'expériences de l'Anglais Faraday (c'était un manipulateur très inspiré et très adroit), nous allons en décrire deux, effectuées en 1831, parce qu'elles marquent une évolution capitale.

Il dispose tout d'abord d'un circuit, constitué par un long enroulement en spirale de fil conducteur (un solénoïde ou bobine longue), dont les extrémités sont connectées par un autre fil, et d'un barreau aimanté. Il n'y a pas de générateur dans le circuit. Il a par ailleurs un système lui permettant de détecter le passage d'un courant, de déterminer son intensité et son sens. Le tout étant immobile, le détecteur n'indique aucun courant.

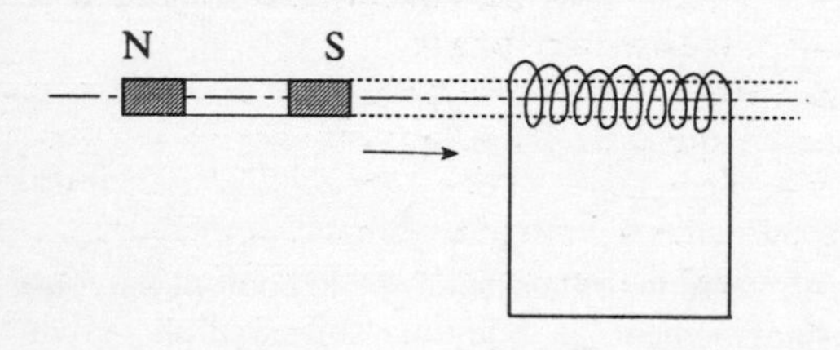

Faraday déplace alors régulièrement l'aimant, de manière à ce que son axe soit confondu avec celui de la bobine. Un courant se manifeste dans le circuit, et son intensité augmente au fur et à mesure que l'aimant s'approche du circuit. Il s'annule si Faraday arrête son mouvement. Il réapparaît — mais en sens inverse du précédent — si le physicien retire l'aimant par un mouvement semblable à celui de la première phase de l'opération.

Il dispose ensuite d'une *bobine plate*, c'est-à-dire d'un enroulement circulaire de fils isolés, l'épaisseur de la bobine étant (au contraire de la précédente) faible par rapport au rayon des boucles. Il dispose, en face du plan de la bobine, un barreau aimanté qui peut tourner autour d'un axe. Il a encore, bien sûr, un détecteur de courant ; l'entrée et la sortie de la bobine sont reliées par un fil conducteur. En l'absence de tout mouvement, il n'y a aucun courant dans le circuit. Faraday fait alors tourner régulièrement l'aimant autour de son axe. Le fil est parcouru par un courant. Il y a deux phases dans l'expérience.

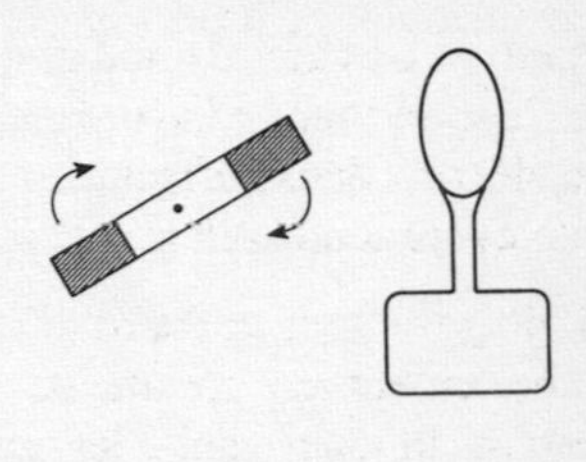

Dans la première, Faraday fait tourner l'aimant de manière à rapprocher le pôle Sud de la bobine. L'intensité du courant augmente, est maximale quand le pôle Sud est au plus proche de la bobine, puis diminue jusqu'à s'annuler quand l'aimant est parallèle au plan de la bobine. C'est ensuite le pôle Nord qui fait ce que faisait précédemment le Sud. On constate le même phénomène, mais **le sens du courant est opposé à ce qu'il était pendant la première phase.**

Dans les deux cas, c'est le déplacement de l'aimant par rapport au circuit **qui a créé un courant** (depuis Faraday on dit qu'il **induit** un courant et le phénomène est appelé **induction**). A noter que l'on peut remplacer l'aimant permanent par un circuit parcouru par un courant (ce qui découle de l'expérience d'Oersted).

En raisonnant de manière intuitive, on peut dire que, dans tous les cas, quelque chose que l'on pourrait appeler « la quantité de magnétisme » qui traverse le circuit (on dit plutôt le flux d'induction magnétique) a varié. Cette variation a induit un courant dans le circuit.

Il faut noter en passant que ces expériences permettent de définir le principe du générateur de courant continu (la dynamo), celui du générateur de courant alternatif (l'alternateur) et, à l'inverse, celui des moteurs électriques.

Le concept de champ

A partir de Faraday, le concept de champ commence à se constituer. Il est déjà sous-jacent à l'acceptation de l'idée d'action à distance, même s'il n'est pas encore explicité.

Prenons un cas simple, celui d'une charge électrique q, située en un point A d'un espace par ailleurs parfaitement vide. La présence de cette charge modifie ce que nous appellerons « l'état » de l'espace du point de vue électrique. La preuve en est que, si je place, en un autre point B du même espace situé à une distance r de A, une autre charge q' (par exemple de même signe que q), q' est soumise à une force de répulsion :

$$f = k \cdot \frac{qq'}{r^2}$$

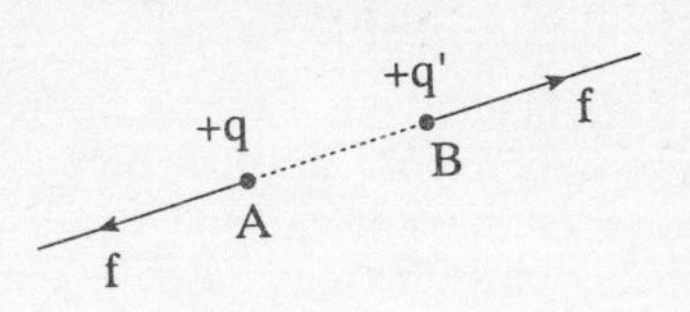

alors que rien ne se serait passé si q n'avait pas été en A.

On peut exprimer cela en disant que q produit dans l'espace un **champ électrique**. La relation ci-dessus *(loi de Coulomb)* démontre que ce champ est proportionnel à q et inversement proportionnel au carré de la distance à A.

Un barreau aimanté, de même, produit au voisinage un **champ magnétique**. C'est-à-dire que sa présence modifie les propriétés magnétiques qu'avait auparavant l'espace considéré. On peut dessiner (ou matérialiser, si l'on veut) ce champ, en plaçant au voisinage des petits grains allongés de limaille de fer. Ils se comportent comme de minuscules aimants et dessinent les *lignes de champ magnétique* (Faraday parlait des « lignes de force ») sur une feuille de carton.

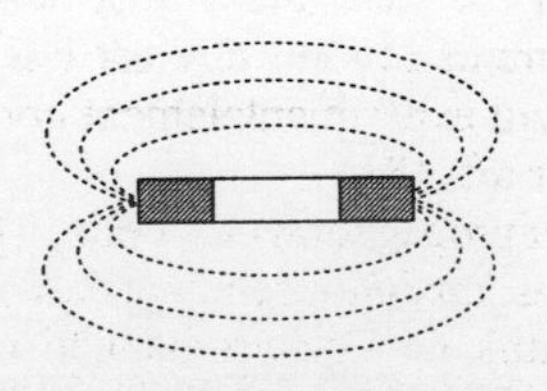

Quand un courant alternatif parcourt une bobine de fil, on se trouve dans un cas similaire à celui de la deuxième expérience de Faraday, décrite plus haut. Un courant alternatif change de sens un certain nombre de fois par seconde (50 fois pour le courant distribué par E.D.F.) et ses différentes caractéristiques (intensité, tension…) sont des fonctions sinusoïdales du temps. Les perturbations électriques et magnétiques, produites dans l'espace environnant, constituent donc un **champ électromagnétique**, périodique, et qui se propage dans ledit espace. Il s'agit donc, selon les indications données plus haut, d'une **onde électromagnétique**.

La théorie de Maxwell

Maxwell, reprenant les travaux des physiciens antérieurs (Gauss, Ampère, mais surtout Faraday) a, sur la base des formules établies par eux (mais comme conséquences de leurs travaux expérimentaux), entrepris d'établir les équations de propagation de ce qui deviendra effectivement chez lui le **champ électromagnétique**. Il y est parvenu dans le cadre d'une série de mémoires, publiés de 1855 à 1865. Ses équations sont au nombre de quatre. Elles font apparaître toutes les grandeurs électriques et magnétiques du milieu traversé par l'onde. Connaissant les différentes données qui caractérisent le milieu, on doit pouvoir — à condition, évidemment, d'être capables de résoudre lesdites équations — déterminer quel est, au temps t, l'état électrique et magnétique de l'espace considéré au point choisi.

En 1864, déterminant par la théorie la vitesse de son onde, Maxwell trouve qu'elle est égale à celle de la lumière dans le vide. Il en conjecture que **la lumière est une onde électromagnétique**, ce qui sera expérimentalement confirmé par Hertz à partir de 1885 (voir art. 18).

Pour expliquer la propagation de l'onde, Maxwell a invoqué, comme les opticiens, un *éther*, rendu encore plus complexe par l'ajout des impératifs de l'électromagnétisme et de ceux de l'optique, assez proche de celui de Newton par certaines de ses conceptions. La théorie de la *Relativité restreinte* (1905) ne recourt pas à l'hypothèse de l'éther. On est donc amené à conclure que **la réalité matérielle**, qui se propage dans l'espace (vide d'air, éventuellement) et explique les effets produits, **est le champ lui-même**.

Conceptions modernes

L'introduction de l'hypothèse quantique, la théorie de Louis de Broglie et les développements qui ont suivi, ont conduit à quantifier aussi les théories électromagnétiques. Le quantum (ou le quanton, en utilisant le terme retenu par F. Balibar et J. M. Lévy-Leblond) de l'onde électromagnétique (ou du champ électromagnétique qui se propage, si l'on préfère) est le **photon**. La théorie, transposition quantique de celle de Maxwell et extension à l'infra-atomique, est l'**électrodynamique quantique**. « *C'est la théorie physique la plus précise et c'est aussi l'une des plus grandes réalisations de l'intelligence humaine* » (F. Balibar, M. Crozon, E. Farge) (voir art. 1, 2, 11 et 18).

REPÈRES

BALIBAR, F., CROZON, M., et FARGE, E., *Physique moderne*, Paris, Messidor/La Farandole, 1991.

BAUER, E., *L'Électromagnétisme, hier et aujourd'hui*, Paris, Albin Michel, 1945.

DE BROGLIE, L., *Matière et lumière*, Paris, Albin Michel, maintes fois réédité.

MAITTE, B., *La Lumière*, Paris, Seuil, 1981.

▶ **Accélérateur de particules, Atome, Cristal, Doppler (Effet-), Gravitation, Laser, Photoélectrique (Cellule-), Thermoluminescence.**

18. Photoélectrique (Cellule-)

La production d'électricité, due au choc de photons de lumière sur certaines substances (le silicium, par exemple), a été observée à la fin du XIXe siècle par le physicien allemand Henrich Hertz. A cette époque, il terminait aussi la vérification expérimentale des équations de propagation des ondes électromagnétiques, démontrées par James Clerk Maxwell une trentaine d'années auparavant.

Le phénomène photoélectrique, non expliqué par Hertz, fut interprété par Einstein (1905) et Millikan (1913). Chez Einstein, il apparaît aussi comme une confirmation de l'hypothèse des quanta de Max Planck, formulée en 1900 pour rendre compte des contradictions qui apparaissaient entre la théorie et l'expérience dans l'étude du rayonnement thermodynamique.

Le remplacement des tubes à vide, de l'électronique de la première moitié du XXe siècle, par les semi-conducteurs a aussi contribué à la mise au point des cellules photovoltaïques, dans lesquelles la lumière fait également apparaître un courant électrique. Ce sont, probablement, les installations qui les utilisent qui représenteront la voie d'avenir de l'énergie solaire.

Des objets techniques utilisant, sous des formes diverses, des phénomènes de photoélectricité, se rencontrent aujourd'hui fréquemment. Et dans la matière vivante, la présence d'organismes fonctionnant grâce à l'énergie de la lumière est répandue (voir art. 25). Leur connaissance, par les scientifiques, n'a cependant qu'un siècle d'existence.

Les expériences de Hertz sur la vérification des équations de Maxwell

Le physicien allemand Heinrich Hertz (qui a donné son nom à l'unité de fréquence) a consacré plusieurs années à expérimenter sur les ondes électromagnétiques, et également sur certains effets de la lumière. Les équations de Maxwell restaient, pour de nombreux physiciens, du domaine des hypothèses. Les manipulations et mesures que Hertz réalise, de 1880 à 87, les confirment expérimentalement. Exemple : entre les bornes A et A' d'un premier circuit, Hertz branche une grosse machine électrostatique ou une bobine d'induction (autre source, souvent utilisée maintenant dans les automobiles). Les charges électriques arrivent aux barres métalliques T et T', et ensuite font le va-et-vient entre la petite boule s et la grosse boule S d'un côté, entre s' et S' de l'autre. Une étincelle s'installe entre s et s', émettant une **onde électromagnétique.** Un tel dispositif est l'*éclateur à étincelles*. (Le fait que notre poste de radio craque quand on produit une étincelle, par exemple en débranchant un appareil, est une vérification de l'émission d'une onde par cette étincelle.) Un autre circuit, plus petit, est constitué simplement par un fil relié à deux petits éclateurs. L'onde, émise par le premier circuit, se propage et fait apparaître des étincelles entre les bornes du circuit récepteur, dans lequel des charges électriques circulent ensuite.

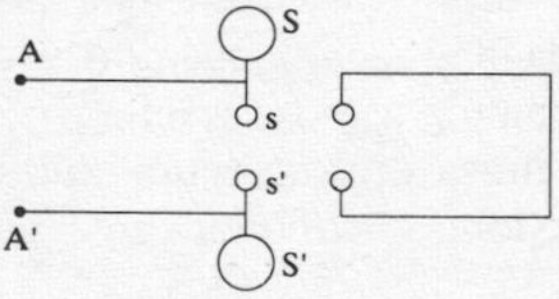

A l'aide de ce dispositif, Hertz vérifie la validité des équations de Maxwell et démontre que l'onde a bien la plupart des propriétés habituelles de la lumière. La voie est ouverte à l'essor de l'une des branches importantes de ce qui deviendra l'électronique (voir art. 8, 12, 14 et 23).

De l'éclateur à étincelles au tube à vide

L'**éclateur à étincelles**, malgré sa rusticité et les difficultés de sa manipulation, est longtemps resté (pour la réception comme pour l'émission) un dispositif très utilisé. Les installations du général Ferrié à la Tour Eiffel, pendant la guerre de 14-18 (début de la fonction que la Tour joue dans la diffusion des programmes radio et télé en France), étaient munis de tels éclateurs, dont certains de la variété dite à *étincelles chantantes*.

Le **cohéreur à limaille**, surtout utilisé pour la réception, a été inventé par E. Branly en 1890. On a également utilisé (pendant assez longtemps chez les bricoleurs en radio) le **poste à galène**, ancêtre du transistor (la galène est du sulfure de plomb).

L'apparition des **tubes à vide** (*diode*, Fleming, 1904 ; *triode*, Lee de Forest, 1906), leur introduction dans les récepteurs, dans les circuits oscillants, les émetteurs et les amplificateurs, mirent fin à cet épisode de la préhistoire des communications par ondes électromagnétiques (voir art. 12 et 14).

Difficulté de l'étude du rayonnement thermodynamique et hypothèse de Planck

Constatation courante : quand on chauffe un corps, sa température s'élève. Une partie de l'énergie que le corps emmagasine est restituée à l'environnement, sous forme d'un rayonnement — dit *thermodynamique* au XIXe — qui est de nature électromagnétique. La quantité de chaleur fournie au corps (et donc la température à laquelle il est porté) influe sur la nature de l'émission postérieure, sa longueur d'onde (ou plutôt sa gamme de longueur d'onde) en dépend.

L'échelle des longueurs d'onde électromagnétiques

- **Les rayons** γ de la radioactivité (voir art. 16) : $\lambda < 0{,}5.10^{-10}$m.
- **Les rayons X** (découverts en 1895 par Röntgen) : 10^{-8}m $> \lambda > 0{,}5.10^{-10}$m.
- **Les ultraviolets** (découverts en 1802 par Ritter : $10^{-8} < \lambda < 0{,}4.10^{-6}$m.
- **Le spectre visible (à l'œil humain) :**
  de $0{,}4.10^{-6}$m $< \lambda < 0{,}44.10^{-6}$m, **violet.**
  à $0{,}62.10^{-6}$m $< \lambda < 0{,}75.10^{-6}$m, **rouge.**
- **Les infrarouges** (découverts en 1801 par Herschel) :
  $0{,}75.10^{-6}$m $< \lambda <$ une fraction de mm.
- **Les ondes submillimétriques et millimétriques** (λ de quelques fractions de mm à quelques millimètres, fréquence N de l'ordre du GigaHz à quelques GigaHertz) : utilisées par les radars, les transmissions de télévision, etc.
- **Les ondes centimétriques, métriques, kilométriques** (λ du cm à plusieurs km, N de 30 000 MHz à 10 000 Hz).

Les propriétés de ces radiations varient notablement avec la longueur d'onde.

Un exemple connu est celui d'une barre de fer chauffée pendant un certain temps ; elle est rouge sombre et réémet uniquement (ou presque) dans l'infrarouge. Elle passe ensuite au rouge clair, le spectre du rayonnement émis se décale, faisant apparaître des raies rouges, orangées, jaunes… A 2000 degrés, la barre est pratiquement blanche et le spectre comprend (en plus de l'infra-rouge et du rouge qui restent majoritaires), des raies bleues, violettes… et ultraviolettes (que l'on ne voit évidemment pas à l'œil).

Les physiciens ont essayé, au cours de la deuxième moitié du XIXe, d'établir la relation existant entre la température thermodynamique T du corps et la longueur d'onde de la radiation émise. (T, ou température Kelvin, est la température usuelle + 273,15° C. L'échelle est donc décalée par rapport à l'échelle courante. - 273,15° C est ce que l'on appelle le *zéro absolu.* ° C est le symbole du *degré Celsius*, qui est celui des thermomètres du commerce ; voir art. 22). Les lois du rayonnement thermodynamique ont, en principe, été établies pour le cas idéal du **corps noir.** Plusieurs essais de formulation de lois ont été couronnés de succès, jusqu'à la formule de Rayleigh-Jeans qui aboutissait à une contradiction entre la théorie et la réalité physique.

Le corps noir

Ce corps idéal **absorberait** la totalité des rayonnements reçus, sans rien réémettre. Il nous serait, par conséquent, totalement invisible. Du fait de cette absorption complète, il pourrait être porté à une température élevée. A l'inverse, chauffé à haute température, il serait aussi le meilleur émetteur possible (à comparer aux *trous noirs* de l'astrophysique. Voir art. 3).

Modèle possible de corps noir, dû à Wien (1895) : une enceinte bien isolée est percée d'un petit orifice. Sa surface intérieure est un miroir. Le rayon pénètre dans le corps et se réfléchit de multiples fois sans en sortir.

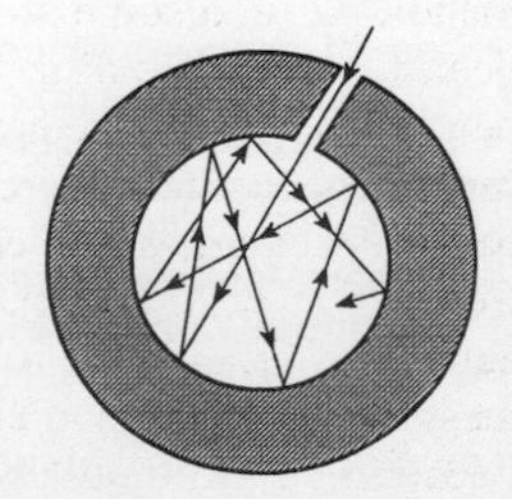

Le **rayonnement** était traité, dans le cadre de la théorie ondulatoire (voir art. 13) comme un **phénomène continu.** Le physicien allemand Max Planck, constatant que la contradiction relevée pouvait venir de ce choix, a imaginé, **mais seulement comme un artifice mathématique,** de traiter le rayonnement comme un ensemble discontinu, constitué de ce qu'il a nommé des **quanta**, c'est-à-dire des *grains d'énergie*, chacun d'eux en transportant une quantité w, proportionnelle à la fréquence du rayonnement : **w = h.N** (h est une constante, appelée depuis *constante de Planck*, et qui vaut $6{,}6261.10^{-34}$ joules/seconde). Cela n'a pas fait, dans un premier temps, un très grand bruit dans le Landerneau scientifique (Planck lui-même n'y croyant d'ailleurs pas). Il a fallu quelques années pour que, passé du statut de procédé mathématique à celui d'expression de la réalité physique, l'on s'aperçoive des conséquences considérables de l'événement.

L'effet photoélectrique

C'est, aujourd'hui, un phénomène dont les applications dans quantité de technologies ne se comptent pas. Ce ne fut, au départ, qu'une observation non expliquée de Hertz, à l'époque où il vérifiait avec beaucoup de succès la validité de la théorie de Maxwell (1887).

Un *électroscope à feuilles d'or* est un petit appareil simple, inventé par un physicien « mondain » du XVIIIe, l'abbé Nollet. Il est composé d'une bouteille de verre fermée par un bouchon isolant. Une tige métallique traverse la bouchon. Elle est terminée, à son extrémité extérieure, par une plaque ou une boule métallique, et à son extrémité inférieure (dans la bouteille) par deux fines feuilles d'or (substance très bonne conductrice) qui pendent. Hertz touche la plaque extérieure avec une tige frottée (portant de ce fait des charges, négatives par exemple). Une partie des charges descend, via la tige, dans les feuilles d'or. Celles-ci se raidissent et, chargées négativement les unes et les autres, se repoussent (c'est un instrument qui peut servir à mesurer la quantité d'électricité. Plus elle est grande, plus l'écartement des feuilles est important. Il suffit donc de l'étalonner pour en faire un appareil de mesure). Hertz pose, sur la

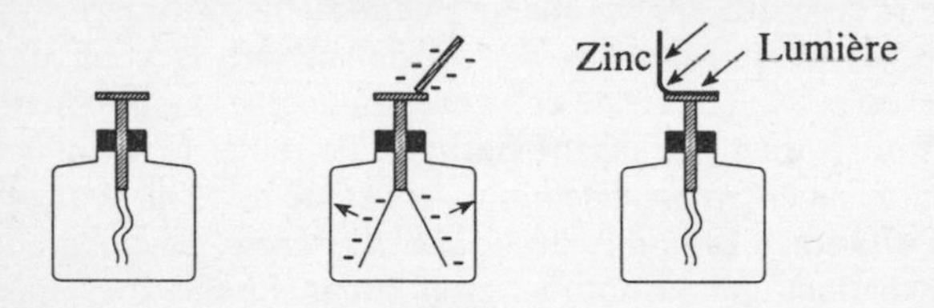

plaque extérieure, une plaque de zinc de surface relativement grande. Sans aucun effet visible. Il éclaire alors assez violemment le zinc. Les feuilles d'or se ramollissent et retombent, ce qui veut dire que les charges négatives ont été neutralisées. Le flux lumineux est donc intervenu sur la matière, entraînant des répercussions à caractère électrique ; ce que l'optique du XIXe ne laisse pas prévoir. Hertz constate que l'effet est plus marqué pour certaines longueurs d'onde que pour d'autres, mais ne lui trouve aucune explication satisfaisante.

Le mémoire d'Einstein et les travaux de Millikan (1913)

Dans la gerbe de textes géniaux (au sens ancien du terme ; « génial » est aujourd'hui devenu un terme sans force dans le langage courant) d'Einstein en 1905, figure un Mémoire sur la quantification de l'énergie lumineuse, qui permet une interprétation de l'expérience de Hertz de 1887. Le texte ne fit pas grand bruit à l'époque (c'est pourtant officiellement pour lui que le physicien eut le Prix Nobel en 1921). C'est principalement après les recherches de Millikan sur ce sujet (1913) que l'intérêt de la communauté scientifique s'accrut.

Le choc du photon sur la plaque de zinc arrache à cette plaque un (ou des) électron(s) de la périphérie des atomes du métal. Il y a donc, à ce moment, l'introduction d'un déficit d'électricité négative dans l'ensemble zinc-plateau-tige-feuilles d'or, et donc un excès de chages positives, lequel neutralise les charges négatives introduites au début de l'expérience. Le tout devient neutre et les feuilles d'or retombent.

Selon l'hypothèse de Planck, le *quantum* de lumière (l'appellation *photon* est retenue à partir de 1923) possède **une énergie d'autant plus grande que la fréquence de l'onde est élevée** (ou que la longueur d'onde est plus courte). Cela correspond bien aux constatations expérimentales. Plus la radiation possède une fréquence élevée, plus le choc des photons arrache des électrons et plus l'intensité du courant est forte. Les différentes longueurs d'onde ne possèdent pas une énergie équivalente. En reprenant, pour ce qui concerne les ondes électromagnétiques, le tableau des radiations successives (voir encadré dans le présent article et art. 16), ce sont **les rayons** γ (γ : gamma, lettre de l'alphabet grec) qui sont les plus énergétiques (et, de ce fait, potentiellement les plus dangereux) ; viennent ensuite les **rayons X** (qui ne sont pas inoffensifs, eux non plus), les **ultraviolets** (dont chacun connaît le rôle dans les «*coups de soleil*»), les radiations visibles, les **infrarouges** qui véhiculent une part importante d'énergie thermique (d'où leur utilisation pour le chauffage).

Un autre aspect de la question est la nature du matériau auquel les photons arrachent les électrons. C'est plus facile avec certaines substances qu'avec d'autres, en fonction du nombre d'électrons périphériques de l'atome (certains peuvent être pratiquement *libres* dans la substance) et de l'importance de la liaison avec les autres particules.

L'une des premières applications de cet effet a été la *cellule photoélectrique* (la première a été conçue dès 1905 par Elster et Geitel ; la cathode était recouverte d'éléments alcalins — les métaux alcalins sont le cesium, le francium, le lithium, le potassium, le rubidium et le sodium. Il faut attendre 1923 et la cellule de Zworykin pour avoir une cellule performante). C'est un tube vide (ou contenant un gaz inerte sous faible pression). La *cathode* — généralement en forme de paraboloïde — est recouverte d'une substance de fort pouvoir émissif. L'*anode* peut être une petite tige de métal. L'interrupteur étant fermé et l'ensemble dans l'obscurité, aucun courant ne passe (le circuit est interrompu, dans la cellule, entre la cathode et

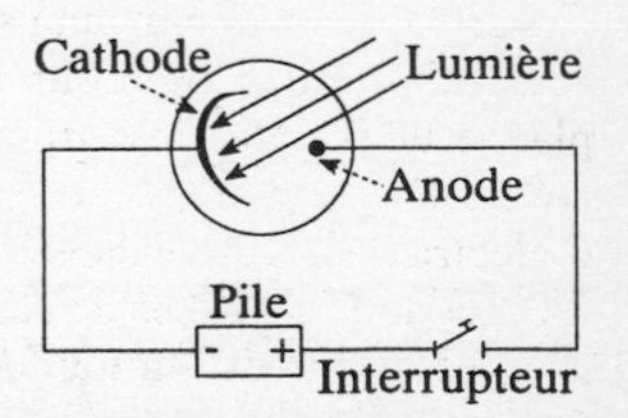

l'anode). Si l'on éclaire la cathode, du courant traverse le circuit. Son importance est plus grande si la lumière est vive, et augmente encore si la fraction de rayons violets et ultraviolets est accrue. Les **cellules photoélectriques** sont d'usage courant : ouverture et fermeture automatiques de portes ; cellules des appareils de photographie qui permettent de mesurer la lumière reçue et, par suite, de déterminer l'ouverture du diaphragme et le temps d'exposition (par conséquent, la vitesse de prise de vue, etc.).

Le cinéma parlant

L'un des premiers usages célèbres de la cellule photoélectrique a été le **cinéma parlant** (Zworykin, 1928). Sur le bord du film figurait une petite bande sombre portant l'enregistrement optique des sons émis pendant la scène dont les photographies étaient en regard. Une petite fraction de la lumière de projection était détournée pour « *lire* » l'enregistrement du son. Le décryptage utilisait une autre cellule, tout comme une cellule avait servi à effectuer cet enregistrement.

Les cellules photovoltaïques ou photopiles

Comme dans tous les secteurs qui intéressent l'électronique, la cellule à vide a été progressivement remplacée, à partir de 1950, par des dispositifs à semi-conducteurs (voir art. 14 et 16). Le principe de la **cellule photovoltaïque** a une parenté avec ce que nous écrivons par ailleurs (art. 6) sur le cristal : l'introduction d'une dissymétrie (en l'occurrence, sous forme d'impuretés) est génératrice d'un phénomène, d'un courant électrique dans ce cas.

L'élément principal de la cellule est un **semi-conducteur**. Celui-ci est une substance qui conduit faiblement l'électricité, beaucoup moins bien que les métaux, mais nettement mieux que les isolants usuels. Certains corps (silicium, germanium, etc.) sont, à l'état naturel, des semi-conducteurs. Leur **résisti-**

vité (caractéristique physique qui, en quelque sorte, mesure la résistance que le matériau oppose au passage du courant électrique et dont l'existence entraîne une déperdition de courant, ou d'énergie électrique si on préfère) est très élevée, mais il est possible de leur communiquer des qualités intéressantes en les « *dopant* ». Ce qui revient à introduire, dans la substance, des particules d'un élément convenablement choisi.

Une **pile photovoltaïque** — au silicium par exemple — est constituée par l'assemblage d'un semi-conducteur dit « **de type N** » et d'un semi-conducteur dit « **de type P** ».

Un semi-conducteur est de « **type N** » s'il contient, du fait des impuretés introduites, **un excès d'électrons** par rapport au matériau pur initial. Avec le silicium, cela peut s'obtenir en le « *dopant* » de particules de phosphore ou d'arsenic.

Il est de « **type P** » s'il a, cette fois (et pour une raison similaire), **un défaut de charges négatives :** ce qui équivaut à un excès de charges positives. Les électroniciens évoquent plutôt, à ce sujet, des « *trous* » (comprendre : un manque d'électrons). Le silicium peut être converti en semi-conducteur de « type P » en le « *dopant* », par exemple, par des particules de bore.

Une pile photovoltaïque au silicium peut être constituée d'une couche de « type P » superposée à une couche de « type N ». A la jonction entre les deux, quelques électrons de la couche N sont neutralisés par des « trous » de la couche P. La photopile comprend, outre le silicium, une grille collectrice et une plaque de cuivre.

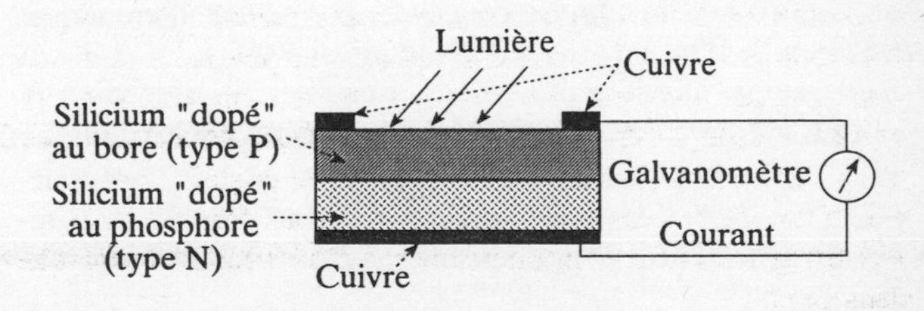

La théorie des semi-conducteurs, et donc celle de ce modèle de cellule, fait appel à la physique quantique En substance, le choc des photons de lumière arrache des électrons au silicium de la zone de transition. Du fait de la présence, précédemment, de charges négatives en excès d'un côté, et de « trous » de l'autre, un champ électrique existe dans l'objet. Ce champ fait circuler les électrons déplacés par les photons. Un courant électrique apparaît si le système a été relié à un circuit (ne comprenant pas de générateur - voir art. 14).

La première photopile au silicium a été mise au point par des techniciens de la Bell Telephone en 1954.

L'énergie solaire directe et son utilisation dans la vie des sociétés

Le mot « directe », qui figure dans le sous-titre, signifie que nous ne nous soucierons ici que de la récupération physique de l'énergie des photons. En adoptant une signification plus générale, en effet, nous engloberions les énergies fossiles (pétrole, charbon), la biomasse… et même l'énergie géothermique qui doivent toutes, au moins pour partie, leur existence à l'activité solaire.

Le soleil dispense, chaque seconde, une énergie de 380.10^{24} joules. La terre reçoit de ce flux environ 180.10^{15} joules/s, soit 15.10^{17} kilowatt-heures/an. Deux dix millièmes de cette manne suffiraient pratiquement à notre consommation actuelle (voir art. 16 et 25).

Certains procédés de récupération de cette énergie sont très anciens. Euclide (IIIe siècle av. J.-C.) écrit que les *miroirs-ardents* (c.à.d. les miroirs concaves) permettent d'enflammer de l'étoupe (voir art. 13). La petite histoire nous dit qu'Archimède aurait incendié des galères romaines à l'aide d'un tel miroir. Héron d'Alexandrie a fabriqué un four solaire dont le principe ne diffère guère de celui du four d'Odeillo, réalisé par le C.N.R.S. et E.D.F. dans les Pyrénées orientales, et transformé en petite centrale électrique. Il ne semble toutefois pas que ce procédé soit très intéressant.

Une autre technique est celle des **capteurs solaires.** Le principe ne diffère pas de celui de la serre. Un *fluide caloporteur* (de l'eau, en général) circule dans des tuyaux, sous un double-vitrage. La vitre extérieure est légèrement noircie pour absorber davantage la lumière. Chacun connaît « l'effet de serre » et l'utilité (occasionnelle) des vérandas. Quand le temps est ensoleillé, la température s'élève sous les vitres. L'eau des tuyaux chauffe et circule, aidée en cela par une petite pompe. C'est remarquablement efficace de jour, dans les régions dont le climat s'y prête, pour le chauffage des locaux, de l'eau ménagère, etc. Des installations de taille importante, dans des pays tropicaux, peuvent suffire à des usages industriels. Le tout est simple, fonctionne bien, est peu coûteux, mais exige évidemment des énergies palliatives (l'électricité, par exemple) pour la nuit et les journées peu ensoleillées.

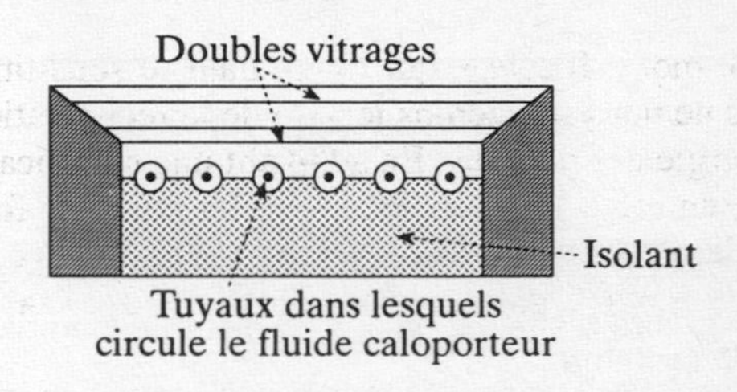

Aux dires de certains spécialistes, **l'avenir des cellules photovoltaïques serait prometteur.** Actuellement, leurs inconvénients sont leur coût et l'insuffisance de leur rendement physique. Le matériau le plus utilisé est le *silicium monocristallin*. Il est de fabrication délicate et, par conséquent, onéreuse. Le rendement de ces cellules serait de 12 % (à titre de comparaison, les moteurs thermiques courants ont des rendements de 30 à 40 %), mais il n'était que de 6 % il y a une dizaine d'années et certaines réalisations expérimentales atteindraient 23 %. Selon E.D.F. (dont les affirmations sont, il est vrai, à examiner avec circonspection), il faudrait diviser par 100 le coût du kilowatt-heure solaire pour qu'il devienne compétitif. Cela ne semble pas être l'avis des Américains, ni des Japonais et deux chercheurs du C.N.R.S. écrivaient récemment (dans *La Recherche*) : « *En 1990, la filière photovoltaïque atteint le stade de la crédibilité industrielle* ». B. Dessus écrit qu'elle « *… semble être à terme la voie royale pour la fabrication de*

l'électricité » (*L'État des sciences et des techniques*, Paris, La Découverte, 1991, p. 352).

Dans l'attente, d'autres matériaux (sulfure de cadmium, arséniure de gallium, tellure de cadmium...) sont essayés, des possibilités existeraient à partir de couches minces de silicium amorphe contenant de l'hydrogène... Aujourd'hui, les cellules photovoltaïques servent beaucoup dans les engins spatiaux, dans quelques cas ponctuels et limités (un réémetteur de télévision nigérien, par exemple), pour l'alimentation de petites calculatrices, etc. Quelques projets futuristes existent, tel celui de Glaser qui envisage de satelliser, à 36 000 km de la Terre, un engin géant

Le photovoltaïque aujourd'hui

C'est :

— une production de 42 MWc en 1989.
— une croissance de 20 à 30 % par an.
— un chiffre d'affaires de 1,2 GF pour l'ensemble de l'activité du système.

Ce sont de nombreux systèmes installés :

— 1 200 réfrigérateurs photovoltaïques.
— 3 000 pompes solaires.
— 75 000 systèmes de communication.
— plus de 100 millions de calculettes solaires.

Ce sont également :

— 30 000 maisons photovoltaïques (15 000 aux États-Unis, 15 000 en Europe, 4 000 dans les départements et territoires d'outre-mer).

Ce sont enfin :

— des centrales de 20 kW à 8 MW. Par exemple Kaw, Guyane (35 kW), Paomia, Corse (44 kW), Delphes, Grèce (5300 KW), Korbern Goundorf, RFA (340 kW), Saijo, Japon (1 MW), Lugo, États-Unis (1 MW), Carissa Plain, États-Unis (8 MW).

(extrait de M. Claverie et B. Dessus, *L'électricité solaire*, *La Recherche*, nº 24, sept. 90, p. 1016-1024).

équipé de deux ailes (de 12 km de longueur, de 4,5 km de largeur, chacune) couvertes de cellules photovoltaïques. Ceci étant, et indépendamment de l'éventuelle faisabilité de telle ou telle installation, l'avenir de l'énergie solaire ne relève pas de l'imagination fertile d'un auteur de science-fiction. C'est réalisable, la rapidité de l'exécution dépendant surtout des choix économiques, politiques, militaires… (les milliards investis dans le nucléaire ne le sont pas, c'est évident, dans le solaire).

REPÈRES

AUDIBERT, P., et RONARD, D., *Les Énergies du Soleil*, Seuil, 1978.

EINSTEIN, et INFELD, L., *L'Évolution des idées en physique*, trad. franç., Paris, Payot, 1963.

HOFFMANN, B. et PATY, M., *L'Étrange histoire des quanta*, Paris, Seuil, 1981.

ROSMORDUC, J., *Une histoire de la physique et de la chimie*, Paris, Seuil, 1985.

Id., *Matière et énergie*, Paris, Messidor/La Farandole, 1991.

ROSMORDUC, J., et BRÉZEL, P., *Histoire de l'électronique, de l'éclateur de Hertz au microprocesseur, Cahiers Maupertuis*, nº 2, C.R.D.P. de Rennes, 1985.

SEGRÉ, E., *Les Physiciens modernes et leurs découvertes — des rayons X aux quarks*, Paris, Flammarion, 1984.

WITKOWSKI, N., et coll., *L'État des sciences et des techniques*, Paris, La Découverte, 1991.

Coll., *La Recherche sur les énergies nouvelles*, Paris, Seuil, 1980.

▶ **Atome, Cristal, Informatique, Laser, Microprocesseur, Nucléaire (Énergie-), Onde, Technosciences, Vie.**

19. Résonance magnétique nucléaire (R.M.N.)

L'exploration du cerveau par les neurologues demandait encore, il y a moins de vingt ans, l'utilisation de procédés difficiles à mettre en œuvre et quelquefois dangereux (à l'exception de l'électroencéphalographie qui est parfaitement inoffensive).

Aujourd'hui, elle est faite rapidement et facilement, grâce à la scannographie d'abord puis, plus récemment, à l'utilisation de la R.M.N. Les avancées des sciences et des technologies ont souvent servi à des œuvres de mort. Dans les cas cités ici, elles permettent de prévenir et de guérir certaines maladies.

Les influences que les découvertes scientifiques exercent depuis un siècle sur de multiples domaines de la vie sociale font partie des données qui caractérisent la science d'aujourd'hui. Elles sont trop nombreuses pour que nous les abordions toutes. Leur portée en archéologie est évoquée plus loin (voir art. 24). Nous voudrions traiter ici de quelques aspects, parmi les plus spectaculaires, de la récupération de plusieurs innovations par la médecine. L'utilisation de la R.M.N. par l'imagerie médicale est l'une d'entre elles. Il y en a d'autres, et la tendance s'accentuera probablement dans l'avenir.

De l'École hippocratique au microscope de Pasteur

La médecine est-elle une science, un ensemble de techniques, un art ? Quelle que soit la réponse (si tant est qu'il y en ait une), la médecine est une activité sociale qui est étroitement tributaire de l'évolution des connaissances, notamment dans les domaines scientifiques. Sur laquelle, aussi, pèse particulièrement le poids des mentalités, comme d'ailleurs, en général, sur tout ce qui se rapporte à la naissance, à la vie et à la mort des êtres humains.

Les historiens ont quelques idées sur les connaissances médicales des anciens : plantes médicinales des différents peuples, représentations d'instruments chirurgicaux sur des fresques égyptiennes…

Le bagage du Grec Hippocrate (460-377 av. J.-C.) et de son école est déjà important. Leur savoir en *anatomie,* leur pratique aussi expérimentale que le permettait l'époque, justifient le serment que prêtent en principe à Hippocrate les médecins actuels.

La médecine du Moyen Age a régressé dans les pays chrétiens, en partie du fait des interdits de l'Église. Ne pouvant avoir recours aux dissections de cadavres (sinon clandestinement), les études de médecine se limitaient le plus souvent à quelques observations et aux commentaires des textes antiques. Aussi la *révolution copernicienne* affecte-t-elle la médecine comme la cosmologie (voir art. 21). L'ouvrage du médecin belge André Vésale, *Humani corporis fabrica…*, est publié la même année que celui de Copernic ; le chirurgien français Ambroise Paré (1509-1590) est lui aussi un homme de la Renaissance ; l'Anglais William Harvey — qui décrivit la circulation du sang — est contemporain de Galilée, etc. **Dans ce domaine comme dans beaucoup d'autres, les apports de la science arabe ont notablement contribué au renouveau occidental.** La médecine des pays musulmans, en effet, frappée de moins d'interdits que son homologue européenne, était très en avance sur elle à l'aube des temps modernes.

Il n'est pas utile de s'attarder sur les liens obligatoires existant entre plusieurs branches de l'histoire naturelle (l'anatomie, la physiologie…) et la médecine. Mieux l'on connaît le corps humain et son fonctionnement, mieux le médecin peut le soigner quand il est malade. De même, une meilleure connaissance de la composition des produits efficaces de la pharmacopée traditionnelle permet-elle d'en améliorer les effets. Un virage est pris quand, dans le cours du XIXe siècle, la fabrication des médicaments, vendus (et souvent confectionnés) par les apothicaires et les pharmaciens, fait appel à la **chimie.** L'histoire de l'invention de l'aspirine, à partir de l'observation des effets de la décoction de l'écorce de saule, est assez symbolique (Dreser, 1899).

Certains des savants qui marquent, au XIXe siècle, l'évolution qui a rendu la médecine de plus en plus scientifique, ne sont pas des médecins (du moins, pas uniquement). Tel Claude Bernard, physiologiste, célèbre notamment pour la formalisation de la méthode expérimentale qui figure dans son *Introduction à l'étude de la médecine expérimentale* ; tel Pasteur, cristallographe et chimiste, qui restera surtout dans l'imagerie populaire comme l'inventeur du vaccin contre la rage.

C'est à ce même Pasteur que l'on doit aussi l'usage du **microscope** au mieux de ses possibilités. François Jacob, Prix Nobel de médecine en 1965 pour ses travaux sur la biologie moléculaire (avec Jacques Monod et André Lwoff), écrivait il y a quelques années qu'un instrument scientifique reste inefficace (au moins partiellement) tant que le fond théorique, susceptible de l'exploiter, n'existe pas. Et il citait précisément l'exemple de Pasteur et du microscope. Celui-ci était, depuis le XVIIe siècle, une curiosité des laboratoires d'amateurs. Le livre, que lui a consacré le physicien anglais Robert Hooke en 1665 (*Micrographie*), est surtout une description de quelques-unes de ses propriétés.

Le microscope avait quand même permis de découvrir quantité de petits corps dont l'existence était jusque-là insoupçonnée, avait favorisé l'apparition de la *théorie cellulaire*, etc. Mais, compte tenu des améliorations que le XVIIIe siècle lui avait apportées sur le plan de l'optique, il était relativement sous-utilisé. Pasteur, en s'en servant pour étudier les microbes, lui a donné toute la place qu'il méritait à l'époque. Il a, en même temps, fait faire un bond en avant à la recherche médicale.

Les rayons X et les aventures de Marie Curie et de sa fille pendant la guerre de 14

Les rayons X ont été découverts par le physicien allemand Röntgen en 1895. Il avait constaté que le verre d'un tube, heurté par *des rayons cathodiques*, émettait un rayonnement, invisible à l'œil, mais qui impressionnait une plaque photographique. Leur nature a été élucidée par Von Laue en 1912. Il s'agit, comme la lumière, d'une radiation électromagnétique dont la longueur d'onde est comprise entre 0, 2 et 100 angström (1 angström = 10^{-10} mètre). En attendant de savoir de quoi il s'agissait, les physiciens ont vite constaté que ces nouveaux rayons excitaient la fluorescence de différents corps (d'où leur visualisation possible par des écrans convenablement traités), étaient très pénétrants et donc susceptibles de traverser des corps opaques. On s'aperçut qu'ils permettaient de voir sur un écran des squelettes d'êtres vivants. Les différents tissus et organes n'absorbant pas lesdits rayons de la même manière, on pouvait ainsi **voir** l'intérieur des corps. En comparant des images d'organes malades et d'organes sains, il devenait possible de détecter des maladies, de repérer des objets étrangers, etc.

Les rayons cathodiques

Découverts par Crookes en 1879, les **rayons cathodiques** sont émis par une cathode (d'où leur nom), dans un tube vide d'air. Ils ont été étudiés notamment par J. J. Thomson, Wilson..., etc. Jean Perrin démontre en 1895 qu'ils sont constitués par des particules portant une charge électrique négative (des *électrons*).

Les médecins virent rapidement l'intérêt des nouveaux rayons. Ils ne prirent malheureusement pas conscience des dangers qu'ils présentaient. En effet, très énergétiques, très pénétrants, ils peuvent brûler, détruire des cellules, ioniser les molécules vivantes et déclencher des cancers (des leucémies, en particulier). Nombreux furent les médecins qui, à plus ou moins long terme, payèrent de leur vie leur ignorance sur ce sujet et, quelquefois, leur insouciance ultérieure.

Un épisode spectaculaire de cette utilisation est celui dont les héroïnes furent Marie Curie et sa fille Irène. La période 1870-1914 a été, en Europe, marquée par un nationalisme exacerbé, souvent outrancier dans ses manifestations (écoutez, par exemple, les chansons populaires de l'époque). Un résultat en fut cette horrible boucherie de la guerre 14-18 (encore que l'on

Les rayonnements « ionisants »

L'unité utilisée pour évaluer approximativement l'effet d'un rayonnement sur une substance vivante est le rem. Les doses admises par les règlements internationaux (normes discutables car l'effet des rayonnements, notamment à long terme, est impossible à prévoir) sont de 0,17 rem/an (dose moyenne) et de 0,5 rem/an (dose maximale) pour la population, et de 5 rem/an (répartis sur tout le corps) pour un professionnel du nucléaire. Une absorption accidentelle de 100 à 250 rems pourrait entraîner des troubles légers, de 250 à 400 rems des troubles graves (risque mortel), la mort étant probable au-dessus de 600 rems et certaine à 800 rems (source : C.F.D.T.).

Le corps humain émet environ 25 milli-rem/an, les terrains et les roches de 30 à 1 000 milli-rem/an, l'espace (rayons cosmiques, etc.) de 30 à 200 milli-rem/an, un poste de télévision de quelques milli-rem à 10 milli-rem et **une radioscopie de 50 à quelques centaines de milli-rem par radio.**

A titre de comparaison, au voisinage immédiat d'une centrale nucléaire **fonctionnant normalement** (c'est-à-dire en l'absence de tout incident, sans rejets accidentels d'effluents radioactifs dans l'air ou dans l'eau) la dose annuelle moyenne serait de 1 à 5 milli-rem (chiffres E.D.F., donc *a priori* suspects, parce qu'ils sont communiqués pour défendre — souvent sans nuances — une politique énergétique contestée) (voir art. 16).

ait fait pire depuis, dans le genre). Quand la guerre a éclaté, à quelques rares exceptions près, les pacifistes les plus convaincus se sont transformés en va-t'en-guerre virulents (lire, par exemple le courrier de Louis Pergaud*, instituteur et écrivain, tué au cours des premiers mois du conflit). Les scientifiques ont souvent voulu mettre leurs connaissances au service de l'effort militaire. C'est ainsi que Paul Langevin a travaillé sur le repérage des sous-marins grâce aux ultrasons (voir art. 8).

La contribution de Marie et Irène Curie a été plus humanitaire. Les rayons X permettaient notamment de localiser les éclats d'obus et les balles dans le corps d'un blessé. A sa demande, Marie Curie fut chargée par le ministère de la Guerre

* L'auteur de *La guerre des boutons*.

de mettre en place et de former des manipulateurs pour des équipes de radiologie. Elle ne se contenta pas de cette tâche. Secondée par Irène, elle mit très fréquemment la main à la pâte. Constatant l'effet du *radium* et du *radon* sur certaines tumeurs, elle incita au développement des services de radiothérapic dans certains hôpitaux. «*Pour la seule période 1917-1918, les postes de radiologie avaient secouru quelque un million cent mille blessés*» (R. Reid).

Le radon

Le radon est un gaz, dont la période de radioactivité est courte (2,8 jours), qui se dégage de nombreuses substances radioactives (notamment le minerai dans les mines d'uranium).

La scannographie (ou tomodensitométrie)

La constatation des effets nocifs des rayons X a amené les médecins à prendre des précautions, pour eux-mêmes et pour leurs patients. Ils mettent des tabliers de plomb (ce métal, en épaisseur assez faible, arrête les rayons X) ; les opérateurs de radiologie s'enferment dans une petite guérite protégée d'où ils peuvent commander les appareils ; de plus en plus, l'on remplace les «*scopies*» (dans lesquelles le patient restait exposé plusieurs minutes) par des «*graphies*» où, à l'aide d'un flash de quelques fractions de seconde, l'opérateur photographie la zone à observer… Dans certains cas (pour les femmes enceintes, notamment) les radios sont pratiquement interdites et, chaque fois que cela est possible, les médecins ont plutôt recours à l'échographie (voir art. 3 et 8).

Mais, résultat de l'évolution de l'électronique et de l'apparition de l'informatique, le **scanner** (le terme vient de l'anglais *to scan* = examiner, structurer) a remis les rayons X au premier plan de l'actualité. Inventé par l'ingénieur américain G. H. Hounsfield en 1968, cet appareil utilise un mince pinceau dont la source tourne autour du corps, de façon à ce que les rayons X traversent, sous différents angles, l'organe ou le tissu à étudier. A l'opposé, des capteurs électroniques reçoivent ledit pinceau, de manière à pouvoir ainsi mesurer en permanence son intensité. Les capteurs sont reliés à un ordinateur. Les différences d'absorption des rayons, par la partie du corps étudiée, sont systématiquement analysées et une image reconstituée de cette partie apparaît sur l'écran cathodique. On peut mieux visualiser la figure en la coloriant, les variations d'absorption se traduisant par des contrastes entre les différentes couleurs.

On obtient ainsi, en quelque sorte, une *coupe* de l'organe et/ou des tissus. Le dispositif pouvant se déplacer le long du corps du patient, on peut visualiser *tranche par tranche* (si l'on peut dire) la partie observée.

Les premiers scanners étaient destinés essentiellement au cerveau, notamment pour déceler la présence d'éventuelles tumeurs. On a ensuite fabriqué des scanners, dits *corps entier*, dont le champ d'investigation est plus étendu.

La R.M.N. (Résonance magnétique nucléaire)

Ce phénomène est l'un de ceux qui, à l'époque contemporaine, illustre le mieux la rapidité du processus qui mène d'une découverte de la recherche fondamentale à son application dans la vie sociale.

Découverte en 1945, séparément par F. Bloch et E. M. Parcell (ce qui leur a valu un Prix Nobel conjoint en 1952), la R.M.N. est essentiellement un sujet de recherche des laboratoires de physique jusqu'à la fin des années 50. Des spectromètres R.M.N. sont fabriqués par l'industrie des instruments scientifiques vers 1960. Les chimistes s'en saisissent, mais surtout cette fois comme outil pour l'étude de certains composés. La biologie suit, peu d'années après. Et, en 1973, l'imagerie médicale (F. Lauterbur) prend le relais.

La **résonance** est un phénomène physique qui affecte de nombreux secteurs. Il concerne ici certains *noyaux atomiques*. Sous l'influence conjuguée d'un aimant extérieur (d'un *champ magnétique*, si l'on préfère), et d'un champ magnétique périodique supplémentaire (d'intensité beaucoup plus faible que le précédent), ils sont le siège d'oscillations, émettant en retour une onde électromagnétique, faible mais détectable. Quand la fréquence du champ supplémentaire a la valeur adéquate, les caractéristiques de l'onde émise varient brutalement. Ceci est facilement repérable grâce aux techniques de la *spectroscopie* (voir art. 3, 6, 8, 13 et 17).

La résonance

Prenons, par exemple, un tambour. Il possède ce que l'on appelle une **fréquence propre** (il peut éventuellement en avoir plusieurs) qui est, en substance, celle à laquelle il vibre quand il fait le plus de bruit. Si le batteur frappe, avec ses baguettes, à cette fréquence-là, le tambour entre en résonance et produit l'effet le plus important possible.

Un cas bien connu est celui d'une troupe marchant au pas sur un pont. Ce dernier a aussi une fréquence propre de vibration. Si la cadence des militaires équivaut à cette fréquence, les vibrations du pont s'accentuent et il entre en résonance. Il peut se faire qu'il se rompe (c'est arrivé).

De manière générale, la résonance est ce qui se produit quand il y a égalité entre la fréquence propre d'un dispositif et la fréquence de l'agent (ou du phénomène) qui le fait osciller. Les effets des oscillations en sont alors quelquefois considérablement amplifiés.

Dans ce cas comme dans beaucoup d'autres, le comportement des noyaux diffère d'un élément à un autre. L'effet est particulièrement spectaculaire pour les noyaux d'hydrogène, qui dans le corps humain sont notamment contenus dans les molécules d'eau et les lipides (graisses, etc.). Les procédés, utilisés en R.M.N. par l'imagerie médicale, ressemblent à ceux de la scannographie. Les rayons X de cette dernière technique, étant de faible densité, ne sont que très peu nocifs. Les champs, utilisés par la R.M.N., semblent ne pas l'être du tout. Les images sont extrêmement précises (on distingue des détails de l'ordre du millimètre). On peut, de ce fait, repérer des tumeurs de très petite dimension, et quelquefois se prononcer sur leur nature (dire notamment si elles sont cancéreuses ou non). La R.M.N. est donc un auxiliaire remarquable de la médecine moderne.

Les spectromètres R.M.N. sont volumineux et, évidemment, très coûteux. L'application de la supraconductivité (voir art. 22) a permis de réduire les dimensions des aimants ; un équipement complet peut être aujourd'hui contenu dans un petit camion et servir à plusieurs centres hospitaliers.

Divers

La scannographie, la spectrométrie R.M.N., s'ajoutent aux techniques, maintenant nombreuses, héritées des sciences physiques : le *laser*, notamment pour la microchirurgie (voir art. 13) ; l'*échographie* et l'*effet Doppler* (voir art. 3 et 8) ; les analyses (chimiques, biochimiques, etc.) de toutes sortes ; l'analyse fonctionnelle grâce aux radio-isotopes (*scintigraphie*) ; l'*endoscopie* (les endoscopes étant réalisés grâce aux *fibres optiques*)... La liste est longue et sera certainement complétée dans les décennies à venir.

REPÈRES

BÉRÉZIAT, G., *Sciences médicales*, Paris, Messidor/La Farandole, coll. *La Science et les Hommes*, Paris, 1990.

SALEM, L. (dir.), *Le Dictionnaire des sciences*, Paris, Hachette, 1990.

▶ **Atome, Big Bang, Bioéthique, Cristal, Doppler (Effet-), Gène, Informatique, Laser, Microprocesseur, Nucléaire (Énergie-), Supraconductivité.**

20. Relativité

L'interrogation d'un échantillon significatif de personnes ayant une connaissance, même un peu floue, des idées scientifiques, classerait certainement la relativité parmi les théories dont l'existence est connue et Albert Einstein parmi les savants les plus célèbres.

*Cela tient pour partie au personnage qui a — à plusieurs reprises et à différents égards — défrayé sympathiquement la chronique. Cela tient surtout à la théorie de la relativité, qui heurte violemment le sens commun, et remet en cause deux des concepts qui sont parmi les plus courants : celui d'**espace**, et celui de **temps**. La littérature de science-fiction a, depuis le début du siècle, fait grand usage des idées d'Einstein, en s'appuyant parfois sur elles pour imaginer d'autres révolutions conceptuelles et technologiques.*

*Mais la notion de relativité n'est pas apparue en 1905. Elle a été précédée par la relativité galiléenne, elle-même formulée pour répondre à une argumentation sur l'immobilité de la Terre, soutenue depuis vingt siècles par les philosophes. Et c'est encore cette **relativité galiléenne** qui, aujourd'hui, sert de base à la plupart des calculs destinés à expédier des satellites artificiels autour de la Terre.*

En 1905 paraissent successivement, dans la presse scientifique, cinq articles d'un jeune expert du Bureau des brevets de Berne, **Albert Einstein**, 26 ans, ancien élève de l'École polytechnique de Zurich et jusqu'alors presque inconnu de ses pairs. Trois de ces articles sont mentionnés par ailleurs dans le présent livre (voir art. 5, 16, 18). Le quatrième et, pour partie l'un des trois précédents qui a un rapport direct avec lui, établissent ce qui constitue la **théorie de la relativité restreinte.** Elle représente l'une des mutations les plus marquantes, non seulement de l'histoire de la physique, mais encore de la manière dont la société conçoit l'univers (voir art. 21).

Le public connaît bien la physionomie malicieuse d'Einstein, à partir de photos prises quand il était âgé, la plus répandue étant celle où le physicien tire la langue au photographe. Les mieux informés savent aussi que les applications militaires de la science, et pour certaines d'entre elles de ses propres idées, l'ont bouleversé et qu'il a tenté de s'opposer à leur utilisation (voir art. 4).

Mais la relativité restreinte d'Einstein n'est pas la seule théorie à justifier ce vocable. Il serait plus juste de titrer, comme le fait le physicien et écrivain Jean-Marc Lévy-Leblond, *les relativités*. En sachant que leur succession conditionne l'histoire de la pensée et celle des sociétés, dans la mesure où elles concernent nos idées sur l'espace et le temps, les relations entre ces deux concepts, et par conséquent la vie sociale. *Tout phénomène se produisant dans l'espace et dans le temps*, disait au IVe siècle av. J.-C. le philosophe grec Aristote, rien n'échappe à l'impact de nos conceptions les concernant. Cela vise en particulier toutes les actions dans lesquelles ils sont directement en relation, et donc celles qui se rapportent au **mouvement**. La science du mouvement comprend la **cinématique** et la **dynamique** (qui en analyse les causes et les effets). En y joignant l'étude des équilibres (la **statique**), le tout constitue la **mécanique**. C'est la partie de la physique qui a été formalisée la première. Elle a aussi été exprimée correctement avant les autres et son influence a déterminé (parfois de manière impérative et déformante) la pensée scientifique.

Les mécaniques de l'Antiquité et du Moyen Age

Toute conception scientifique dérive, nous dit le didacticien Jean-Louis Martinand, d'une *pratique sociale de référence*. Celles de la mécanique sont assez évidentes et extrêmement nombreuses. Elles concernent les outils et armes multiples (qui, pour certains, proviennent de la lointaine préhistoire), les machines simples actionnées par les hommes et les animaux, quelquefois par le vent… L'historien des techniques Bertrand Gille nous démontre (dans *Les Mécaniciens grecs*) que ce qu'il appelle le « fond technique » des Anciens était, au IVe siècle av. J.-C., important. Il était normal que les hommes de ce temps essaient de comprendre le fonctionnement de mécanismes dont ils faisaient un usage fréquent.

La première mécanique constituée que l'on connaisse est celle d'Aristote. Il se trompe à bien des égards. Sa relation, par exemple, entre la force qui agit sur un mobile et la vitesse de ce dernier, n'est pas correcte. Environ un siècle plus tard, Archimède bâtit une **statique** qui, elle, est pour l'essentiel exacte.

Parmi les préoccupations importantes des Anciens, figurent la représentation de l'Univers, l'explication du jour et de la nuit, celle des phénomènes observés dans le ciel, etc. L'**astronomie** est en effet, avec les **mathématiques**, l'une des premières sciences dont les origines se perdent au fond du **néolithique**. Les Grecs de l'époque dite *classique* savent, sans doute depuis Pythagore (environ Ve siècle av. J.-C.), que **la Terre est sphérique.** Mais il est évident pour eux qu'elle est également **immobile et située au centre du Monde.** Ce *modèle* de l'Univers (le premier, à vrai dire, à être *rationnel* à nos yeux), implique que le système ait un haut et un bas, le haut étant bien sûr habité par les hommes.

Le néolithique

Le néolithique (jadis baptisé « époque de la pierre polie ») se situe, selon les régions du monde, entre 8 000 ans av. J.-C. et 1 500 à 1 000 ans av. J.-C. Il a débuté au Moyen Orient (Anatolie, Mésopotamie, Égypte...).

Ses caractéristiques sont l'apparition de l'agriculture, de l'élevage, d'un certain artisanat spécialisé (dont la poterie, le tissage, la vannerie...), par une sédentarisation partielle ou complète d'une partie des populations (et donc par la construction de villages, voire de villes)...

La découverte des métallurgies (cuivre, bronze, fer ultérieurement), l'évolution des moyens de production et du fonctionnement des sociétés, l'apparition de l'écriture (dans le cours du troisième millénaire av. J.-C.) marquent, après le néolithique, dans ce même Moyen-Orient, en Chine, puis en Inde, le début de **l'Histoire** à proprement parler.

Aristote observe et théorise, généralement à partir de ses constatations immédiates. Tout cela dans le cadre d'une manière de penser fort éloignée de la nôtre et intégrant volontairement des préjugés qu'aujourd'hui la science tente généralement de rejeter. Aucun être vivant n'a conscience de résider sur un corps en mouvement. Même si certaines de ses observations astronomiques, complétées par des raisonnements rendus possibles par ses connaissances de géométrie, le conduisent à affirmer la sphéricité de la Terre, **son immobilité, pour lui, va de soi.**

Quelques philosophes doutent, cependant. Le modèle induit par la Terre immobile rend inexplicable différentes bizarreries relevées par les astronomes (notamment les trajectoires apparentes de certaines planètes — Mars, Vénus, etc.). Ils proposent donc un modèle différent. C'est le cas de Philolaos, qui est approximativement contemporain d'Aristote. Ce sera, un siècle plus tard, celui d'Aristarque de Samos (que le romancier et essayiste Arthur Koestler, dans *Les Somnambules*, baptisera *le Copernic grec*). Leurs arguments sont toutefois du même type que ceux de leurs adversaires et, compte tenu du niveau de connaissance et des moyens (théoriques et instrumentaux) de l'époque, **ce sont Aristote et ses disciples qui développent des considérations pertinentes.**

Aristote éprouve cependant le besoin de **démontrer la validité** de sa thèse. Le rapport de son argumentation à la mécanique justifie d'en citer la partie centrale. Supposons que Philolaos ait raison, dit Aristote. La Terre tourne, en décrivant une orbite circulaire. Soit un personnage, immobile sur cette Terre en mouvement, et qui lance **bien verticalement** (et à une altitude suffisamment élevée) un projectile. Pendant le temps où ce dernier monte, puis descend, la Terre a tourné. Le bonhomme, lui, resté au même endroit de la Terre que précédemment, s'est déplacé en même temps que la planète. Le projectile retombe à la verticale du point d'où il a été lancé. Le bonhomme n'y étant plus, le projectile devrait

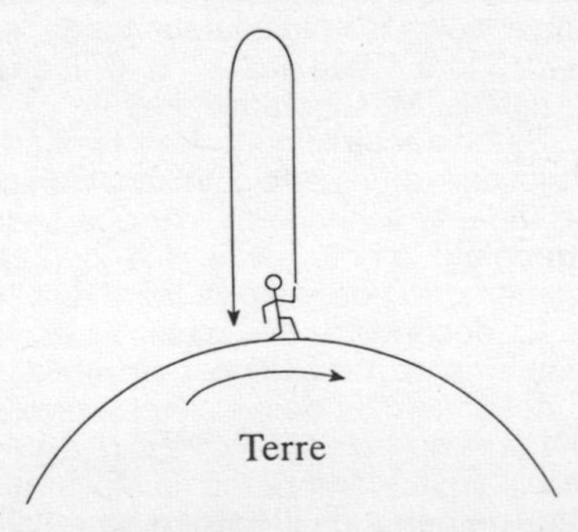

retomber derrière lui. Or, dit Aristote, **chacun sait qu'une pierre, par exemple, lancée bien verticalement, retombe dans la main du lanceur.** Donc, conclut-il, la Terre est bien immobile comme je l'affirmais, et non en mouvement comme le prétendait Philolaos.

Nous savons maintenant que la Terre tourne sur elle-même (quotidiennement) et autour du Soleil (mouvement orbital annuel). Les deux réalités ont été **démontrées physiquement**, la première par Foucault en 1851, la seconde par Bradley en 1728. Les enseignants nous l'affirment depuis le début de l'école élémentaire. Et, depuis le premier Spoutnik (1956), de multiples photos, prises à partir de satellites, ont très largement corroboré ces thèses. Il en était tout autrement à la fin de l'Antiquité et au cours du Moyen Age. Et, pour tous ceux que les observations astronomiques auraient pu conduire à douter, **la réfutation de l'argumentation mécanique d'Aristote était indispensable à terme** (voir art. 21).

La « relativité galiléenne »

Le rejet net de la cosmologie aristotélicienne (devenue ptoléméenne entre temps — Claude Ptolémée, qui a vécu aux premier et deuxième siècles de notre ère, était un astronome, physicien et géographe d'Alexandrie) a pourtant été le fait d'un astronome, le chanoine polonais **Nicolas Copernic.** En 1543 (année de sa mort), il publie un ouvrage (intitulé *De Revolutionibus Orbium Coelestium*), où il affirme que **notre système cosmologique est héliocentrique** (et non géocentrique), que le Soleil en est le centre et que la Terre tourne, comme les autres planètes, d'un mouvement circulaire autour de ce Soleil. Sa thèse est dictée par des raisons d'ordre astronomique (et, pourrait-on dire, esthétique). Il ne réfute pas la démonstration d'Aristote.

Après différents apports qui plaident en faveur du système copernicien (dont ceux de l'astronome allemand Johannes Kepler et toutes les observations nouvelles que permettront les lunettes astronomiques qui succéderont à celle dont Galilée disposera en 1609), la démonstration mécanique est apportée par le savant florentin en 1632.

Publié malgré plusieurs avertissements de l'Église, l'ouvrage de Galilée (*Dialogue sur les deux principaux systèmes du monde*), se présente sous forme de discussions entre un partisan d'Aristote et un copernicien. Plusieurs exemples, qui mettent en échec l'argumentation d'Aristote, sont développés (ils sont repris et traduits dans le livre de F. Balibar, *Galilée et Newton lus par Einstein*). Le plus connu concerne une vigie, située au haut d'un mât, et qui laisse tomber une pierre. L'auteur se place dans des conditions idéalement simples, comme on le fait souvent en physique au début d'une démarche. Dans ce cas, le bateau navigue en ligne droite, à vitesse constante, sur une surface d'eau bien plane. Il n'y a pas de vent. L'aristotélicien prétend que la pierre tombe à la verticale de la main de la vigie quand le bateau est immobile, mais en arrière du point précédent quand le bateau se déplace. Il reconnaît toutefois qu'il n'a pas vérifié par l'expérience son assertion et se réfugie derrière « *l'autorité de grands maîtres du passé* ».

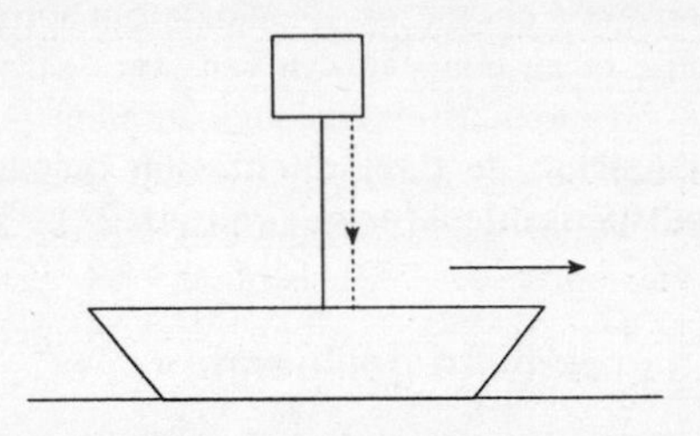

Votre raisonnement est faux, lui dit le copernicien. Faites réellement l'expérience et vous constaterez que la pierre tombe dans les deux cas au pied du mât, à la verticale de la main de la vigie. Le point de chute de la pierre sur le pont ne donne donc aucune indication sur l'état du bateau. Que ce dernier soit immobile ou qu'il soit en mouvement, ce point est le même. Et le copernicien de conclure : il en est de même à propos du mouvement de la Terre. **L'exemple d'Aristote n'a aucune valeur. Que la Terre soit immobile ou qu'elle se déplace, le projectile retombe au point d'où il a été lancé.**

Ce faisant, Galilée ne démontre pas non plus que la Terre se déplace (comme nous l'avons écrit plus haut, les expérimentations nécessaires furent réalisées en 1728 et 1851). Mais tous les apports de l'astronomie d'observation depuis la première lunette de 1609, les multiples confirmations qu'elle a fournies à la version, améliorée par Kepler (voir art. 3 et 11), du modèle

Un raisonnement approché

Les énoncés ne valent que si le bateau et la Terre ont une ligne droite comme trajectoire et circulent à vitesse constante (mouvement rectiligne et uniforme). Mais la Terre décrit une ellipse. Le raisonnement ne se justifie donc que si l'événement a lieu en un temps court par rapport à la durée globale de rotation (ce qui est le cas pour les expériences décrites). La portion de trajectoire est assez limitée pour être assimilée à un morceau de ligne droite, et la variation de la vitesse est infiniment petite. **Le raisonnement physique, contrairement à celui des mathématiques, est un raisonnement approché.**

copernicien, avaient déjà conclu le débat. Ce qui n'empêche pas l'Inquisition de condamner Galilée à la résidence surveillée à vie, après qu'il a accepté de se rétracter publiquement (le Pape vient de « réhabiliter » officiellement Galilée en 1992, 359 ans après son jugement).

La polémique de 1632 se conclut par une application de cette *relativité galiléenne* évoquée en titre de sous-chapitre. La **mécanique classique** (dite également *newtonienne* ou *rationnelle*) a été construite, à partir de la fin du XVIe siècle, d'abord par Galilée lui-même, par Stevin, Descartes, Torricelli, Pascal, Mariotte, etc. Elle a été complétée et formalisée (dans une expression dont les principes fondamentaux n'ont guère varié pendant deux siècles) par **Isaac Newton** en 1687.

L'une des caractéristiques de l'évolution de la physique au XVIIe siècle a été **la mathématisation de l'expression de son contenu** (« *Le grand livre de la Nature est écrit en langage mathématique* », dit Galilée). Des formules, des relations, des équations apparaissent là où, auparavant, il n'y avait que des discours. Une construction de Descartes en mathématiques — la **géométrie analytique** — a contribué à la mathématisation de la mécanique.

La relativité galiléenne revient à affirmer que toutes les lois de la mécanique gardent la même forme dans tous les référentiels d'inertie. Le problème de la pierre et du bateau (de même que celui d'Aristote) peut être résolu à partir de cet énoncé.

Une autre expression de ce principe se traduit par l'idée que tous les phénomènes mécaniques, quels qu'ils soient, se déroulent de la même manière dans tous les systèmes galiléens. Ce qui peut paraître, somme toute, une question de bon sens : un événement n'a aucune raison de changer parce que le repère, par rapport auquel on l'observe, se déplace à vitesse constante par rapport au repère précédent (ce que font, l'un par rapport aux autres, tous les référentiels d'inertie).

Dans l'esprit des physiciens du XVIIe siècle, toutefois, l'énoncé du principe allait (consciemment ou non) plus loin. Pour eux, tous les phénomènes naturels étaient régis par les mêmes lois (c'est-à-dire se produisaient de la même façon) dans tous les référentiels d'inertie. Dans le cas contraire, du reste, aucune étude ne nous serait accessible en dehors de la Terre. Sous cette forme généralisée, ce principe fondamental de la physique se heurtera, on va le voir, à des difficultés. Il n'est en réalité correct pour un physicien du XVIIe siècle, dans le cadre de la relativité galiléenne, que parce que, pour lui, **tous les phénomènes pouvaient** (une fois les différentes sciences suffisamment développées) **être exprimés par des lois de la mécanique.** La mécanique est **LA** science, en vérité, et toutes les disciplines n'en sont que des variantes, s'appliquant à des domaines différents.

Le livre de Newton de 1687 (*Principes mathématiques de la philosophie naturelle*) traduit également deux fondements de la mécanique classique : **le Temps est absolu** (c'est-à-dire que le nombre d'heures, de minutes qui s'écoule entre deux événements A et B est le même, quel que soit le référentiel d'inertie choisi) ; **l'Espace est absolu** (c'est-à-dire que la distance existant entre les points où se produisent ces événements A et B, est la même, quel que soit le référentiel d'inertie choisi). L'ouvrage définit aussi pour la première fois dans l'histoire) **la masse d'un corps par la quantité de matière contenue dans ce corps.**

Autre expression possible : **le temps, l'espace et la masse sont des invariantes dans des systèmes galiléens.**

Les référentiels d'inertie

Si l'on étudie le mouvement d'un projectile, il faut être capable de le situer à tout instant. Il faut savoir également calculer sa position au bout de quelques secondes, déterminer sa vitesse, les variations de celle-ci (quand elle n'est pas constante), etc. Ceci est fait, grâce à la *géométrie analytique*, en choisissant (le plus astucieusement possible, compte tenu du mouvement à étudier) ce que l'on appelle un *repère* ou un *référentiel*. Le plus courant est constitué par trois axes perpendiculaires entre eux. Soit un point M, mobile dans l'espace. On le repère en le projetant sur les trois axes Ox, Oy, Oz. Les distances entre 0 et ces 3 projections (OM_1, OM_2, OM_3) sont les **coordonnées** de M dans ce système. Une quatrième coordonnée — le **temps** — complète le tableau. Si l'on est capable d'établir les relations mathématiques qui expriment les valeurs de OM1, OM2 et OM3 en fonction du temps, l'on connaît à chaque instant la position du point. On peut aussi généralement calculer sa vitesse, quel-quefois son accélération, etc.

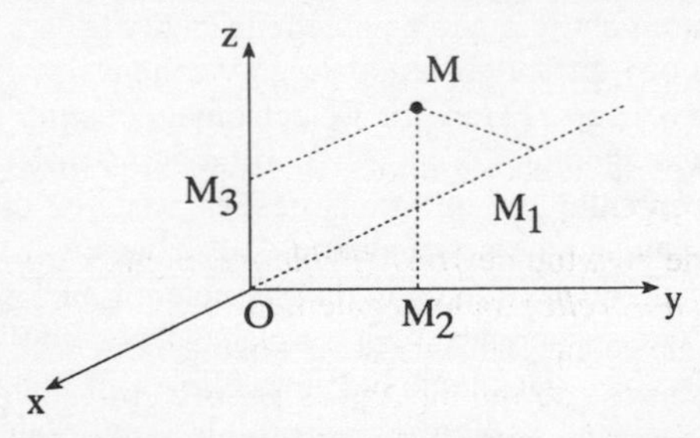

Il peut être utile — ne serait-ce que pour simplifier les expressions et les calculs — de changer de référentiel. Prenons l'exemple courant d'un voyageur qui marche dans un train se déplaçant à vitesse constante dans une ligne droite. Nous voulons calculer le temps que l'individu met pour aller au wagon-restaurant. Il est plus facile de le faire en choisissant comme référentiel les arêtes du wagon que celles d'une gare croisée en chemin. Ceci étant, ces deux référentiels sont « de Galilée » (ou encore « d'inertie »): les lois de la mécanique de Galilée (ou de Newton, dont l'une des plus connues est « la **loi d'inertie** ») sont vraies dans ces deux référentiels.

La relativité « restreinte »

Le XIXe siècle a vu naître et se développer nombre de disciplines scientifiques, soit nouvelles, soit restées jusque-là à l'état embryonnaire. Le cadre intellectuel d'ensemble était celui de la science newtonienne et les **conceptions « mécanistes »** (voir art. 5) régnaient sur la pensée scientifique. Cependant, l'essor des différentes spécialités faisait surgir périodiquement des contradictions. De toute évidence, le modèle newtonien devait être corrigé (voir art. 21). Dans une situation de ce genre (ceci est valable dans bien d'autres domaines que dans celui de l'évolution des sciences), deux attitudes peuvent, en gros, se rencontrer. La première, la plus répandue, revient à conserver le modèle ancien (ou le *paradigme* ancien, en retenant le concept défini par l'historien des sciences américain T. S. Kuhn ; voir art. 21), quitte à lui apporter des modifications de détail. Quelques contradictions sont résolues (ou paraissent l'être), certaines autres subsistent. La seconde est d'adopter un modèle nouveau (sans d'ailleurs rejeter obligatoirement le modèle précédent en totalité).

Plusieurs des difficultés rencontrées venaient des études sur la lumière (voir art. 13) et sur l'électromagnétisme. Plusieurs physiciens (Fitzgerald, Lorentz, …) ont imaginé différents artifices pour répondre aux questions posées, mais en conservant toutefois la mécanique newtonienne. Au début du XXe siècle, la situation est, du point de vue du physicien, tout à fait extraordinaire. Cette spécialité a, depuis un siècle, accompli des progrès considérables. Des branches nouvelles sont apparues, les applications se font nombreuses. Le poète Paul Valéry décrit ainsi, après coup et avec nostalgie, la situation :

> **« Les corps solides étaient encore solides. Les corps opaques étaient encore tout opaques. Newton et Galilée régnaient en paix ; la physique était heureuse et ses repères absolus. Le Temps coulait des jours paisibles : toutes les heures étaient égales devant l'Univers. L'Espace jouissait d'être infini, homogène, et parfaitement indifférent à tout ce qui se passait dans son auguste sein... La Matière se sentait de justes et bonnes lois, et ne soupçonnait pas le moins du monde qu'elle pût en changer. »**

La vitesse de la lumière

Un exemple simple, qu'Einstein utilisait fréquemment dans ses exposés publics : soit un train (fig. 1) qui se déplace horizontalement à une vitesse constante V. Un voyageur marche dans un wagon à une vitesse constante v. Nous prenons, comme référentiel (galiléen), les trois arêtes d'une gare devant laquelle passe la ligne. Si le voyageur va vers l'avant du train, sa vitesse par rapport au référentiel choisi est V + v (fig. 1). S'il va vers l'arrière du train, cette vitesse est V – v (fig. 2).

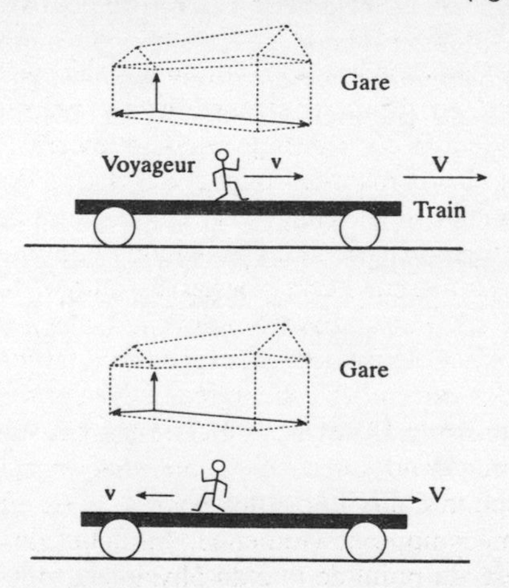

Supposons maintenant que le voyageur est immobile au milieu d'un wagon et tienne à la main une pile électrique allumée. La vitesse propre de la lumière est c. Si on lui applique le principe précédent (loi d'addition des vitesses), la lumière aura, par rapport au référentiel, une vitesse V + c vers l'avant du wagon et V - c vers l'arrière.

Or, les mesures effectuées au cours d'expériences précédentes avaient montré que **la vitesse de la lumière est constante dans le vide,** qu'elle ne dépend ni de la vitesse de la source lumineuse, ni de celle de l'œil de l'observateur (dans l'expérience décrite, le milieu traversé est l'air mais la vitesse de la lumière y est très peu différente de ce qu'elle est dans le vide).

Il y a donc, ici, contradiction entre les lois de la mécanique newtonienne et les propriétés de la lumière.

Bref, l'édifice paraissait de marbre et intangible. Il était en réalité en grande partie presque aussi vermoulu que l'Union soviétique, révélée par la tentative de putsch d'août 91.

Le Français Henri Poincaré était certainement celui qui possédait le plus d'atouts pour opérer la transformation. Mais, formé par la physique classique, il lui était difficile de franchir le pas. Son jeune confrère Paul Langevin, brillant, volontiers anticonformiste, faillit le faire mais il en fut dissuadé par son entourage. L'originalité d'Einstein le conduisit peut-être à aller au-delà des autres. La **relativité restreinte** peut se résumer (la relativité elle-même est énoncée dans le court mémoire intitulé *Sur l'électrodynamique des corps en mouvement* ; la relation entre la masse et l'énergie fait l'objet d'un autre texte) par les énoncés suivants :

1) Les lois de la physique gardent la même forme dans tous les systèmes galiléens.

On généralise donc à tous les phénomènes, quels qu'ils soient, ce qui, auparavant, ne valait en toute rigueur que pour la mécanique.

2) La vitesse de la lumière dans le vide est une constante (ou « *est invariante* »).

Elle ne peut, par ailleurs, être dépassée.

De ces principes découlent différentes conséquences, dans lesquelles on retrouve pour partie les propositions antérieures de Lorentz, Fitzgerald, précédemment évoquées. Ni le temps, ni l'espace ne sont absolus comme chez Newton. Ils sont *relatifs*… au référentiel choisi. Ils sont, de plus, reliés entre eux. Il faut, désormais, parler d'**espace-temps** (ou espace de Minkovski). **La masse n'est plus une constante.** Si le corps est immobile, elle vaut m_0. S'il est en mouvement à une vitesse v, la masse est fonction de m_0, mais aussi de v et de la vitesse de la lumière dans le vide, **c**. Le second mémoire établit, de plus, qu'une **variation de masse m équivaut à une variation d'énergie W** (à une apparition d'énergie s'il y a eu disparition de masse, ou inversement) telle que :

$$\Delta W = \Delta m.c^2$$

La lettre grecque Δ — *delta* — majuscule est fréquemment

utilisée en physique pour exprimer la variation d'une grandeur : Δ = variation de W ; l'énergie est souvent représentée par W ou par E (voir art. 16).

Longueur, temps et masse en relativité restreinte

Si m_0, l_0, t_0 sont la masse d'un corps au repos dans le référentiel 1, la longueur de ce corps mesuré dans ce référentiel, et l'intervalle de temps mesuré par un personnage dans ce référentiel, **les valeurs des grandeurs équivalentes du même objet** par rapport à un observateur immobile dans un référentiel 2*, en mouvement de translation à une vitesse rectiligne v par rapport au référentiel 1 :

$$m = \frac{m_0}{\sqrt{1 - v^2/c^2}}$$

$$l = l_0 \sqrt{1 - v^2/c^2}$$

$$t = \frac{t_0}{\sqrt{1 - v^2/c^2}}$$

v étant obligatoirement plus petit que c, v/c est plus petit que un, et v^2/c^2 est encore plus petit. $\sqrt{1 - v^2/c^2}$ est inférieur à 1, s'approchant de zéro si v se rapproche de la vitesse de la lumière. La masse à une vitesse v est donc supérieure à la masse m_0 au repos, la longueur diminue quand la vitesse croît (« *contraction des longueurs* ») ; par contre, l'intervalle de temps augmente (« *dilatation des temps* »).

* Par exemple, pour reprendre l'image du train déjà évoquée, l'objet est un voyageur immobile dans le train, et l'observateur du référentiel 2 est debout auprès de la gare.

La relativité générale (ou généralisée)

Dans la vie courante, les vitesses auxquelles nous sommes confrontés, même quand elles nous paraissent très grandes, sont très petites par rapport à celle de la lumière. v^2/c^2 (voir encadré) est alors infiniment petit et nous nous retrouvons dans le cadre de la physique de Newton.

Celle-ci n'a donc pas été rendue caduque par Einstein. Celui-ci a, en fait, bâti une physique valable quelle que soit la vitesse, celle de Newton se limitant aux vitesses nettement inférieures à 300 000 km/s (ce qui est quand même le cas le plus courant). « *C'est le plus beau sort d'une théorie physique*, écrit Einstein, *que d'ouvrir la voie à une théorie plus vaste dans laquelle elle continue comme un cas particulier.* »

Les textes d'Einstein ont été la cause de réactions hostiles, notamment chez les physiciens déjà bien établis. La négation de l'immuabilité du temps et de l'espace, celle du caractère absolu du concept de **simultanéité** de deux événements qui en dérivait également, faisaient en fait s'écrouler tout leur univers conceptuel. Les idées d'Einstein ont fréquemment été vérifiées expérimentalement depuis 1905. Dans divers phénomènes concernant les particules élémentaires, d'une part (voir art. 1), en permanence, actuellement, dans les réacteurs nucléaires et — hélas — dans les armements mis au point depuis la réalisation du *Projet Manhattan* (voir art ; 4, 16 et 23).

Les textes de 1905, toutefois, ne s'appliquent qu'aux référentiels d'inertie. Pour peu que les mouvements soient plus compliqués, que le mobile accélère, etc., leur validité tombe. La relativité restreinte se réfère par ailleurs explicitement à la géométrie d'Euclide. Einstein a travaillé de 1905 à 1916 à étendre sa théorie, en y intégrant notamment une étude de la gravitation, qui n'avait que peu progressé depuis Newton (voir art. 11).

Si la lecture des mémoires de 1905 est assez facile (les idées en sont difficiles à admettre mais les calculs mathématiques n'exigent pas de connaissances d'un niveau très élevé), il n'en est pas de même de la théorie de 1916. On peut la résumer par l'énoncé : **les lois de la physique s'expriment par les mêmes relations dans tous les référentiels, quels qu'ils soient.** Ou encore : **les phénomènes naturels se déroulent de la même manière, dans tous les référentiels.** Il faut ajouter que **l'espace de la relativité générale est courbe** (espace-temps de Riemann à quatre dimensions, la quatrième étant le temps). L'espace est incurvé par la présence d'une masse ; si cette dernière est importante, la courbure est d'autant plus grande. La plus courte distance entre deux points est une *géodésique* (et non plus une droite comme dans la géométrie d'Euclide).

Euclide

Euclide est un mathématicien de l'École d'Alexandrie (IIIe siècle av. J.-C.) auquel on doit une monumentale somme, *Les Éléments*, synthèse de toutes les connaissances mathématiques de son temps. Le postulat d'Euclide est, dans une expression moderne : « *Par un point extérieur à une droite, on peut tracer une parallèle à une droite et une seule* ». Toute la géométrie, depuis Euclide jusqu'au XIXe siècle, a été bâtie sur cette idée (ou en partant d'idées équivalentes). **C'est, en fait, notre géométrie courante,** celle qui sert à calculer des surfaces (Einstein rappelle que « *géométrie* » dérive du terme « *arpentage* »), à construire des monuments et des véhicules.

Au XIXe siècle, différents mathématiciens (Gauss, Bolyaï, Lobatchevski, Riemann) ont construit des géométries (dites *non-euclidiennes*) à partir d'autres postulats : « *Par un point extérieur à une droite, on peut mener une infinité de parallèles à cette droite* » (ou : « ... *aucune parallèle à cette droite* »).

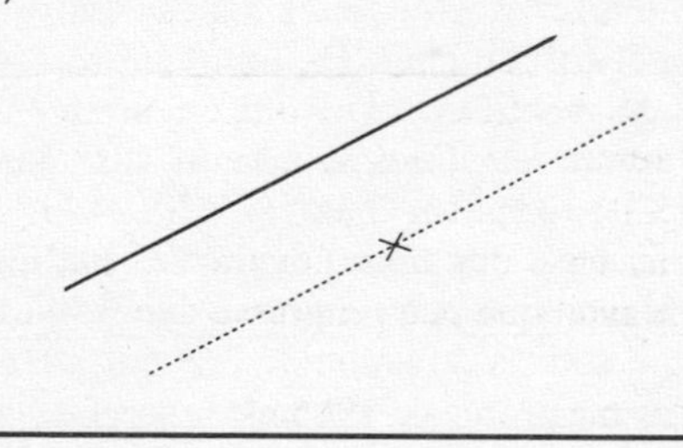

L'écart entre les thèses d'Einstein et le *sens commun* qui inspire nombre de nos pensées est encore plus grand en 1916 qu'il ne l'était en 1905. A plus forte raison, quand on sait que ce *sens commun* est encore très largement influencé par l'aristotélisme. La première confirmation physique de la relativité généralisée est due à l'astronome Eddington en 1919. Celui-ci a tenté, au cours d'une éclipse de Soleil (quand il n'y a pas d'éclipse, la lumière solaire masque les autres phénomènes), d'observer une étoile qui, pour nous, est de l'autre côté du Soleil et nous est donc cachée par ce dernier. Si la théorie d'Einstein est juste, un rayon lumineux provenant de l'étoile est incurvé par le passage au voisinage du Soleil, dont la masse est élevée. Par conséquent, ce rayon peut être vu de la Terre. C'est bien ce qu'Eddington a constaté. Les vérifications se sont multipliées depuis 1919, notamment en **physique des particules** (voir art. 1) et surtout en **astrophysique** (voir art. 3) où la relativité générale est aujourd'hui d'usage courant.

REPÈRES

BALIBAR, F., *Galilée et Newton lus par Einstein*, Paris, P.U.F.

BALIBAR, F., CROZON, M. et FARGE, E., *Physique moderne*, coll. «*La Science et les hommes*», Paris, Messidor/La Farandole, 1991.

EINSTEIN, A., *La Relativité,* trad. franç., Paris, Payot, (réédité de nombreuses fois).

EINSTEIN, A., et INFELD, L., *L'Évolution des idées en physique,* trad. franç., Paris, Payot, (réédité de nombreuses fois).

L'Espace et le Temps aujourd'hui, sous la dir. d'E. Noël, Seuil, 1989.

La traduction en français des *Œuvres complètes* d'Einstein (y compris sa correspondance) est en cours de publication aux éditions du Seuil, sous la direction de Françoise BALIBAR.

► **Accélérateur de particules, Big Bang, Doppler (Effet-), Gravitation, Nucléaire (Énergie-), Révolution scientifique.**

21. Révolution scientifique

La science ne constitue pas une description et une explication exactes de la réalité, mais une ***représentation*** *que les êtres humains construisent, par le raisonnement, à partir de leurs perceptions. La représentation spontanée que l'individu se forme initialement est rarement conforme à l'explication scientifique qu'il devra assimiler par la suite. Cette représentation initiale est souvent un obstacle dont il lui faudra s'affranchir, sans jamais y parvenir totalement.*

Pour rendre compte des propriétés d'une catégorie de l'univers matériel, la communauté scientifique se construit un ***modèle****, opératoire et efficace dans des limites précises. Quand son domaine de validité est dépassé, quand des contradictions insurmontables apparaissent, un autre modèle est nécessaire. Si la rupture est importante, le passage de l'un à l'autre se traduit par une* ***révolution scientifique****, d'amplitude variable. L'exemple type d'une révolution globale est la* révolution copernicienne *(1543 - fin du XVIIe siècle).*

Certains auteurs (l'Américain T. S. Kuhn, par exemple) utilisent des concepts différents, notamment celui de paradigme *emprunté à la linguistique.*

La représentation de l'évolution des sciences qui est retenue aujourd'hui est celle d'un progrès parfois continu, coupé par des mutations périodiques. Il s'agit, bien sûr, de la thèse épistémologique actuellement la plus répandue pour décrire l'évolution des idées scientifiques. Ce n'est pas une loi *établie, ni de l'histoire, ni — encore moins — de la nature.*

Le public contemporain, inondé d'informations par des médias souvent à la recherche du sensationnel, n'est plus étonné d'apprendre telle découverte ou telle innovation technologique extraordinaire. Par ailleurs, le terme « révolution » est galvaudé au point d'en être complètement affadi. Ce qui nous intéresse ici n'est cependant pas de savoir si les sciences progressent grâce à une succession de « découvertes » et s'il en a toujours été ainsi. Il suffit d'ailleurs de jeter un coup d'œil sur l'un des tableaux chronologiques qui figurent à la fin d'un ouvrage sur l'histoire des sciences, pour constater que le processus n'est pas aussi simple. Pour peu que l'on soit à même de juger de l'importance des différents événements, on voit rapidement que certains d'entre eux sont plus marquants, plus « révolutionnaires » que d'autres.

Les objectifs de cet article sont de préciser ce que sont les **sciences** (ce qui n'est pas aussi évident qu'il peut paraître au premier abord), et comment elles changent.

Il y a eu, au début du présent siècle et à propos de l'histoire des sciences, deux thèses opposées : celle des **continuistes** et celle des **discontinuistes.**

La première — dont le représentant le plus éminent était le physico-chimiste français Pierre Duhem — prétendait que les sciences progressent grâce à une accumulation de trouvailles et de théories successives, sans que ce processus connaisse de ruptures.

La seconde — dont les partisans sont A. Koyré, Paul Langevin, Gaston Bachelard et tous les historiens des sciences d'inspiration marxiste — pensaient que les transformations se produisent par des accumulations régulières, séparées par des mutations brutales, d'ampleurs et d'importances différentes. Il n'y a plus guère de défenseurs des idées de Pierre Duhem. De la même façon, personne ne prétend plus que les sciences évoluent en vase clos, sans interactions avec l'histoire des sociétés.

Que sont les sciences ?

Au XIXe siècle, s'est constituée, s'inspirant pour partie de la philosophie des Lumières du XVIIIe siècle, une idéologie — le **scientisme** — dont les chantres ont souvent été, notamment en France, les disciples du philosophe Auguste Comte (les **positivistes**). Parmi ses inspirateurs figurait aussi Saint-Simon (dont Comte fut d'ailleurs, un temps, le secrétaire), auteur du *Système industriel*, dans lequel il prônait l'avènement d'un capitalisme harmonieux, où s'uniraient les forces du capital et celles du travail.

En France, le courant scientiste, porté par la bourgeoisie

triomphante, rassemblait des intellectuels très influents, comme Ernest Renan, Littré, etc. En résumant sa doctrine, on peut la réduire à une phrase : **les sciences (et leurs applications technologiques) sont capables de tout résoudre.** Cela conduit, en fait, à une religion où la science remplace Dieu, mais une science que l'on a privée de l'esprit critique qui en fait la force. Une science à laquelle on a, en même temps, imposé des limitations assez étroites. Elle doit, par exemple, expliquer les processus en évitant de s'interroger sur leurs causes. Et, pour reprendre une formule de Renan, « *Elle est indépendante de toute forme sociale* », donc de la société.

Le but de la science ainsi conçue est de « dire le Vrai ». Elle permet tout, y compris de gouverner. La forme du capitalisme de la fin du XIXe et du début du XXe (le taylorisme en est une composante idéologique marquante) l'a associée, sur le plan économique et social, à un **productivisme** industriel sans frein, dont **le tiers monde paie aujourd'hui les frais,** ainsi que l'environnement dans les pays industrialisés. Influencés comme les autres, les groupes et les mouvements d'opposition ont été aussi scientistes et productivistes que leurs adversaires. Les applications militaires monstrueuses du XXe siècle, plusieurs catastrophes (l'Amoco-Cadiz, Bhopal, Tchernobyl...) ont amené quelques interrogations mais le scientisme subsiste, même s'il prend des formes plus subtiles que précédemment. Témoin l'*Appel d'Heidelberg*, signé par près de 500 personnalités en 1991 pour contrer *l'Appel de Rio* sur l'environnement (pourtant peu fiable du fait des réserves émises par des pays industrialisés parmi les plus puissants, notamment les U.S.A.).

Le taylorisme

Le taylorisme est un système basé sur les idées de l'ingénieur américain Taylor (1856-1915), visant à produire davantage et à moindre coût grâce à une **utilisation optimale des machines et des hommes**, à une spécialisation très pointue de ces derniers, devenus de simples exécutants dans un processus dont ils ignoraient l'amont comme l'aval. Une illustration du taylorisme est l'organisation des chaînes de montage des automobiles, notamment dans les usines Ford (cf. le film de Charlie Chaplin, *Les Temps Modernes*).

Pour définir les sciences, il serait justifié de généraliser les définitions que Max Planck (père de *l'hypothèse quantique*) appliquait à la physique. Il écrivait : il existe trois mondes ; le *monde réel*, présent indépendamment de nous et de la conscience que nous en avons ; le *monde de nos sens*, constitué par ce que nous percevons et par la représentation que nous nous en faisons **spontanément** ; le *monde de la science*, qui est construit par les scientifiques pour essayer de rendre compte et d'expliquer le monde réel. La science est donc **une construction de l'esprit humain** (ou, plutôt, de la collectivité scientifique — ou de ce qui en tenait lieu — à un moment donné de l'histoire).

La science n'est pas la réalité, mais elle tend à s'en approcher au fur et à mesure où elle progresse. Elle est « *l'asymptote de la vérité* », écrivait Victor Hugo.

Une asymptote

Une asymptote est une courbe qui se rapproche indéfiniment d'une autre courbe (ou d'un axe de référence), étant de plus en plus près, mais sans jamais l'atteindre. Un exemple simple en est *l'hyperbole* (y = 1/x).

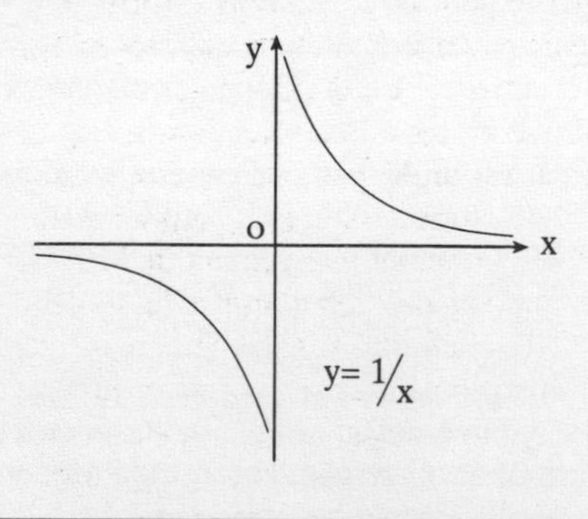

Le cas des mathématiques étant un peu mis à part (à l'exception des mathématiques anciennes), **le critère de validité d'une hypothèse et d'une théorie scientifique est**, au bout d'un certain temps, **l'adéquation à la réalité**. Dans quantité de domaines, cette adéquation se traduit de plus en plus fréquemment par la possibilité d'applications technologiques (voir art. 23). Autrement dit, pour reprendre un exemple développé dans un autre article, la théorie de l'*émission stimulée* (ou *induite*) d'Einstein est confirmée par la réalisation du *pompage optique* (Kastler et Brossel, 1950) et ultérieurement par celle du *laser* (1958-1960) (voir art. 13).

L'obstacle de la perception première

« *Quand il s'intéresse aux sciences*, écrivait Gaston Bachelard, *l'esprit est toujours vieux. Il a l'âge de ses préjugés.* » Depuis la publication par ce philosophe français, en 1930, de *La Formation de l'esprit scientifique*, les didacticiens se sont intéressés, notamment au cours des dernières décennies, à *« l'obstacle épistémologique »* (l'expression est de Bachelard) que constitue l'**observation spontanée**, commune, d'un phénomène. Constatant (ou croyant constater) pour la première fois un fait — ou ce qu'il pense être un fait, l'individu s'en construit mentalement une **représentation.** Il en retient certaines caractéristiques, ébauche inconsciemment une première explication, etc. A l'époque actuelle, les médias (et surtout la télévision) participent largement à l'information de l'intéressé. Le milieu dans lequel il vit peut accentuer sa perception, ou au contraire la combattre. Le domaine scientifique concerné peut se prêter plus ou moins à la confection de ces représentations : la physique, par exemple, y est en général assez appropriée. Un exemple caractéristique est celui, étudié dans ce livre, des modèles de l'univers et du mouvement de la Terre (voir art. 20).

La question n'est pas inhérente à la seule compréhension scientifique et Bachelard n'est pas le premier dans l'histoire à avoir attiré l'attention sur ce phénomène. Lénine, par exemple, met en garde contre ce qu'il appelle la *spontanéité* dans le domaine politique et montre qu'il s'agit, pour l'essentiel, d'une réaction dictée par l'idéologie dominante.

Mais le statut de l'expérience première est, du moins pour les événements que l'individu est à même de rencontrer dans la vie courante, particulièrement important dans le domaine scientifique. **L'apprentissage des sciences,** par la suite, **doit tenir compte de l'existence, chez l'élève, de ces représentations.** La plupart du temps, l'enfant (ou l'adolescent) est amené (avec l'aide du professeur si ce dernier est conscient de leur existence) à **se construire** ses représentations scientifiques en luttant contre ses figurations spontanées antérieures et en les évacuant le plus possible. Des psychologues ont montré que parfois, même chez des scientifiques confirmés, la représentation première subsiste, à côté du modèle scientifique devenu dominant, en le perturbant parfois.

Modèles et paradigmes

Pour se représenter un objet scientifique quelconque (« *objet* » étant pris ici au sens large et pouvant figurer un ensemble de phénomènes se rapportant à une même catégorie du réel), le chercheur se construit un **modèle**. Celui-ci peut être, pour une première approche, uniquement ce que le physicien et didacticien F. Halbwachs appelle un « *modèle-image* », c'est-à-dire une représentation figurative et qui, dans un cas simple, se limite à cette figuration. Exemple : l'atome des philosophes grecs ou même des chimistes du XIXe siècle. Les connaissances progressant, ce schéma peut continuer à convenir, mais il devient insuffisant. Le *modèle* inclut alors toutes les propriétés, les lois que l'on connaît. Le modèle de l'atome de carbone de 1890, par exemple, inclut les propriétés que l'on connaît depuis l'apparition de la *stéréochimie* (voir art. 2).

Puis, tout au moins dans un certain domaine, ce modèle, même complexifié, ne convient plus. C'est, pour l'exemple choisi, quand on découvre l'électron, puis la radioactivité. Certaines des utilisations du modèle ancien peuvent rester valables — par exemple les structures, où les atomes sont figurés par des sphères de couleur, qu'utilisent les enseignants de chimie organique pour montrer l'ordonnancement de certaines substances — mais les scientifiques savent que la représentation doit inclure l'existence des particules découvertes.

Les « modèles planétaires », notamment celui de Bohr, peuvent être partiellement considérés comme des « modèles-images ». On peut effectivement les dessiner, à condition de préciser par écrit le nombre de protons et de neutrons dans le noyau, le nombre d'électrons sur les différentes orbites, etc.

Au-delà de Bohr et de Sommerfeld, aucune image, quelque peu représentative, n'a de valeur scientifique. Les niveaux d'énergie, les nombres quantiques, cela peut s'écrire, figurer dans un tableau, mais n'entre pas dans un dessin. Le physicien a toujours son modèle, mais c'est un ensemble complexe (voir art. 1 et 2). Encore, dans ce cas, certains modèles figurables peuvent-ils encore servir, mais à condition de bien préciser leur champ de validité.

Pour d'autres phénomènes, un modèle peut être tout entier mathématique. Une onde électromagnétique dans un milieu donné, par exemple, est décrite par les quatre équations de Maxwell et les caractéristiques du milieu (voir art. 17).

En revenant sur l'exemple de l'atome, on distingue approximativement quatre périodes : de l'Antiquité au cours du XVIIIe siècle ; le XIXe siècle, jusqu'à la découverte de l'électron ; les décennies suivantes, jusqu'aux modèles de Bohr et de Sommerfeld inclus ; l'atome moderne, depuis l'essor décisif de la physique quantique. **L'on passe d'une période à une autre en changeant de modèle,** celui-ci pouvant être rectifié et complété au cours de la même période mais sans modifications fondamentales. F. Halbwachs, parle, pour illustrer ce processus évolutif d'une question scientifique, de *modèles emboîtés*, en l'illustrant par les poupées gigognes russes.

Il y a quelques années, dans un livre intitulé *La Structure des révolutions scientifiques*, l'auteur américain T. S. Kuhn présentait un schéma assez semblable, mais avec des termes différents, schéma aujourd'hui à la mode. Pour lui, une science bien validée, à un moment donné de l'histoire, part de ce qu'il appelle le *paradigme fondateur*. Il est constitué par les concepts, méthodes, raisonnements, lois fondamentales qui sont, à cette époque-là, reconnus par la communauté scientifique et qui permettent de déterminer les réponses aux problèmes posés.

Paradigme

Le mot dérive du grec *paradeigma (exemple)* et apparaît en français en 1561. Il est utilisé en grammaire, puis en linguistique en 1943 (Dictionnaire *Robert*).

Sa signification en philosophie : « *Est paradigme ce que l'on montre à titre d'exemple, ce à quoi on se réfère comme à ce qui exemplifie une règle et peut donc servir de modèle* » (*Encyclopaedia universalis*).

Le travail de Kuhn étant nettement postérieur, il semble donc avoir emprunté le terme à la linguistique.

Kuhn donne comme exemple, entre autres, le contenu essentiel de la mécanique de Galilée à Newton, assorti de la méthode expérimentale, etc. A partir de ce paradigme s'édifie, par application stricte des principes retenus et sans contradiction majeure, une **science normale**. En suivant le même exemple, c'est ce qui se passe en physique de Galilée jusqu'en 1820 environ. Puis surviennent des contradictions non résolubles ou mal résolues. **La science** en question (ou le paradigme) **est en crise.** Celle-ci se résout après une **révolution scientifique**, par l'adoption d'un nouveau paradigme (deux, en l'occurrence : le paradigme relativiste et le paradigme quantique, dans une certaine mesure complémentaires mais qu'il est parfois difficile d'harmoniser).

Une révolution scientifique globale

Il est différents types de révolutions scientifiques : certaines ne concernent qu'un phénomène et qu'une théorie (le passage de l'hypothèse corpusculaire à l'hypothèse ondulatoire à propos de la lumière, par exemple — voir art. 13) ; d'autres affectent une discipline dans son ensemble (l'œuvre de Lavoisier en chimie, par exemple — voir art. 2 ; le passage du *fixisme* à *l'évolutionnisme* chez Darwin en 1859, par exemple aussi — voir art. 25). Le processus peut rester, dans certains cas, interne à la science considérée (voir l'exemple cité sur la lumière). Le cas Lavoisier est relié à la révolution industrielle (et à la Révolution de 89 qui marque le triomphe politique de la bourgeoisie en France). Le darwinisme a joué un rôle considérable dans l'histoire des idées, très au-delà des conceptions scientifiques.

Mais, sauf dans le cas le plus restreint (qui n'en est pas pour autant moins intéressant dans le domaine scientifique), une révolution scientifique est ce que l'on appelle aujourd'hui un *phénomène de société.*

Elle l'est particulièrement quand **elle constitue à la fois une conséquence et une composante du changement.** L'exemple le plus caractéristique est ce que l'on nomme habituellement la **révolution copernicienne**, qui va en fait de 1543 à l'œuvre de Newton (1687 et 1704).

En prélude, il faut mentionner différents événements de nature diverse : l'apparition de l'imprimerie en Europe ; les grands voyages (Vasco de Gama, Christophe Colomb, Magellan…) ; la réforme protestante, l'humanisme ; les bouleversements économiques et sociaux qui, pour partie, suivent les modifications amorcées depuis le XIIe siècle ainsi que la découverte de l'Amérique. Bref, **l'époque est au changement**. Les voyages autour de la Terre ont montré les erreurs de la *Géographie* de Ptolémée, auteur symbole de la cosmologie géocentrique (voir art. 20). Malgré l'opposition (discrète dans un premier temps) de l'Église catholique (qui a intégré les thèses de Ptolémée dans le dogme), malgré celle — plus affirmée — de la jeune Église protestante, le *géocentrisme* est rejeté par Nicolas Copernic en 1543. Les modifications apportées par Copernic seront complétées par Tycho Brahé, Giordano Bruno, Johannes Kepler (voir art. 11) et Galilée.

La gravité du changement pour l'Église (c'est-à-dire pour le garant de l'idéologie dominante), n'est pas d'ordre scientifique. C'est tellement vrai que ce seront les efforts faits par Galilée à partir de 1616 pour vulgariser ses idées qui vont émouvoir le Vatican et l'Inquisition, et non le très hermétique ouvrage de Copernic. L'homme n'est plus au centre d'un univers créé pour lui par Dieu. Il est un être vivant sur une planète, tournant autour du soleil comme les autres planètes. Aucun argument d'autorité ne vaut plus. Seule l'expérimentation permet de juger de la justesse d'une théorie. Et il ne s'agit plus d'écrire de belles phrases ; il faut traduire les lois de la Nature en relations mathématiques. Une grandeur ne se juge plus qualitativement : il faut la mesurer. D'où, pour ce faire, l'invention d'appareils de mesure, de nouveaux instruments d'observation et l'apparition progressive d'un artisanat spécialisé. **Socialement et économiquement, la bourgeoisie manufacturière et marchande supplante la noblesse foncière et militaire.** L'inversion politique s'opère aussi, avec quelquefois un certain décalage : début XVIIe siècle en Hollande ; au cours de la deuxième moitié du XVIIe siècle en Angleterre ; en 1789 en France…

On peut rapidement énumérer les révolutions de cette ampleur :

• **La révolution néolithique** (8000 à 1000 A.C., selon les contrées). Incontestablement, **à dominante technique.**

• Éventuellement la période qui voit l'apparition des grands empires orientaux (Mésopotamie, Égypte, Chine, puis Inde — 4000 à 700 A.C.), et celle des métallurgies. A **dominante technique**, à un moindre degré que la précédente toutefois. Constitution d'une administration forte, d'un clergé puissant et organisé, d'une armée, et donc d'un État.

• La révolution grecque classique (VIIe-IIIe A.C.), **à dominante philosophique.**

• La révolution copernicienne, déjà traitée, **à dominante scientifique.**

On peut aussi s'interroger sur trois autres périodes, quatre peut-être :

• Celle de l'**École d'Alexandrie,** créée par les Ptolémée, dynastie d'origine hellénistique descendant d'un général d'Alexandre le Grand (Ptolémée 1er Soter) et qui a gouverné l'Égypte jusqu'à la conquête romaine. L'École a existé de 305 av. J.-C. à 640 mais sa splendeur a régressé après les 150 à 200 premières années et les derniers grands auteurs ont vécu à 100-200 de notre ère. **A dominante scientifique et technique**, mais il paraît difficile de l'identifier à une révolution, même si elle a sans doute marqué, sur le plan vraiment scientifique (plus que philosophique), la période la plus brillante de l'Antiquité.

• Celle des premiers siècles de l'Empire musulman, les califats omeyades, les premiers califats abbassides, une partie du Califat de Cordoue ; les savants sont les dignes successeurs de ceux d'Alexandrie, selon Bertrand Gille. Scientifiquement, les premiers siècles (à partir du VIIIe) sont très brillants.

• La (ou les) décennie(s) post-1900. La relativité, les quanta, l'apparition de la génétique, traduisent un bouleversement scientifique (et épistémologique) considérable. Cependant, quoi qu'on ait pu le croire un moment, la révolution scientifique n'a pas été suivie d'une révolution politico-sociale (véritable et durable, du moins). Par ailleurs, il est loisible de se demander ici si nous ne sommes pas, en fait, **en cours de révolution** et non pas installés, pour reprendre les formulations de Kuhn, dans le cadre d'une *science normale* en train de se construire progressivement (voir art. 4, 9, 12, 14, 15, 16, 23 et 25).

• L'historien Jean Gimpel expose dans un petit livre paru il y a quelques années (*La Révolution industrielle au Moyen Age*) les transformations qui ont marqué le XIIIe siècle en Europe occidentale et qui, pour partie du moins, ont achevé le « transfert de sciences » (on parle bien de « transfert de technologie », pourquoi pas de sciences) du monde musulman à l'Europe. Cela marque-t-il une « révolution » ou en sont-ce les prémisses lointains ?

Dans notre imaginaire, la *représentation spontanée* de la Révolution est « *le Grand Soir* », cher aux groupes révolutionnaires du XIXe siècle (et à quelques-uns de ceux qui existent maintenant). Il faut revoir cette conception et admettre que, pour des transformations d'une grande ampleur, **du temps est souvent nécessaire** et qu'un changement des mentalités — qui est en général indispensable — ne se fait pas en un jour.

Remarquons pour terminer cet article que **les exemples donnés,** à l'exception quelquefois des mutations internes qui n'affectent qu'une théorie ou une spécialité, **confirment le caractère social des sciences.** Elles constituent **une représentation de la nature**, mais chez des hommes qui vivent dans une société donnée. **La science est donc**, répétons-le, **une réalité sociale.**

REPÈRES

BRECHT, B., *La Vie de Galilée,* trad. franç. dans *Œuvres complètes* de Brecht.

FOUREZ, G., *La construction des sciences*, Bruxelles, De Bœck, 1989.

HULIN, M., *Le Mirage et la nécessité. Pour une redéfinition de la formation scientifique de base*, Paris, Presses de l'E.N.S. et Palais de la Découverte, 1992.

KUHN, T. S., *La Structure des révolutions scientifiques*, trad. franç., Paris, Flammarion, 1972.

Id., *La révolution copernicienne*, trad. franç., Paris, 1973.

LANGEVIN, P., *La Pensée et l'action*, Paris, Éditions Sociales, 1964.

LÉVY-LEBLOND, J. M., *L'Esprit de sel*, Paris, Fayard, 1981.

Id., *Mettre la science en culture*, Nice, ANAIS.

Id. *Autocritique de la science*, Paris, Seuil, s. d.

▶ **Accélérateur de particules, Atome, Chaos, Dérive des continents, Gravitation, Laser, Énergie nucléaire, Relativité, Technosciences, Vie.**

22. Supraconductivité

Parmi les progrès technologiques notables qui sont annoncés pour un avenir assez proche, ceux qui seraient dus à la supraconductivité *à (relativement)* haute température *figurent parmi les plus probables. Mais les physiciens n'obtiennent encore cette supraconductivité, malgré une avancée importante depuis quelques années, qu'à une température très basse (– 148° C). La résistance électrique d'une substance supraconductrice diminue considérablement quand la température baisse.*

Les lois de la thermodynamique (spécialité de la physique qui, à l'origine, étudiait surtout les transformations réciproques entre le travail mécanique et la chaleur) permettent, au moins en partie, d'expliquer cet effet surprenant. Cette résistance s'annule quand la température est suffisamment basse. L'obtention de composés supraconducteurs à la température ambiante ouvrirait la porte à un nombre important d'applications d'un intérêt considérable.

La supraconductivité a été découverte en 1911 par le physicien hollandais Kamerlingh Onnes (et lui a valu le Prix Nobel en 1913). Il travaillait sur la liquéfaction des gaz. Certaines substances sont, on le sait, gazeuses aux températures courantes. C'est-à-dire que leurs molécules sont relativement éloignées les unes des autres, que les interactions entre elles sont faibles et que leur agitation est grande (voir art. 1, 5, 6 16). Pour liquéfier un gaz, on peut le comprimer, ce qui rapproche les molécules. Cela ne suffit que rarement, du moins aux températures ambiantes que nous connaissons. On a donc recours le plus souvent à un refroidissement du gaz, combiné parfois avec une compression).

Quelques gaz sont très difficiles à liquéfier. Citons : l'azote (– 195,7 degrés Celsius, soit 77,5 Kelvin) ; l'hydrogène (– 253° C, soit 20,2 K)… En 1908, Kamerlingh Onnes vient à bout du plus difficile, l'hélium (– 269° C, soit 4 K). Trois ans après, il constate que **la résistance électrique d'un fil de mercure, fortement refroidi (le mercure est liquide au-dessus de – 38,87° C), diminue rapidement et s'annule au-dessous de 4,23 K.** Elle est donc égale à zéro quand on plonge le fil dans de l'hélium liquide.

Ordre et désordre de la matière

Plusieurs des propriétés d'un élément dépendent de sa structure, c'est-à-dire (entre autres) de l'arrangement de ses atomes et de ses molécules, et de leur degré plus ou moins grand d'agitation (voir art. 6). L'étude de l'ensemble fait l'objet de plusieurs chapitres de différentes spécialités de la physique, mais aussi de la cristallographie et de la chimie.

Il est une science qui, plus que toute autre peut-être, s'est préoccupée des raisons d'être de cette agitation (au point que certains scientifiques la considèrent comme le fondement de tout l'édifice scientifique), c'est la mécanique statistique (voir art. 6).

Après les études de thermométrie des XVIIe et XVIIIe siècles (voir art. 6), les interrogations sur la nature de la chaleur, la thermodynamique apparaît vraiment avec la publication du livre de Sadi Carnot, *Réflexions sur la puissance motrice du feu* (1823). Il s'agit d'un travail essentiellement théorique, inspiré par une technique alors bien au point, celle des **machines à vapeur.** Poursuivi par Joule, Mayer, Clausius, Maxwell, Boltzman… (voir art. 16), etc., s'appuyant entre autres sur les apports de la *physique statistique* naissante, la thermodynamique a progressivement élargi son objet. Du rapport entre le mouvement mécanique et la chaleur, elle s'est étendue à l'*étude des échanges d'énergie* entre un système (quel qu'il soit) et son environnement. Et comme **dans toute transformation il y a un échange d'énergie,** on peut effectivement admettre que tout ce qui se passe est concerné par cette science.

Au départ, les savants ont procédé comme ils le font en physique dans presque tous les cas. C'est-à-dire que, la situation réelle étant trop compliquée pour permettre une analyse (et quantité de données leur étant inconnues), ils l'ont simplifiée. Dans le présent domaine, ils ont supposé que les transformations étaient *réversibles*. Ce qui implique qu'elles se fassent grâce à une série de modifications infiniment faibles, sans déperdition d'énergie, le sens de chaque transformation pouvant être inversé sans inconvénient (par exemple, passer de l'échange de chaleur au travail mécanique à son inverse). **C'est une situation idéalisée, qui permet de définir des lois d'ensemble, rectifiables ensuite quand apparaissent des désaccords avec la réalité.** C'est l'un des principes de la méthode expérimentale. La « rigueur » de ces sciences n'est pas celle que veulent atteindre les mathématiques. Il est arrivé de s'écarter de cette ligne d'action (et de même de s'y opposer) en rendant **absolues**, de manière dogmatique, des lois qui n'étaient qu'approchées. Cette dérive va à l'encontre de la démarche scientifique.

Après la thermodynamique des états réversibles, est venue celle des **processus irréversibles.** Parmi ses précurseurs, figure le Français Pierre Duhem, parmi les contemporains, figurent Adolphe Pacault et Ilya Prigogine (Prix Nobel 77).

Au XIXe siècle ont été ainsi formulés, dans un premier temps à propos des échanges *chaleur* $\rightleftarrows$ *travail mécanique*, ce que l'on appelle habituellement **les deux principes de la thermodynamique**. Le deuxième (chronologiquement antérieur) découle de l'unique ouvrage de Carnot, le premier des travaux de Joule et Mayer. Un troisième principe a été ajouté ultérieurement. L'une des expressions généralisées de ces principes peut s'exprimer :

1. L'énergie totale d'un système isolé reste constante. Un système isolé ne pratique aucun échange avec son environnement. **C'est bien sûr une fiction**, car aucun système n'est isolé, même s'il est quelquefois possible d'approcher cet état. En substance, cela veut dire que les différentes formes d'énergie peuvent être transformées les unes dans les autres, la quantité initiale se conservant (*Principe de la conservation de l'énergie*).

2. Le rendement de toute transformation d'énergie, d'une forme dans une autre forme, est obligatoirement inférieur à 1.
Un rendement égal à 1 ne peut être atteint qu'au «*zéro absolu*».

3. Le zéro absolu est inaccessible.

Le rendement

Il s'agit ici d'un concept **physique**. D'une manière générale, l'énergie est une grandeur qui existe sous de multiples formes (voir art. 1) qu'il est souvent possible de transformer. Par exemple, dans une pile, l'énergie chimique (ou énergie de liaison entre les particules) est transformée en énergie électrique. Si une quantité d'énergie W_1 est transformée en une quantité d'énergie W_2, **le rendement physique** de l'opération est :

$$R = W_2/W_1$$

R est, dans tous les cas, inférieur à 1 (c'est-à-dire qu'il y a des pertes du point de vue de ladite transformation) et ceci bien que, globalement, l'énergie se conserve. Cela veut dire qu'apparaît, en plus de W_2, une énergie parasitaire w (fréquemment sous forme de chaleur) telle que $W_1 = W_2 + w$.

C'est une loi générale. Elle démontre — entre autres — l'impossibilité de ce rêve que des générations d'inventeurs ont poursuivi pendant des siècles : le *mouvement perpétuel* (c'est-à-dire un moteur, une machine qui aurait fonctionné indéfiniment sans apport d'énergie extérieure).

Dans le cas d'**un moteur thermique**, le théorème de Carnot stipule que *le rendement thermique maximal* est

$$R_T = \frac{T_C - T_F}{T_C}$$

où T_c est la température absolue de la source chaude, T_f celle de la source froide (on ne prend pas en compte les pertes dues au frottement des engrenages, ou des turbines sur leur axe, etc.). Il ne peut être atteint que si la transformation est *réversible*. Ce qui veut dire que dans la réalité, le rendement thermique est inférieur à cette valeur.

Le nombre de systèmes concernés par le théorème de Carnot est très grand car il s'applique à tous **les moteurs thermiques :** la machine à vapeur, les moteurs à combustion interne (moteurs à essence dits « *à explosion* », et Diesels) ; réfrigérateurs ; pompes à chaleur ; centrales thermiques, y compris les centrales nucléaires, etc.).

Le deuxième principe (dans la forme générale indiquée dans le texte) **s'applique, lui, à tous les types de transformations matérielles,** dans la mesure où des échanges énergétiques les accompagnent toujours. La valeur du rendement (tout en étant toujours inférieure à 1) varie considérablement, en fonction de la forme que l'énergie a au départ et de celle qu'elle a à l'arrivée, mais aussi du procédé utilisé pour opérer le transfert. La *photosynthèse*, par exemple (énergie lumineuse → chimique) a un rendement de 0,1 à 1 %, les *capteurs solaires* (lumineuse → thermique) de 50 %, les *cellules photovoltaïques* (lumineuse → électrique) de 15 %. Un *four à résistance* (électrique → thermique) a un rendement de 95 %, s'il est à *induction* (même type de transformation) de 70 %. Selon les cas, les moteurs thermiques (thermique → mécanique) ont des rendements qui varient, selon le type de moteur, de 15 à 45 %.

S'il y a plusieurs transformations énergétiques à la suite, les rendements successifs se multiplient entre eux pour donner le rendement global. A chaque transformation, le rendement diminue, puisqu'on le multiplie par un nombre inférieur à 1. Un radiateur électrique, par exemple, a beau avoir *en propre* un rendement de 95 %, il représente un mode de chauffage énergétiquement coûteux car le rendement global est : R= Rendement de la centrale × rendement du transformateur × rendement des lignes de transport du courant à haute tension × rendement du transformateur × rendement des circuits de distribution du courant × rendement du radiateur.

(En multipliant un nombre inférieur à 1 par une série de nombres eux-mêmes inférieurs à 1, le résultat diminue à chaque multiplication. Ex. : 0,1 × 0,1 × 0,1 = 0,001 [1/1000 < 1/10]).

A partir de la forme classique des énoncés déduits de Carnot, Clausius a bâti en 1855 la définition originelle du concept d'**entropie**, gratifié depuis d'une longue (et quelquefois surprenante) postérité. Il s'agissait (initialement) d'un échange de chaleur entre une *source chaude* (la chaudière, dans la machine à vapeur) et ce que les physiciens appellent une *source froide* (l'atmosphère ou le condensateur, quand ce dernier existe dans cette machine). Cet échange se fait par l'intermédiaire d'un *agent thermique* (la *vapeur*, en l'occurrence).

Entre deux instants très rapprochés, la source chaude (par exemple) cède une très petite quantité de chaleur dQ (la lettre d, utilisée de cette façon, exprime une très petite variation de la quantité représentée par la lettre qui suit ; dQ est une variation d'énergie thermique et s'exprime en Joules). Si T est la température absolue de ladite source, Clausius appelait *variation d'entropie* dS, de la source, le rapport : $dS = dQ/T$. Il en dédui-

Le « zéro absolu »

L'existence de cette **limite de la température** (le zéro absolu) a été prévue par le physicien autodidacte Jean Henri Lambert au XVIIIe siècle. On descend actuellement à environ 2 millikelvins et il est probable que l'on arrivera à approcher encore davantage le zéro.

Le principe de la réfrigération est le suivant : un liquide, en s'évaporant (donc en se transformant en gaz), absorbe de la chaleur. On le vérifie facilement en mettant de l'éther (ou de l'alcool) sur la main : quand il s'évapore, l'on éprouve une sensation de froid sur la partie de la main concernée. A l'intérieur du réfrigérateur circule, dans une tuyauterie adaptée, un fluide dit « *frigorigène* ». En s'évaporant, il absorbe la chaleur des aliments situés dans l'enceinte. La vapeur redevient liquide dans un condenseur extérieur (d'où le dégagement de chaleur à l'arrière des frigos). Généralement un petit compresseur est associé au circuit : il comprime le gaz à l'extérieur, facilitant ainsi sa liquéfaction. Parmi les *fluides frigorigènes* courants figurent l'ammoniac (NH3) et diverses combinaisons du fluor, du carbone et du chlore (ex. : dichlorodifluorométhane : CCl_2 ; monochloropentafluoroéthane : $CClF_2$ - CF_3).

Pour approcher le *zéro absolu*, on utilise bien sûr des dispositifs plus complexes (même si le principe de base est inchangé) et différentes variétés d'*hélium liquide*.

sait que, *dans le cas d'une transformation réversible, la variation d'entropie est nulle.* C'est également le cas de la variation d'entropie d'un système isolé. Si cette variation est nulle, l'entropie du système est donc constante. **Quand la transformation est irréversible, l'entropie augmente.**

Boltzmann a abordé la thermodynamique à partir de la *mécanique statistique.* Les dégagements de chaleur proviennent des heurts des molécules entre elles. Plus ils sont fréquents (c'est-à-dire plus le système est désordonné), plus la température augmente et plus le nombre des chocs s'accroît. Et plus l'entropie dudit système augmente elle aussi (et donc le désordre par la même occasion). **L'entropie** (ou plutôt sa variation) **est alors devenue,** par extension, **la mesure du désordre d'un système**, quel qu'il soit.

Ce que l'on appelle (abusivement, selon les puristes) le « troisième principe » s'énonce aussi parfois : *au zéro absolu, l'entropie du système est nulle.*

Aventures et mésaventures de l'entropie

Le concept d'**entropie**, qui avait une signification bien précise en thermodynamique classique, a été transposé dans d'autres domaines à partir des travaux de Boltzmann, et a quelquefois donné lieu à des extrapolations fort éloignées de la science.

L'une des plus anciennes est la thèse de *la mort thermique de l'Univers*. L'entropie ayant tendance à augmenter, et donc le désordre général à s'étendre (puisque l'entropie serait en quelque sorte la mesure du désordre), l'Univers évoluerait vers un chaos généralisé (dit « mort thermique »). Le défaut de cette théorie (*sic*) est que l'accroissement de l'entropie s'applique à un système clos. On ne peut pas (sauf à revenir à la cosmologie d'Aristote dans laquelle le monde est limité par la « sphère des étoiles fixes ») affirmer que l'Univers soit un tel système.

Une autre extrapolation résulte de l'opposition entre le *monde matériel* (ou plutôt *non-vivant* ; un animal, une plante, un homme... sont également constitués de matière) dont le désordre croît, et la *matière vivante* dont l'une des caractéristiques est son organisation structurée. Certains croyants ont, à la suite de cette opposition, voulu y voir une preuve scientifique de l'existence de Dieu. Ce qui d'ailleurs, sous une apparence scientifique contemporaine, reprend des idées provenant de mythologies antiques. En Égypte, par exemple, à l'origine était le Chaos (symbolisé par Noun). Apparaissent ensuite les Dieux qui, en organisant ce Chaos, créent la vie, l'Égypte... La mort est un retour au Noun, de même d'ailleurs que la disparition du Soleil le soir. La naissance, comme la réapparition du Soleil, sont conçus comme des régénérations, à partir du Noun. Ceci étant, la mort biologique peut effectivement être considérée comme une rupture des structures de la Vie, et comme un retour à la loi générale d'augmentation de l'entropie.

L'on a pu lire aussi, il y a une vingtaine d'années, sous la plume de philosophes se croyant marxistes, que l'entropie sociale croissait dans le système capitaliste, par opposition avec la structuration harmonieuse symbolisée par le socialisme.

De toute autre nature est le transfert du concept d'entropie dans le cadre de la **théorie de l'information** (dont le père fondateur est C.E. Shannon, ingénieur à la compagnie Bell, en 1947). Cette théorie, une fois généralisée, considère que **toute transformation résulte du transfert d'un signal.** Ce concept doit être interprété de manière extensive et la théorie s'applique aussi bien à l'électromagnétisme qu'à la physiologie du système nerveux, à la sociologie qu'à la linguistique, à la téléphonie qu'au radar... Cela marque aussi, d'une certaine façon, le caractère très général du deuxième principe. Toute transmission d'information (au sens large) d'une forme 1 à une forme 2 se fait de telle manière que la quantité totale d'information se conserve, mais il y en a moins dans la forme 2 que dans la forme 1. La différence se traduit par une perte (voir art. 12). On peut l'illustrer par le «*repiquage*» d'une émission à la télévision grâce à un magnétoscope. La qualité de la cassette repiquée est moindre que celle de l'original (la différence est évidemment plus sensible si le magnétoscope est de qualité médiocre). Si l'on «*repique*» une deuxième fois à partir de la cassette, la qualité est encore réduite, etc. (Le même raisonnement vaut pour les cassettes audio à partir de disques).

La supraconductivité

L'agitation des particules (et notamment des électrons) se réduisant quand la température baisse suffisamment, certaines grandeurs électriques — qui sont fonction de cette agitation — diminuent. Il en est ainsi de la résistance électrique des corps. On utilise, par exemple, fréquemment de l'azote liquide, en laboratoire, dans des circuits de refroidissement des enroulements de fil conducteur des électroaimants.

A 4,23 Kelvins, la résistance du mercure est nulle. Celle de l'aluminium l'est à 1, 19 K, celle du plomb à 7, 19 K, etc. La première explication théorique en a été donnée par Bardeen, Cooper et Schrieffer en 1957.

La supraconductivité s'accompagne de propriétés magnétiques. La plus spectaculaire a été découverte par Meissner en 1933. Un supraconducteur est parfaitement *diamagnétique*, c'est-à-dire qu'un champ magnétique extérieur (l'influence d'un aimant, si l'on préfère) provoque l'apparition, à l'intérieur du matériau, d'un champ magnétique de même intensité, mais opposé. De ce fait, l'aimant et le supraconducteur se repoussent et, quand la force de répulsion magnétique est équilibrée par le poids de l'aimant, ce dernier flotte au-dessus du supraconducteur sans être tenu par quoi que ce soit (sinon par la force provoquée par les deux champs).

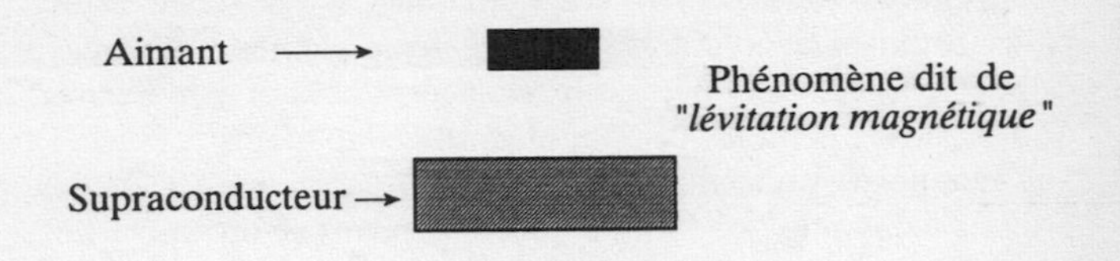

« La révolution de 1986 »

La supraconductivité de Kamerlingh Onnes (avec utilisation de l'hélium liquide) a eu, depuis 1911, de nombreuses applications. Celles-ci, du fait des très basses températures nécessaires et du coût très élevé des équipements, sont toutefois restées limitées à quelques secteurs de pointe : création de champs magnétiques très forts, notamment pour les *accélérateurs de particules* (voir art. 1), pour les *scanners* médicaux… (voir art. 19) ; mesures très précises de champs magnétiques en géophysique, en médecine, en métrologie… On peut aussi s'en servir dans des dispositifs dont la résistance électrique doit être quasiment nulle.

Les recherches sur ce sujet ne se sont pas, on s'en doute, interrompues après 1911. Différents composés métalliques, qui sont supraconducteurs à des températures un peu moins basses (23 K), ont été mis au point. C'est le cas, notamment, d'un *alliage de niobium et de germanium* (Nb_3Ge). En 1986, deux chercheurs suisses d'un laboratoire I.B.M. de Zürich, Müller et Bednorz, étudiant une nouvelle classe de composés, obtiennent des résultats à 30 K avec une association d'oxyde de cuivre, de lanthane et de baryum. Peu de temps après, des chercheurs d'un autre laboratoire arrivent à 35 K en remplaçant, dans le composé précédent, le baryum par du strontium. D'autres associations ont ensuite donné 90 K, puis 125 K. Les composés contiennent en général, outre des métaux bien connus de nous (cuivre sous forme d'oxyde, bismuth, plomb), d'autres qui ne nous sont pas familiers : yttrium, thallium…

Il faut à la fois juger des limites des travaux récents, et ne pas en sous-estimer l'importance. Les limites viennent des températures nécessaires : 125 K, c'est environ - 148 degrés Celsius. Nous sommes encore très loin des températures ambiantes. Cependant, cela permet de remplacer l'hélium par l'azote liquide, ce qui rend les installations beaucoup moins coûteuses. Les composés utilisés sont, semble-t-il, assez fragiles et des progrès technologiques sont à accomplir dans ce domaine. Les spécialistes annoncent pour bientôt l'introduction des nouveaux supraconducteurs dans des dispositifs de petites dimensions. «*Mais les grandes applications potentielles — électrotechniques (transport, stockage, transformation) ou bobines magnétiques (R.M.N. médicale) — ne doivent pas être attendues avant cinq ou dix ans*» (J. Friedel).

La théorie de Bardeen, Cooper et Schrieffer — qui limitait à 25 K la possibilité de supraconduction — s'est révélée insuffisante. Il y a donc, de ce point de vue, une reconstruction théorique en cours.

A l'annonce des résultats obtenus en 86, les recherches sur la supraconductivité, jusque-là quelque peu confidentielles, sont brusquement devenues très à la mode. Nombre de laboratoires s'y sont intéressés, des crédits importants y ont été affectés... Les enjeux sont grands : réalisation de «super-ordinateurs», très rapides et très peu coûteux en énergie, amélioration de l'instrumentation médicale, applications intéressantes dans la production de l'électricité, trains ultra-rapides sur coussins magnétiques, abaissement du prix de certaines installations accompagnant souvent l'amélioration des performances. Les militaires s'y intéressent, ce qui explique pour partie certaines «facilités» de financement.

L'objectif des chercheurs est, bien sûr, *de réaliser des supraconducteurs à température ambiante*, ce qui ne paraît pas impossible, même si l'on ne peut pas estimer le nombre d'années qu'il faudrait pour y parvenir. C'est, pour une part, de la science-fiction, mais une science-fiction qui serait plus proche d'une prospective scientifique et technologique raisonnable que de l'imagination d'un romancier.

REPÈRES

ATKINS, P. W., *Chaleur et désordre, le deuxième principe de la thermodynamique*, trad. franç., Paris, Belin, 1987.

BALIBAR, F., CROZON, M., et FARGE, E., *Physique moderne*, Paris, Messidor/La Farandole, coll. « *La Science et les Hommes* », 1991.

HURWIC, A., *La Physique en 50 mots*, Paris, Desclée de Brouwer, 1990.

JORLAND, G., *al., Des Technologies pour demain. Biotechnologies, fusion nucléaire, laser, supraconducteurs*, Paris, Seuil, 1992.

MATHIEU, J. P., et al., *Histoire de la physique*, t. II, *La Physique au XX*e *siècle*, Paris, Technique et Documentation, 1991.

WIENER, N., *Cybernétique et société*, trad. franç., Paris, Union Générale d'Édition, 1971.

▶ **Accélérateur de particules, Atome, Chaos, Cristal, Informatique, Laser, Microprocesseur, Résonance magnétique nucléaire, Technosciences, Vie.**

23. Technosciences

Relativement distinctes pendant très longtemps, les sciences et les technologies se sont rapprochées depuis la fin du XIXe siècle au point d'en être parfois confondues. De multiples recherches sont aujourd'hui conduites en vue d'applications précises. Elles-mêmes ne pourraient pas être poursuivies sans l'aide des instruments modernes.

La fusion partielle du domaine scientifique et du domaine technologique est due à l'évolution de ces deux domaines mais aussi à celle de la société. La concurrence, la compétition généralisée qui règnent actuellement conduisent à puiser dans les travaux des scientifiques pour alimenter l'innovation. De ce fait, les États s'y intéressent de plus en plus. A partir des quelques tendances envisageables des années à venir, on peut prévoir (tout en restant prudent) les évolutions qui se dessinent.

Maurice Dumas, historien français des techniques, explique que, jusqu'au XIXe siècle, les innovations techniques n'ont pas été (sauf rares exceptions) des applications de découvertes scientifiques. Son opinion est fondée. Il est fréquemment arrivé que des explications scientifiques soient issues de l'observation du fonctionnement de divers mécanismes. Mais ce que l'on appelle aujourd'hui la *recherche finalisée* — c'est-à-dire un travail scientifique conçu et poursuivi en vue d'une application — est spécifique à notre époque.

Cela ne veut pas dire qu'il n'y avait pas, auparavant, de liens entre les deux domaines. L'un et l'autre concernent un même *champ*, l'univers matériel dans sa diversité (l'homme en faisant évidemment partie). Les effets de tel ou tel geste, de telle ou telle pratique, ont une explication scientifique, même si celle-ci n'est conçue que bien plus tard. Des théories émises par les savants découlent des applications, même si celles-ci sont différées. Les unes et les autres ont des relations étroites, qu'elles apparaissent évidentes dans l'immédiat ou que leur prise de conscience soit décalée dans le temps. De plus, elles s'exercent dans le cadre d'une société précise et en interaction étroite avec les structures de celle-ci.

La nouveauté, au XXe siècle, est l'accentuation de ces relations, tant et si bien qu'on ne distingue pas toujours très bien les différents aspects du savoir et du savoir-faire humains. Cette fusion partielle explique le terme **technoscience** que l'on utilise fréquemment pour caractériser les sciences et les techniques de notre époque.

La coupure ancienne entre travail manuel et travail intellectuel

Il n'y a guère de séparations très nettes entre les fonctions des individus, au sein du groupe humain, pendant les très longues périodes du paléolithique et du mésolithique. Des distinctions apparaissent au néolithique. L'agriculture naît, de même que des artisanats relativement spécialisés (fabrication d'outils et d'armes de pierre, céramique, tissage…). Le savoir spéculatif de l'époque (ce que l'ethnologue Claude Lévi-Strauss appelait *la Pensée sauvage*) devait être surtout le fait des sorciers et des prêtres. La coupure s'accentue dans le cadre des premières grandes civilisations antiques. Elle est toutefois relative. Les savoirs sont le plus souvent **empiriques**, constitués principalement par des *recettes*, non par des théories. Les calculs concernent des factures, des partages d'héritage, des

Les âges de la préhistoire

- **Le paléolithique** (ou *âge de la pierre taillée*) est la période qui débute à l'apparition des premiers hominidés et qui se termine vers 12 000 av. J.-C.
- **Le mésolithique**, période intermédiaire, va de 12 000 av. J.-C. à 8 000 ou 6 000 av. J.-C.
- **Le néolithique** (ou *âge de la pierre polie*) s'écoule de 8 000 à 6 000 av. J.-C. jusqu'au début de la période historique à proprement parler (cours du 4e millénaire, vers 3 200 av. J.-C.).

évaluations d'impôts... Les gouvernements s'intéressent à la formation de leurs fonctionnaires (les scribes), de leurs médecins, de leurs architectes, ainsi qu'à la technique en général (et notamment à la technique militaire), non à la science qui n'existe pas vraiment en tant que telle.

L'empirisme

Une démarche empirique s'appuie surtout sur les observations courantes, sur des pratiques non théorisées, en n'ayant pas recours à la réflexion et au raisonnement scientifiques. Une étude peut toutefois être empirique dans un premier temps, puis donner lieu à une construction scientifique.

Il en a été ainsi, par exemple, de la chimie pendant des siècles. Elle n'est devenue une science qu'à partir de Lavoisier, Cavendish, etc., à la fin du XVIIIe siècle.

A partir de la civilisation grecque dite *classique* (Ve siècle av. J.-C.), **la science se constitue en tant que partie de la philosophie.** Celle-ci est l'apanage des catégories sociales les plus aisées et se veut « désintéressée ». Les artisans (les *hommes de l'art*, dira-t-on jusqu'au XIXe siècle) sont, quelle que soit leur qualité, d'un rang social inférieur. Les «*pratiques sociales de référence*», auxquelles se rattachent les connaissances scientifiques, sont souvent éloignées dans le temps et leurs rapports ne se découvrent pas immédiatement. Les hommes utilisaient par exemple le levier depuis la lointaine préhistoire ; sa théorie est établie par Archimède au IIIe siècle av. J.-C.

Avec des hauts et des bas, avec quelques épisodes en apparence paradoxaux (aucune progression historique n'est parfaitement linéaire), la séparation s'est maintenue en moyenne inchangée jusqu'au XVIe siècle. Nous voulons dire par là que la réflexion scientifique (plus dégagée, à vrai dire, de la philosophie qu'elle ne l'était dans l'Antiquité) n'était pas considérée comme un gisement d'applications techniques.

La montée de la bourgeoisie et la recherche de l'innovation technique

Depuis que les sociétés se sont structurées (politiquement, administrativement, etc.) jusqu'aux temps modernes, **la catégorie sociale dominante a eu**, pour l'essentiel, **intérêt à maintenir l'ordre des choses en l'état.** La remarque vaut pour les patriciens grecs et romains de l'Antiquité comme pour la noblesse du Moyen Age : chaque corps matériel a sa place dans l'univers, comme chaque homme (et chaque catégorie sociale) a sa place dans la société. Cette volonté est bien affirmée dans *La Politique* d'Aristote. Elle est sacralisée par l'Église dans l'Europe médiévale. L'ordonnancement de l'univers, les rapports entre les hommes, reflètent l'ordre de Dieu. La royauté de France, par exemple, est de droit divin.

Pour ne rien modifier, les dirigeants évitent parfois les innovations techniques qui seraient susceptibles de bouleverser le système de production, ou tout au moins ne les recherchent pas. Cela explique en particulier que certaines inventions, potentiellement très intéressantes, soient restées inutilisées (le moulin à eau et des dispositifs actionnés par la vapeur, par exemple, qui figuraient dans les écrits de Héron d'Alexandrie au IIe siècle av. J.-C.).

L'émergence de la bourgeoisie en Europe (à partir des XIe-XIIe siècles) introduit progressivement un élément de déstabilisation dans la société. Elle se constitue initialement à partir de marchands, de banquiers… Pour vendre, il faut produire ; quand le commerce s'étend, il faut produire davantage ; pour cela, il faut souvent innover ; si les possibilités, offertes par les structures sociales et économiques, plafonnent, ces structures elles-mêmes sont mises en cause (voir art. 16 à propos des *systèmes énergétiques*). L'existence d'une rude concurrence induit la recherche systématique de tout ce qui est susceptible d'accroître la production, d'améliorer la rentabilité du travail.

On peut noter quelques *temps forts* de cette progression : le XIIIe siècle (où se produit ce que J. Gimpel appelle la « *révolution industrielle au moyen âge* ») ; la *Renaissance* dont émergent, pour ce qui nous concerne, les figures emblématiques de ceux que B. Gille appelle « les ingénieurs » (Léonard de Vinci : Brunelleschi, architecte du dôme de la cathédrale de Florence ;

Albrecht Dürer, également peintre et graveur…). Galilée n'est pas seulement le créateur de la méthode expérimentale, c'est aussi un personnage qui s'intéresse à la technique (à l'Arsenal de Venise, entre autres).

Les spécialistes, qui ont la faveur des industriels et des entrepreneurs, sont les maître-artisans, les techniciens, les ingénieurs. Formés d'abord par l'apprentissage, puis « sur le tas », ceux-ci ont bientôt besoin de connaissances plus approfondies. La technicité accrue des fabrications, l'évolution des sciences et celle des techniques commandent. Cela explique l'apparition, aux côtés des modes traditionnels de formation, d'écoles d'ingénieurs semblables à celles que nous connaissons : École royale des Ponts et Chaussées (1747), École des Mines et des Techniques minières (1783)… Des savants mettent parfois eux-mêmes « la main à la pâte » : en optique (Galilée, Kepler, Huygens, Newton, Euler…) ; à propos de la mesure du temps (Galilée, Huygens…).

Le mouvement s'accentue au XIXe siècle dans le cadre de la nouvelle *révolution industrielle*, qui repose sur un *système énergétique* dont l'élément dominant est la machine à vapeur. Les chimistes sont sollicités par l'industrie textile (pour la fabrication des colorants, pour le blanchiment des tissus, pour l'amélioration des techniques métallurgiques…). Les physiciens conduisent l'évolution de l'électrodynamique et de l'électromagnétisme. L'électricité, en tant que facteur décisif de l'essor industriel, se manifeste surtout dans les 30 à 40 dernières années du siècle.

Période charnière capitale, le XIXe siècle comporte, par rapport à notre temps, des différences nettes : l'État en tant que tel (c'est-à-dire le pouvoir politique) s'intéresse à la formation des ingénieurs et des enseignants mais n'organise pas la recherche et ne la finance pas ; les chercheurs interviennent parfois mais les acteurs principaux sont — et de loin — les ingénieurs et les techniciens ; l'intérêt porté par les militaires est réel (explosifs, etc.), mais n'est pas qualitativement différent de ce qu'il était précédemment.

Un phénomène n'est pas à négliger : l'influence de la science, de ses méthodes, de ses philosophies, sur les façons de penser, sur les mentalités. Depuis le XVIIIe siècle, et particulièrement à la suite de *la philosophie des Lumières* (Voltaire,

Rousseau, Diderot, d'Alembert, Condillac, Condorcet...) en France, **la science est identifiée au progrès :** technique, certainement, mais aussi intellectuel et spirituel. Au XIXe siècle, cela se traduit de différentes manières. La plus connue est le **scientisme**. Sorte de religion (dans laquelle la science remplaçait Dieu), il proclamait que le progrès des sciences et des techniques allait résoudre tous les problèmes, que le monde serait *scientifiquement gouverné*, etc.

Parmi les tenants français les plus connus de cette tendance figurent Auguste Comte, Ernest Renan, Littré, le chimiste Marcelin Berthelot, etc. Cette forme de scientisme a imprégné toute la pensée de son temps et continue à avoir de sérieuses répercussions de nos jours (voir art. 16, 20 et 21).

Influencé aussi par lui, malgré sa volonté contestataire, **le marxisme** est pour l'essentiel une tentative d'application à tous les sujets (y compris à la politique et à ce qui deviendra les sciences humaines et sociales) des méthodes empruntées aux sciences expérimentales. En réaction, sont apparues aussi des philosophies s'opposant aux sciences (Maine de Biran au début du siècle, Henri Bergson plus tard...).

La technoscience, composante majeure de la société

Les bouleversements que nous connaissons au XXe siècle, étaient déjà en germe au siècle précédent. Il est vrai qu'ils se sont accentués, amplifiés et que les prédécesseurs de nos actuels auteurs de science-fiction (Jules Verne compris) n'ont pas imaginé cette société totalement conditionnée par la technoscience, qui se fige presque complètement si l'électricité vient à manquer, qui cesse de fonctionner si les télécommunications se bloquent. Il y a quelques années, des analystes ont imaginé ce qui pourrait se passer si, du fait de l'explosion d'une bombe thermonucléaire dans la haute atmosphère, tous les centraux téléphoniques (et autres), tous les relais électromagnétiques, tous les ordinateurs etc., sautaient. Il y a trente ans, les dégâts auraient été gigantesques. Aujourd'hui, sans quand même « revenir à l'âge de la pierre », ce sont presque toutes les activités économiques et sociales qui s'interrompraient.

Les modifications décisives, par rapport au siècle dernier, sont de différentes natures.

Des changements quantitatifs

Ils concernent : **le nombre de scientifiques** (quelques centaines au XVIIIe siècle ; 10 000 environ vers 1850 ; 100 000 environ vers 1900 ; 1 000 000 vers 1955, 5 000 000 environ vers 1981 ; la population scientifique mondiale a environ doublé tous les 10 ans de 1945 à 1980, ceci en ne recensant que ceux qui ont — à plein temps ou à temps partiel — une activité de recherche) ; **le nombre et la dimension des laboratoires** (on est passé en 200 ans du « cabinet » individuel au petit laboratoire, puis au grand Institut) ; le **nombre de publications** (deux revues en 1665 ; une douzaine vers 1750 ; un millier vers 1850 ; 75 000 aujourd'hui) ; le **volume des crédits** consacrés à la recherche (ponctuels et difficiles à évaluer avant 1939, faute de *ligne budgétaire* spécifique, ils ont augmenté constamment de 1945 à 1970, et ont eu ensuite une tendance relative à la stagnation. En 1986, les États-Unis consacraient 2,80 % de leur produit intérieur brut à la recherche et au développement. Il y a de très grands écarts entre les pays industrialisés et ceux du tiers monde).

Des changements structurels

Les chiffres que nous venons de citer évoquent déjà leur existence et leur ampleur. **Le statut social du scientifique s'est complètement transformé**. Jusqu'au début du XIXe siècle, il travaillait seul ou, tout au plus, aidé par quelques disciples. Il lui arrivait d'être aidé par un riche mécène, d'avoir une fortune personnelle ou une activité professionnelle principale lui permettant de vivre (Galilée était professeur, Pierre de Fermat était magistrat, etc.). Au XIXe siècle, certains chercheurs ont été financés pour partie par des industriels (Pasteur, par exemple, a exécuté des contrats pour le compte de brasseurs du Nord) ou sont devenus industriels eux-mêmes (le chimiste français Gay-

Lussac, par exemple). Les gouvernements, en tant que tels, ne sont jamais intervenus systématiquement.

Après quelques décennies de transition au cours desquelles l'effort de recherche a été officieusement pris en charge par les universitaires (mais sans qu'ils reçoivent pour cela un financement particulier), l'accroissement du rôle social de la science est reconnu par la création de ministères spécialisés, l'affectation (très officielle, cette fois) d'un budget, la création de grands organismes. Si l'on prend l'exemple français, le premier sous-secrétariat d'État à la recherche scientifique est fondé par Léon Blum en 1936 (et sa première titulaire est Irène Joliot - Curie), le C.N.R.S. est en principe créé en 1939. Viennent ensuite à partir de 45 : le C.E.A., le C.N.E.T., l'I.N.S.E.R.M., l'I.N.R.A., l'O.R.S.T.O.M., le C.N.S.E.S., I.FR.E.MER., etc.

Il y a certes toujours quelques savants prestigieux (les Prix Nobel et ceux — les plus *médiatiques* — que l'on voit à la télévision), mais les travailleurs scientifiques sont, pour la plupart, des salariés comme les autres. **La figure emblématique du savant du XIXe siècle a pratiquement disparu et « l'expert » ne lui est pas comparable.**

Signification des sigles

C.N.R.S. : Centre national de la recherche scientifique.

C.E.A. : Commissariat à l'énergie atomique.

C.N.E.T. : Centre national d'étude des télécommunications.

I.N.S.E.R.M. : Institut national de la santé et de la recherche médicale.

I.N.R.A. : Institut national de la recherche agronomique.

O.R.S.T.O.M. : Office de la recherche scientifique et technique outre-mer.

C.N.E.S. : Centre national d'études spatiales.

I.FR.E.MER. : Institut français pour l'exploitation de la mer.

Les journalistes et les historiens évoquent fréquemment «*l'accélération des progrès scientifiques et techniques*», au XXe siècle. Différents auteurs ont essayé de représenter numériquement cette «accélération» en estimant le nombre d'années qui s'écoule, en moyenne, entre une découverte et son introduction dans la vie sociale sous forme d'une innovation. Les tableaux de dates obtenus sont, pour certaines d'entre elles, contestables. Il est écrit, par exemple, qu'il s'est écoulé 5 ans entre la découverte de la fission nucléaire (1939) et son application (sous forme de bombe). Mais pourquoi retenir cette origine et non la radioactivité naturelle (1896 - voir art. 16)? Pourquoi la bombe et non le *réacteur* nucléaire que Fermi fit fonctionner en 1942 à Chicago? Il y a quand même bien une «*accélération*» mais il n'est pas satisfaisant de la définir et de l'estimer de cette manière.

Ce qu'il faut dire c'est que la *production scientifique* (qui est **une création**, comme la production artistique, en ayant comme elle ses chefs-d'œuvre et ses réalisations moindres) est devenue, de par ses applications, un élément décisif du fonctionnement de la société, de la manière dont elle produit ses différents biens, de la façon dont ses membres s'informent et se cultivent, de leur mentalité et de leurs mœurs, etc. La course à l'innovation, induite par l'apparition de la bourgeoisie, est aujourd'hui déterminée par les sciences et les technologies. De ce fait, l'organisation politique et administrative de la société, son organisation économique, sont obligées de tout faire pour que l'accroissement des connaissances s'intensifie, pour que les personnels se soucient souvent, d'entrée, des utilisations envisageables, etc.

L'influence des impératifs militaires

Les fabricants et les utilisateurs d'armes se sont, de tous temps, intéressés aux techniques. Au XIXe siècle, les chimistes (pour les explosifs, pour la qualité des métaux...) ont été fréquemment sollicités. Le scientifique, en tant que tel, éveillera leur intérêt pendant la guerre de 14-18. Celle de 39-45 a considérablement amplifié le phénomène : pour la fabrication de la bombe atomique, bien sûr, mais plus encore pour l'amélioration des radars. La « guerre froide » et la course aux armements depuis 45 ont, à ce propos, eu des effets incalculables. Dans plusieurs pays (et non des moindres), la proportion des crédits-recherche consacré à la recherche militaire a été certaines années de 60 à 70 %. Les conséquences concrètes sont évidentes : l'argent destiné à fabriquer des bombes plus meurtrières est perdu pour des utilisations socialement plus utiles ; et la politique scientifique est conditionnée par les choix effectués, au point que certains auteurs ont pu parler d'une « *véritable perversion de la science* » (G. Menahem).

La contestation du scientisme

L'idée que les sciences et les technologies pouvaient résoudre tous les problèmes, quelle que soit leur nature, était trop démesurée pour ne pas être rapidement contestée. Venant quelquefois d'une très bonne intention, elle était aussi utilisée par les tenants de l'ordre établi pour essayer de désamorcer les oppositions : « *Inutile de vous battre, de tenter de détruire la société actuelle, le progrès scientifique vous donnera bientôt bonheur et bien-être !* » Et les opposants intégraient en général l'*illusion scientiste*. La phrase de Lénine, « *Le communisme, c'est les Soviets plus l'électricité* », en est une belle illustration.

Le scepticisme, puis le refus net, ont commencé à se manifester au vu de certaines des applications et des conséquences de ce « progrès » tant vanté. Les plus spectaculaires ont, de toute évidence, été de nature militaire. Les gaz de combat, entre autres, avaient déjà frappé l'opinion en 14-18. Hiroshima et Nagasaki (voir art. 4) ont, à cet égard, occasionné un choc dont les effets se sont surtout fait sentir après coup. Le nucléaire est resté, depuis, une cible symbolique. La dégradation de l'environnement, conséquence fréquente de l'industrialisation sauvage, l'augmentation du taux de gaz carbonique, l'effet de serre, Tchernobyl, etc., (voir art. 9, 16 et 18), ont désacralisé, sinon **la science** elle-même, mais du moins l'usage qu'en font les hommes, ou plutôt celui qu'en fait un certain type de société. **Mais qu'est-ce que la science, sinon la représentation que la société se fait des propriétés et des lois de l'univers !**

Au-delà des applications, **c'est toute l'idéologie scientiste qui est mise en cause.** La contestation a été particulièrement virulente à la fin des années 60 et au cours de la décennie 70-80, amenant chez certains jusqu'au refus des méthodes inspirées par les démarches intellectuelles des scientifiques. Le mouvement a aussi, par contrecoup, favorisé l'expansion de divers ésotérismes pseudo-scientifiques exploités financièrement par des charlatans sans scrupules, ainsi que celle d'une multiplicité de sectes religieuses. Ainsi le scientisme a-t-il — par un effet de feed-back diraient les cybernéticiens (voir art. 12) — contribué à l'essor de l'irrationalisme. Mais n'était-il pas lui-même, pour une part, irrationnel ?

Perspectives de la technoscience

Quelques erreurs notoires de la prospective dans le passé incitent les analystes contemporains à la prudence. Sauf dans les secteurs où les résultats sont visiblement proches, les prévisions se limitent généralement à quelques grandes tendances.

Il est possible d'annoncer, sans risquer outre mesure de se tromper, que les procédés de soin des cancers vont progresser notablement (mais les pronostics concernant le SIDA sont plus prudents), que la prévention génétique de différentes maladies et anomalies est pour bientôt, que les télécommunications se développeront et s'amélioreront encore, que l'évolution de l'agro-alimentaire permettra de produire davantage, etc.

Les textes actuels, sur les axes de développement du futur, sont fort nombreux. Nous pouvons citer les travaux de l'équipe de Thierry Gaudin (dont deux numéros spéciaux de la revue *Sciences et Techniques*, en 1983 et 1985), ceux de P. Papon, J. J. Salomon, etc. Des avancées significatives sont annoncées à propos :

— des **nouveaux matériaux :** céramiques, matériaux composites, mais aussi les métaux, utilisés différemment ;

— de la **maîtrise du vivant :** génie génétique, microbiologie, biotechnologies ;

— de l'**augmentation de la vitesse et de la capacité des ordinateurs**, mais aussi des perspectives nouvelles de leur utilisation (voir art. 12). Le progrès, dans ce domaine, conditionne aussi bien celui des sciences fondamentales que les transformations des processus de conception des objets, de production, etc. ;

— de la **communication**, des formes de stockage, de transmission et d'exploitation de l'information ;

— de la **gestion des ressources,** ce qui englobe aussi bien la nourriture que les minéraux divers, que l'énergie, etc.

Sur ce dernier point, l'enjeu est d'une importance capitale. B. Gille (historien des techniques) articulait l'histoire de l'humanité autour de ce qu'il appelait des *systèmes techniques* — ce qui n'est pas, sur le fond, très différent de ce que Marx baptisait *le niveau des forces productives.* A la base de tout « système technique » existe le « système énergétique ». Son fondement principal a été le travail musculaire jusqu'aux XIe-XIIe siècles, puis le moulin à eau, puis la machine à vapeur. Les changements survenus depuis le siècle dernier sont consécutifs au remplacement du charbon par le pétrole (mais cela n'a rien de fondamental… sauf sur le plan géopolitique !), mais surtout au rôle croissant de l'électricité (et de sa branche électronique).

La situation, aujourd'hui, relève davantage d'*une mutation en cours* (mais dont on ne maîtrise pas tous les paramètres) que d'une transformation clairement définie. Il est d'ailleurs significatif que B. Gille ait titré la partie concernant notre époque : « **Vers** un système contemporain » (et non « **Le** Système…).

Il n'y a pas, pour l'instant, pénurie d'énergie (contrairement à ce qu'annonçait le *Club de Rome* en 72). Le problème du coût de l'énergie, par contre, se pose. L'épuisement des ressources fossiles, même s'il est moins précoce que prévu, interviendra dans quelques décennies (tout au moins pour les hydrocarbures ; les réserves de charbon sont à beaucoup plus long terme). De plus, toute activité humaine, utilisant la combustion de produits contenant du carbone (ce qui inclut la circulation des automobiles et des camions), produit du gaz carbonique (CO_2), qui alimente « l'effet de serre », etc. N'en déplaise aux technocrates d'E.D.F., le nucléaire de fission (dangereux, qui plus est) ne saurait être qu'une formule de transition (sauf mise au point des surgénérateurs, ce qui n'est pas le cas — voir art.

16). Et l'on ne dispose, actuellement, d'aucune solution globale de remplacement du système énergétique du XXe siècle.

S'il n'y a pas de pénurie dans ce domaine, **il y a incontestablement crise.** Un recueil récent d'articles, réunis par G. Jorland, s'intitule : *Des technologies pour demain* (Seuil). Sont abordés : les biotechnologies, la fusion nucléaire, le laser, les supraconducteurs. Sur le plan énergétique, seule *la fusion thermonucléaire* est considérée. La concrétisation des espoirs mis en elle reste cependant hypothétique.

Inquiétudes et espoirs

Tous les fervents de la littérature de science-fiction savent que la tonalité de sa production actuelle est, en moyenne, très nettement pessimiste. Le contenu du livre de l'équipe de Thierry Gaudin, *2100, Récit du prochain siècle*, n'est guère très rose pour le siècle à venir. En substance, c'est du *Mad Max* à peine édulcoré. Le titre de l'ouvrage récent de l'historien J. Gimpel, *La Fin de l'avenir. Le déclin technologique et la crise de l'Occident*, en annonce bien le contenu.

Il est vrai que la succession de désastres écologiques (qui ont souvent été des conséquences de l'activité humaine), les guerres multiples, la résurgence meurtrière des nationalismes et des intégrismes, l'effondrement de l'espoir fou que le système communiste a représenté pendant plus de 60 ans pour des centaines de millions de gens (espoir illusoire, l'actualité récente l'a montré, mais il a quand même aidé à vivre — et à se battre — toute cette foule), etc., ne prêtent guère à l'optimisme.

Il est toutefois certain que nombre de questions pourraient être résolues et que les sciences et les technologies y contribueraient. Le drame de la faim dans le tiers monde, par exemple, celui du chômage un peu partout. En revenant à la crise énergétique, évoquée plus haut, les investissements importants dans les recherches sur le *photovoltaïque* aideraient très probablement à définir des solutions.

Il faut bien constater que **l'avenir des technosciences, celui de leurs utilisations, sont d'abord des problèmes politiques.** Les scientifiques, les ingénieurs ont certes un rôle considérable à jouer, mais ce n'est pas le chercheur du C.N.R.S. qui décide d'investir dans le travail sur le nucléaire plutôt que sur le photovoltaïque, ce n'est pas le technicien d'un arsenal qui décide qu'il est préférable de fabriquer un porte-avions plutôt que des machines-outils !

REPÈRES

ARVONNY, M., et al., *Les chemins de la science. Regards sur la recherche*, Paris, C.N.R.S.

GAUDIN, T., *Les Métamorphoses du futur. Essai de prospective technologique*, Paris, Économica, 1988.

GIMPEL, J., *La Fin de l'avenir*, Paris, Seuil, 1992.

JORLAND, G., et al., *Des technologies pour demain*, Paris, Seuil, 1992.

PAPON, P., *Les Logiques du futur, science, technologie et pouvoirs*, Paris, Aubier, 1989.

SALOMON, J. J., *Le Destin technologique*, Paris, Balland, 1992.

WITKOWSKI, N., *L'État des sciences et des techniques*, Paris, La Découverte, 1991.

La Révolution de l'intelligence. Rapport sur l'état de la technique, *Sciences et Techniques*, numéros spéciaux, 1983.

L'Homme en danger de science, *Manières de voir*, 15, *Le Monde diplomatique*, mai 1992.

▶ **Accélérateur de particules, Atome, Big Bang, Cristal, Écosystème, Gravitation, Informatique, Laser, Microprocesseur, Nucléaire (Énergie-), Photoélectrique (Cellule-), Résonance magnétique nucléaire, Supraconductivité.**

24. Thermoluminescence

Nous sommes quelquefois étonnés par la précision avec laquelle les archéologues contemporains sont capables, par exemple, d'indiquer l'époque de fabrication d'un objet très ancien. Le mécénat (ou sponsoring!) récent de grandes entreprises (E.D.F. par exemple) a, en utilisant des techniques destinées à d'autres usages (pour tester le béton des barrages ou des protections des centrales), permis de sonder (sans effraction) la masse de la pyramide de Chéops. L'informatique est venue au secours des égyptologues pour reconstituer l'aspect ancien du grand ensemble de Karnak...

Les progrès considérables de l'archéologie ont été favorisés par l'emprunt de procédés résultant de l'application de connaissances récentes des scientifiques. La thermoluminescence est l'une des propriétés utilisées.

Ce que de nombreux auteurs continuent à baptiser *sciences exactes* (ou quelquefois *sciences dures*), valent par la connaissance qu'elles nous apportent sur les propriétés du monde et des organismes vivants qui peuplent la Terre. Leur intérêt réside aussi dans les technologies qu'elles inspirent. Mais il ne faudrait pas oublier que certains apports théoriques, et de multiples technologies dérivées, ont beaucoup contribué, depuis quelques décennies, aux progrès d'autres secteurs de la connaissance, notamment en *sciences humaines et sociales*. Les sciences « dures », en elles-mêmes et pour elles-mêmes, deviennent alors des **outils** dans d'autres secteurs.

Les méthodes des sciences expérimentales (certains de leurs aspects, du moins) ont, pour partie, inspiré la démarche des études dans des *champs* quelquefois très lointains. Et les propriétés explorées (par la physique, la chimie, la biologie, la géologie...) ont contribué aux découvertes, à l'amélioration des analyses, là où, même au siècle dernier, les érudits n'auraient pas pensé les voir surgir.

L'**archéologie** est une discipline qui a grandement bénéficié de l'évolution des sciences. Le scientifique fondamentaliste n'en devient pas pour autant un archéologue (sauf double formation). Ce dernier ne se transforme pas pour autant en physicien. Mais une collaboration s'instaure, au plus grand bénéfice des uns et des autres, comme d'ailleurs de la spécialité concernée. Nous aborderons ici quelques-unes de ces techniques, qu'elles s'appliquent aux méthodes de détection, aux datations… **La thermoluminescence est l'une d'entre elles,** mais non la seule. Toujours est-il qu'il s'agit d'un domaine où les avancées (les progrès, si l'on veut ; à ce propos, on peut utiliser ce terme sans réticences) des sciences ont eu — et continueront sans doute à avoir — une influence très positive.

Des dieux, des tombeaux, des savants

Dans un livre dont le titre est celui de ce paragraphe (et le sous-titre *Le roman vrai de l'archéologie*), C. W. Ceram racontait en 1949 ce que fut l'archéologie à l'origine et faisait le récit des découvertes les plus spectaculaires. L'ouvrage est une histoire de la science archéologique, écrite pour un large public. Il n'entre pas dans le détail des techniques, mais expose ces aventures que furent les premières recherches et explorations systématiques des vestiges du passé. Après les quêtes sporadiques, les pillages fréquents, le commerce des antiquaires, Ceram situe à Winckelmann (qui travailla au XVIIIe siècle sur les ruines d'Herculanum et de Pompéi) les débuts d'une archéologie digne de ce nom. Viennent plus tard les fouilles de Mycènes, Troie, la Crète… Conséquence heureuse (cela arrive !) d'une expédition militaire, l'égyptologie se développe à partir des explorations et examens du groupe de savants français qui avaient accompagné Bonaparte… L'auteur insiste sur quelques épisodes célèbres : Champollion et le décryptage de l'écriture sacrée égyptienne ; la découverte du tombeau de Toutankhamon par Carter…

Une fois l'amateurisme pur dépassé (même s'il garde encore quelquefois un rôle actif), l'archéologue (l'équipe archéologique, plutôt) a recours à l'interdisciplinarité : paléographie ; épigraphie ; toponymie ; cryptographie ; ethnologie ; architecture ; histoire de l'art... L'évolution relativement récente de la *linguistique* (utilisant fréquemment l'outil informatique) a éclairci quelques énigmes...

Si l'étude des roches, des minéraux (la minéralogie) relève d'une pratique empirique très ancienne, sa systématisation n'est formalisée qu'à partir du XVIIe siècle. Les historiens datent généralement la naissance de la géologie (voir art. 7) en tant que science à l'œuvre de l'Écossais Charles Lyell (1797-1875). L'un des chapitres de cette discipline, la stratigraphie (qui analyse la superposition de couches sédimentaires) a été utilisée assez tôt par les préhistoriens et les archéologues. G. Owen s'inspire de considérations voisines au XVIe siècle, davantage encore Robert Hooke et Nicolas Sténon au XVIIe, puis Buffon au XVIIIe. Cela concerne principalement les *fossiles*, donc des restes provenant de périodes qui ont très largement précédé l'histoire et même souvent la préhistoire. Ce sont l'histoire de la Terre et celle de la vie (voir art. 25) qui sont intéressées, davantage que celle des hommes et des sociétés. Toutefois la présence d'objets, de squelettes, de traces de plantes, dans une même couche de terrain peut parfois donner des indications précieuses (avec, semble-t-il, des risques d'erreur non négligeables).

Les couches sédimentaires

Au fil des siècles (voire plutôt des millénaires), des matériaux divers se sont déposés en différents endroits des reliefs. C'est le cas, par exemple, de sables et de roches, de restes organiques, amenés par les cours d'eau dans des estuaires et des cuvettes, de ceux qui se sont entassés dans des fonds marins, etc. En fonction des transformations de la Terre, des secousses sismiques, etc., certaines de ces couches ont pu pendant un certain temps se trouver à l'air libre, puis recevoir de nouveaux dépôts.

Il existe ainsi des terrains — dits *sédimentaires* — formés de *strates successives*, de composition quelquefois différente, qui ont pu se transformer sous l'action de la pression des couches situées au-dessus d'elles, d'agents physico-chimiques, ou de la température.

Mais c'est principalement depuis quelques décennies que les ressources des sciences et des technologies modernes ont servi l'archéologie, tant pour le repérage des sites que pour la datation et l'analyse des vestiges, développant ainsi une spécialité nouvelle : la *physique appliquée à l'archéologie*, parfois amalgamée à d'autres disciplines sous le vocable peu déterminant d'*archéométrie*.

Les méthodes physiques de prospection

Le repérage des sites et la reconstitution de l'espace archéologique sont souvent facilités par la **photographie aérienne**. Vus d'avion, photographiés en utilisant des films à émulsion très sensible, des ruines recouvertes par la végétation ou par une couche de terre, des fossés, des tracés de champs, ou de villages, etc., apparaissent sur la pellicule. On peut ainsi procéder à une première approche, et à une première perception des arrangements anciens, avant de se livrer à une étude systématique.

Une fois délimités les périmètres à explorer (que cela soit par le procédé précédent ou par des méthodes plus traditionnelles — à partir des noms de lieux, par exemple), plusieurs méthodes physiques, développées par ailleurs en *géophysique* (voir art. 7), peuvent être utilisées.

La géophysique

La géophysique est l'étude des propriétés de la Terre, du globe terrestre, à l'aide des théories, des instruments, des techniques, etc., empruntés à la physique (voir art. 7).

L'une des plus connues est la **prospection magnétique**. La Terre, comme on le sait, se comporte comme un énorme aimant (d'où l'orientation des *boussoles*). En chaque point de la planète existe donc un *champ magnétique* (voir art. 17). D'un endroit à un autre, la direction et l'intensité de ce champ varient. En déplaçant progressivement, sur une surface terrestre quelconque, une minuscule boussole très sensible, celle-ci s'oriente en chaque point selon la tangente à une courbe (le méridien magnétique). Une anomalie du sous-sol modifie localement le champ magnétique terrestre. La cartographie des anomalies repérées peut donner accès à l'implantation d'un habitat, ou d'une structure d'habitat, enfouis. L'appareil utilisé pour ce type de prospection est le *magnétomètre*.

La tangente à une courbe

C'est une droite qui touche en un point la ligne courbe considérée. On peut aussi avoir des courbes tangentes.

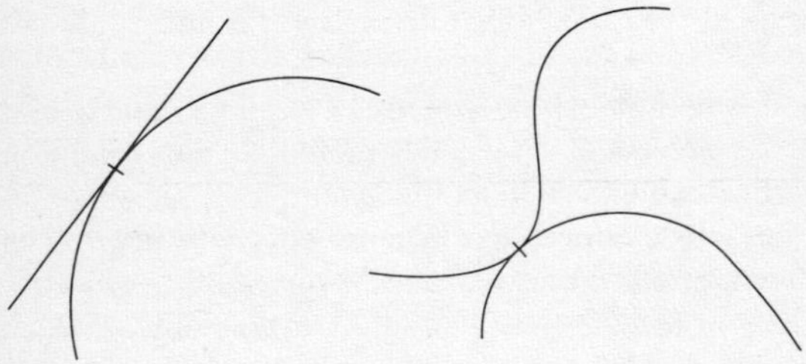

L'utilisation des **propriétés électriques des sols** est également pratiquée. Un sol conduit plus ou moins bien l'électricité (ce qui se traduit, en physique, en disant que sa *conductivité* est plus ou moins grande ou, à l'inverse, que sa *résistivité* est plus ou moins faible). Cela dépend de sa composition, de sa teneur en eau… Les mesures sont effectuées en plantant des électrodes dans le sol, en le quadrillant régulièrement. On peut ainsi tracer des *courbes d'isoconductivité* (en reliant entre eux, de proche en proche, les points où la conductivité est la même ; tout comme, en météorologie, on trace des *courbes isobares* — d'égale pression). Comme dans le paragraphe précédent sur le magnétisme, la présence de vestiges divers perturbe ces courbes.

Les méthodes de datation

Le célèbre radiocarbone (ou carbone 14)

Le noyau d'une substance naturellement radioactive (ou qui devient radioactive sous le choc de certaines particules) se désintègre en émettant un (ou plusieurs) noyau(x) différent(s) du noyau originel, des particules (variables selon les cas) et des rayonnements énergétiques (voir art. 1, 2 et 16). Au bout d'une période (caractéristique de l'élément radioactif initial — encore appelé *radioélément*), il ne demeure que la moitié des noyaux radioactifs initiaux, au bout de deux périodes que le quart, etc. Cette loi (dite de *la décroissance radioactive*) a été formulée en 1902 par Ernest Rutherford et Frederick Soddy. En 1907, B. Boltwood a essayé d'utiliser cette propriété en géologie pour déterminer l'âge de certains minéraux.

Dans la haute atmosphère, des noyaux **d'azote 14**, heurtés par les *rayons cosmiques*, se transforment en noyaux de **carbone 14** (voir art. 2 et 16). Il s'agit là d'un élément instable, la forme stable de cet atome étant le carbone 12. Avant les explosions nucléaires provoquées par l'homme, la proportion de noyaux de carbone 14 par rapport aux noyaux de carbone 12 dans l'atmosphère était environ de un pour mille milliards d'atomes.

Les noyaux évoqués sont entraînés sur la Terre (par les mouvements atmosphériques…) et assimilés — dans la même proportion que celle de leur présence dans l'atmosphère — par les matières organiques vivantes (hommes, animaux, plantes…). Quand l'organisme meurt, cette assimilation cesse. Étant instable, le carbone 14 se désintègre pour redonner de l'azote 14. La période de cette transformation est de 5 730 ($\pm$ 40) ans. En mesurant la proportion de carbone 14 subsistant dans un matériau d'origine organique, on peut donc déterminer le temps qui s'est écoulé depuis sa « mort ».

La méthode a été mise au point vers 1950, principalement par W.-F. Libby auquel elle a valu le Prix Nobel en 1960. Elle permet des datations de 2 000 à 40 000 ans d'âge environ, avec une précision comprise entre ±5 et ± 10 %. Elle n'est évidemment pas applicable à toutes les datations. Par ailleurs il est possible que, dans certains cas, des événements fortuits aient pu modifier les proportions étudiées et perturbent donc la mesure. La détermination par le carbone 14 a, compte tenu de ces limites, apporté quantité de résultats et demeure l'une des méthodes les plus fiables de l'archéologie contemporaine.

La précision des mesures en sciences

L'évaluation de l'incertitude sur un résultat est d'une importance capitale en sciences expérimentales (et dans bien d'autres domaines, d'ailleurs). Elle est quelquefois relativement vague. Dire que, sur l'âge d'un objet évalué à 10 000 ans, la précision est de l'ordre de ± 5 % à ± 10 % signifie que nous pouvons nous tromper (dans un sens ou dans l'autre) de 500 à 1 000 ans. L'âge réel peut donc être, selon les cas, de 11 000 ans, 10 500 ans, 10 000 ans, 9 500 ans ou 9 000 ans (ou tout autre nombre compris entre 11 000 et 9 000 ans). Plus l'objet est ancien, plus la marge d'incertitude est importante. Un *« recoupement »* par une autre méthode (par exemple, si l'âge est suffisamment grand, par la présence de l'objet dans une couche géologique bien déterminée) peut aider à diminuer la marge d'incertitude.

L'indétermination vient de différents facteurs : limites des instruments eux-mêmes ou de la méthode, existence connue d'éléments perturbateurs, influence possible de l'expérimentateur sur le résultat, etc. Il est certain qu'il n'est pas souhaitable d'utiliser des appareils d'une très grande précision si l'on sait que, par ailleurs, l'on ne peut pas atteindre une pareille qualité pour de multiples raisons. Inutile, par exemple, de disposer d'un ampèremètre au 1/100 d'ampère, si le résultat est entaché d'une incertitude de l'ordre de 1/10 d'ampère. Il ne faut pas, non plus, écrire que l'intensité du courant est de 3,24 Ampère si l'on n 'est déjà pas sûr des dizièmes d'ampère. Il faut écrire : I = 3,2 ± 0,1 Ampères (la valeur possible est donc comprise entre 3,1 et 3,3 A).

La thermoluminescence

La *luminescence* (voir art. 18) est, de façon générale, l'émission d'un rayonnement électromagnétique (de *photons*, si l'on préfère) par certains atomes contenus dans des matériaux divers (gaz, liquides, solides). L'énergie nécessaire à cette émission peut être apportée par des photons (*photoluminescence*), des électrons (*cathodoluminescence*), des particules α et β (*radioluminescence*), la rupture de solides (*triboluminescence*), une réaction chimique *in vitro* (*chimiluminescence*) ou *in vivo* (*bioluminescence*).

In vivo **:** en milieu vivant, dans son environnement naturel.

In vitro **:** en milieu artificiel, dans une éprouvette, un tube à essai.

Les physiciens distinguent deux étapes : la *fluorescence* qui concerne tous les états physiques, dont l'émission est synchrone d'une excitation et dépend peu de la température ; la *phosphorescence* qui concerne surtout des solides cristallins ou vitreux, et est souvent liée à la présence de défauts physiques ou chimiques ponctuels dans la matière. Elle est généralement retardée par rapport à la précédente et est souvent sensible à la température. La *thermoluminescence* provient d'une stimulation, par un apport de chaleur, d'une luminescence préalable.

Le synchronisme

Un événement A est synchrone d'un événement B, si A et B se produisent en même temps ou — ce qui est plus fréquent — **avec un décalage dans le temps qui est constant**, avec la même période (phénomène périodique) et avec la même vitesse. Le concept concerne notamment le *laser* (voir art. 13).

La **thermoluminescence** est une propriété générale de minéraux naturels, tels que le quartz, les feldspaths, les zircons, pourvus qu'ils soient transparents ou de couleur claire, que l'on rencontre dans des échantillons archéologiques, tels que certains matériaux entrant dans la composition des céramiques.

Irradiés depuis leur formation par les *radioéléments* (voir art. 2, 3 et 16) présents à l'état de traces (Uranium 238, Thorium 232 et leurs « descendants »), ces matériaux ont acquis une *thermoluminescence « géologique »*. Celle-ci est effacée par un premier chauffage vif effectué par les hommes du passé (cuisson volontaire, présence dans une pierre ou une brique délimitant un foyer, etc.). C'est **l'instant zéro** du « chronomètre luminescence ».

Abandonné après utilisation (et éventuellement recouvert puis enfoui dans le sol), l'objet est de nouveau irradié. Il acquiert de ce fait une *thermoluminescence « archéologique »*, dont l'intensité est *l'image du temps*. En fait, elle est proportionnelle d'une part à la radioactivité du milieu d'enfouissement et à la radioactivité propre de l'objet (que l'on sait mesurer sous forme d'une « dose annuelle d'irradiation »), d'autre part au temps écoulé depuis ce premier chauffage, qui est l'âge recherché de l'objet en question (autrement dit à la dose totale d'irradiation, qui est égale à la dose annuelle multipliée par le nombre d'années).

Au laboratoire, on détermine une dose égale à la dose naturelle qui provoque l'émission de la thermoluminescence archéologique. Au laboratoire et sur le terrain, on effectue des mesures qui donnent accès à la dose annuelle. Le quotient dose totale/dose annuelle donne l'âge recherché. La précision de la méthode est comprise entre ± 5 et ± 10 % (comme le carbone 14). La *portée* (c'est-à-dire la durée la plus ancienne évaluable) est de l'ordre du **million d'années** (contre 35 000 ans seulement pour le C 14).

La technique est particulièrement intéressante pour étudier les objets, les minéraux, qui ont, du fait de l'action de l'homme, été cuits. C'est le cas des céramiques, des pierres entourant des foyers, des revêtements de fours, etc. Quand il s'agit de vestiges enfouis dans le sol à faible profondeur, une correction doit être apportée pour tenir compte de l'influence des rayons cosmiques. Le procédé fait évidemment appel aux connaissances dues aux avancées contemporaines des sciences physiques (physique du solide et physique nucléaire) et de technologies qui en sont issues. C'est vrai de la détection de la luminescence, qui exige des *cellules photoélectriques* extrêmement sensibles (*photomultiplicateurs* — voir art. 18) ; ce l'est également de la recherche des traces d'éléments radioactifs existant dans les matériaux étudiés, qui nécessite des analyses élémentaires minutieuses.

L'archéomagnétisme

Le champ magnétique terrestre, évoqué au début du présent article, a changé d'orientation au cours de l'histoire de notre planète (et s'est même inversé). A une date précise, (lors du dernier chauffage d'une argile, par exemple), les particules sensibles à ce champ (ce qui est vrai des substances contenant des traces de fer et de divers autres éléments — dont le nickel, le cobalt et le titane) se sont orientées de manière à lui être parallèles. A condition, bien sûr, que leur mouvement soit physiquement possible. (Le cas est favorable quand elles entrent dans la composition d'un liquide ou d'une matière visqueuse. Si elles font partie d'un corps solide bien rigide, elles ne peuvent pas tourner pour se placer parallèlement au champ.) Si le matériau dont ces particules font partie, se fige pour une raison quelconque, elles gardent alors l'orientation prise auparavant.

Le principe évoqué a été appliqué à la géologie. Les chercheurs ont reconstitué partiellement l'histoire des variations (voire des inversions) du champ magnétique terrestre. Certaines roches (la lave, par exemple), ou certains terrains, ont été relativement fluides, il y a plus ou moins longtemps. Quand ils sont passés de l'état liquide (ou visqueux, plus précisément) à l'état solide, les grains magnétisés ont conservé la direction qu'ils avaient au moment du changement d'état (et donc, en quelque sorte, la *mémoire* de l'état passé de cette matière). En comparant au tableau de l'orientation de ce champ au cours des temps, il est possible (quitte à recouper l'indication obtenue avec des résultats provenant d'autres types d'analyse) de situer le moment de la solidification de la substance.

En archéologie, la technique est pertinente pour des vestiges

Inclinaison et déclinaison magnétiques

En un lieu quelconque de la Terre :

— ON est la direction du nord géographique
— xON est le plan horizontal en ce lieu
— OM est la direction du nord magnétique, dans le plan horizontal du lieu
— OB est la direction que prend la boussole (B en étant alors le pôle nord)
— OMB est le plan vertical en ce lieu.

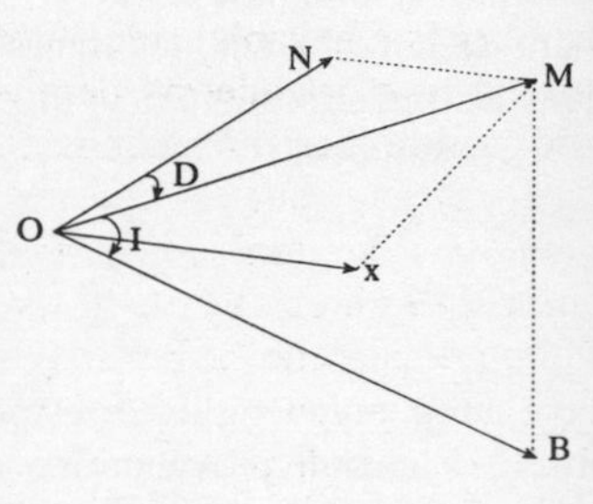

Concrètement, l'existence de 2 angles (*inclinaison* et *déclinaison*) traduit le fait que la boussole pointe vers une zone (le « nord magnétique ») distincte du « pôle nord » de la géographie (qui est le point de la Terre situé, au nord, sur son axe de rotation), mais aussi que sa direction est, dans le plan vertical, distincte de celle du nord du lieu où l'on se trouve. Dans la pratique, le pôle nord de la boussole « pique du nez vers le sol » (dans l'hémisphère nord ; c'est l'inverse dans le sud).

La déclinaison D est l'angle entre les directions des nords géographique et magnétique du lieu.

L'inclinaison I est l'angle entre la boussole et le plan horizontal du lieu.

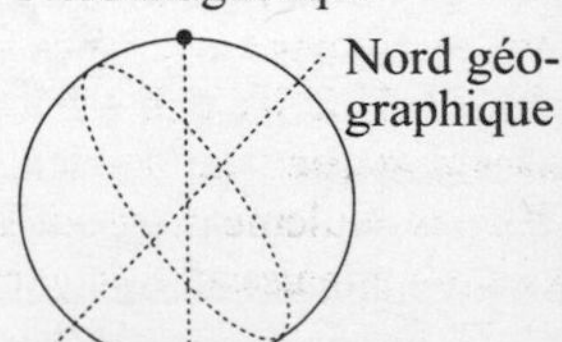

Rappelons que (si l'on assimile la Terre à une sphère, ce qu'elle n'est pas tout à fait) *la verticale* d'un lieu est la direction du centre de la Terre, *le plan horizontal* en ce lieu est tangent à cet endroit à la sphère terrestre (et perpendiculaire à la verticale).

qui, comme l'argile, contiennent notamment des oxydes de fer et qui ont été soumis à une cuisson (céramiques...). Cela peut valoir aussi pour des briques, des tuiles... Les objets concernés ont fréquemment été déplacés. Dans ce cas, seule l'étude de la *déclinaison magnétique* est exploitable. Il faut aussi (mais c'est toujours souhaitable) recouper l'estimation effectuée avec celle(s) qui découle(nt) de l'exploitation de données d'une autre nature. Les fluctuations de la direction du champ magnétique terrestre sont «*régionales*». Cela nécessite l'élaboration d'*abaques* qui font de l'archéomagnétisme une méthode de datation «indirecte», à la différence de celle au carbone 14 qui n'impose pas cette calibration intermédiaire et locale. Actuellement, les abaques existent en Europe Occidentale pour une partie des deux millénaires qui nous précèdent.

Dans les régions pour lesquelles l'abaque existe, l'incertitude est de l'ordre de ± 20 ans. La méthode est aujourd'hui utilisée principalement pour la période de la domination romaine, le moyen âge et les débuts des temps modernes.

Divers

Parmi les autres emprunts de l'archéologie aux sciences expérimentales, citons : les recherches de traces d'organismes vivants, de plantes, de pollens, qui font appel à la botanique, à la biologie, à la biochimie ; les ressources des multiples procédés de l'analyse élémentaire cristallographique des textures qui permettent notamment de déterminer la composition des objets métalliques, des verres, des céramiques, des colorants, etc., et la façon dont ils ont été obtenus... Sans oublier, bien sûr, **l'informatique**, qui tend à devenir un outil incontournable (mais pas seulement un outil — voir art. 12) universel (statistiques, reconnaissance de caractères en épigraphie...).

REPÈRES

CERAM, C. W., *Des Dieux, des tombeaux, des savants*, trad. franç., Paris, Le Livre de Poche, 1974 (l'édition allemande d'origine est de 1949).

FRÉDÉRIC, L., *Manuel pratique d'archéologie*, Paris, R. Laffont, 1967.

GALLEY, A., *L'Archéologie demain*, Paris, Belfond, 1986.

GIOT, P. R., et LANGOUËT, L., *La datation du passé. La mesure du temps en archéologie, Revue d'archéométrie*, Rennes, 1984.

LANGOUËT, L., et GOULPEAU L., *Les Techniques scientifiques en archéologie*, Rennes, C.R.D.P., 1984.

MATHIEU, J. P., KASTLER, A. et FLEURY, P., *Dictionnaire de physique*, Paris, Masson/Eyrolles, 1983.

Méthodes de prospection et de datation, numéro spécial des *Dossiers de l'Archéologie*, n° 39, nov.-déc. 79, Dijon (notamment les articles de A. HESSE ; D. LEMERCIER ; P. R. GIOT ; L. LANGOUËT ; J. EVIN ; M. SCHROERER. F. BECHTEL ; B. GALLOIS ; I. BUCUR).

▶ **Accélérateur de particules, Atome, Cristal, Dérive des continents, Gravitation, Informatique, Nucléaire (Énergie-), Photoélectrique (Cellule-).**

25. Vie

Actuellement, la connaissance scientifique ne peut rendre compte du phénomène de la vie dans sa globalité. On ne sait pas encore construire la vie en laboratoire.

Connaître le vivant est l'objectif de la ***biologie****. Toute science n'a de prise que sur des mécanismes. Le vivant se définit à l'aide de caractéristiques :*

— *L'élément de base qui constitue tout animal ou végétal, est la* ***cellule****.*

— *Un système de* ***communication interne*** *permet à toutes les cellules de coopérer dans un fonctionnement global au niveau de l'organisme et ce par rapport à un milieu donné.*

— *Un être vivant* ***préserve son intégrité*** *face aux molécules, cellules, organismes, qui lui sont étrangers.*

— ***La vie naît de la vie*** *qu'il s'agisse de reproduction conforme ou sexuée.*

— *La diversité des espèces animales et végétales passées et présentes impose l'idée d'une* ***évolution des formes de vie au cours du temps.***

La théorie cellulaire

Les cellules sont invisibles à l'œil nu. Les premières observations microscopiques ont été réalisées au milieu du XVIIe siècle par Robert Hooke. C'est lui qui donna le nom de cellules à des pores qu'il distingue dans des fragments de liège et d'autres végétaux.

La technologie microscopique se développe au XIXe siècle, les observations sont plus fines et se multiplient. Deux biologistes, l'un zoologiste, Schwann, l'autre botaniste, Schleiden, mettent leurs observations en commun. Schwann énonce en 1839 la théorie cellulaire. La cellule est l'unité élémentaire de la vie : « *Toutes les plantes et tous les animaux sont constitués de petites unités appelées cellules* ».

Il existe des êtres vivants *unicellulaires* formés d'une seule cellule, d'autres *pluricellulaires* formés de plusieurs cellules.

La cellule est caractérisée par :

— **une composition chimique précise,**

— **une structure,**

— **un fonctionnement** répondant à des critères invariables quel que soit l'être vivant.

La composition chimique d'un organisme permet de mettre en évidence que 6 atomes seulement représentant la plus grande partie des molécules du vivant. Ce sont : le carbone (C), l'hydrogène (H), l'oxygène (O), l'azote (N), le soufre (S) et le phosphore (P).

Prenons un exemple parmi les molécules qui constituent une cellule : les protéines. L'élément de base d'une protéine est l'acide aminé, qui est une molécule simple formée de C,H O,N et parfois S. Il n'existe que vingt acides aminés. Ainsi les protéines de tout être vivant sont constituées des mêmes vingt acides aminés.

Seuls changent *l'arrangement* des acides aminés qui, reliés les uns aux autres, forment la chaîne protéique et le *nombre* d'acides aminés. La structure spatiale d'une protéine est spécifique : une protéine a un rôle déterminé.

Un deuxième exemple d'unité moléculaire dans le monde vivant est le matériel génétique d'une cellule ; c'est lui qui contient l'information nécessaire à la réalisation d'un être vivant (voir le mot Gène). Ce matériel génétique est formé d'acide désoxyribonucléique (ADN) ou d'acide ribonucléique (ARN) chez certains virus. Quatre molécules composent principalement l'ADN et l'ARN : l'adénine (A), la thymine (T), la guanine (G), la cytosine (G). Dans l'ARN, l'uracile (U) remplace la thymine. Là encore, ne varient d'un être vivant à l'autre que l'agencement des quatre molécules de base et leur nombre. Cela suffira à coder l'ensemble du patrimoine héréditaire de l'organisme.

Parmi tous les types cellulaires, mis à part les virus, on peut retrouver également des constantes quant à leurs structures

Appariement des bases et réplication de l'ADN

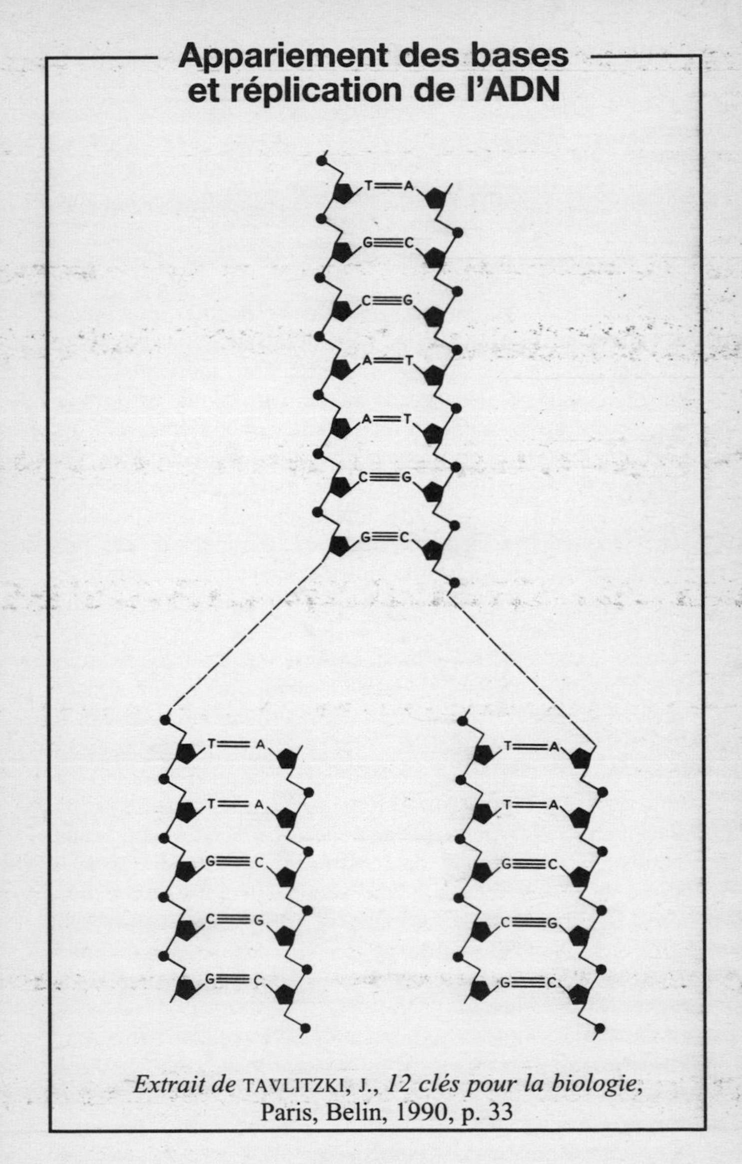

Extrait de TAVLITZKI, J., *12 clés pour la biologie*, Paris, Belin, 1990, p. 33

Schéma 1

(schéma 2) : une *membrane plasmique* qui délimite la cellule, un *cytoplasme* qui contient des organites intracellulaires.

Les bactéries ont leur information génétique diffuse dans le cytoplasme, elles sont appelées *procaryotes*. Par contre les *eucaryotes* (animaux et végétaux) possèdent un *noyau* individualisé où le matériel génétique (ADN) est enfermé à l'intérieur d'une double membrane.

Les *mitochondries* sont les organites servant à approvisionner la cellule en énergie.

Les cellules fonctionnent suivant des modalités communes. Un être vivant renouvelle perpétuellement les parties qui le compose, mais en gardant toujours son individualité ; à l'échelle cellulaire, il en est de même. Une cellule est un système ouvert, traversé par un flux de matière et d'énergie.

La structure de la membrane plasmique (schéma 3) permet des échanges sélectifs avec le milieu extracellulaire, en fonction des besoins de la cellule notamment grâce aux protéines enchassées dans la bicouche lipidique. Certaines de ces protéines assurent le transport de molécules, entre autres nutritives qui assureront les besoins énergétiques, le maintien et la croissance de la cellule.

Un autre mode de transfert de matière est possible : la membrane plasmique ressemble à une mosaïque fluide dont le comportement serait comparable à la paroi d'une bulle de savon. Ainsi, un fragment de membrane peut se déformer en enserrant des molécules extérieures à la cellule, isoler ainsi un compartiment ou vésicule qui transportera son contenu dans le milieu intracellulaire. C' est le phénomène d'*endocytose*. Le même mécanisme peut s'opérer en sens inverse pour exporter de la matière du milieu intracellulaire vers l'extérieur de la cellule (*exocytose*).

Des techniques de marquage utilisant des isotopes radioactifs ont permis de mettre en évidence ce transit de matière à travers la cellule (schéma 4).

Prenons l'exemple de la fabrication de protéines. Leurs rôles sont variés ; que ce soient celles qui sont logées dans la membrane, ou celles qui formeront une enzyme, ou bien encore celles qui seront exportées comme les hormones.

Les acides aminés qui composeront la séquence protéique sont prélevés par la cellule à partir du milieu extérieur. Une fois

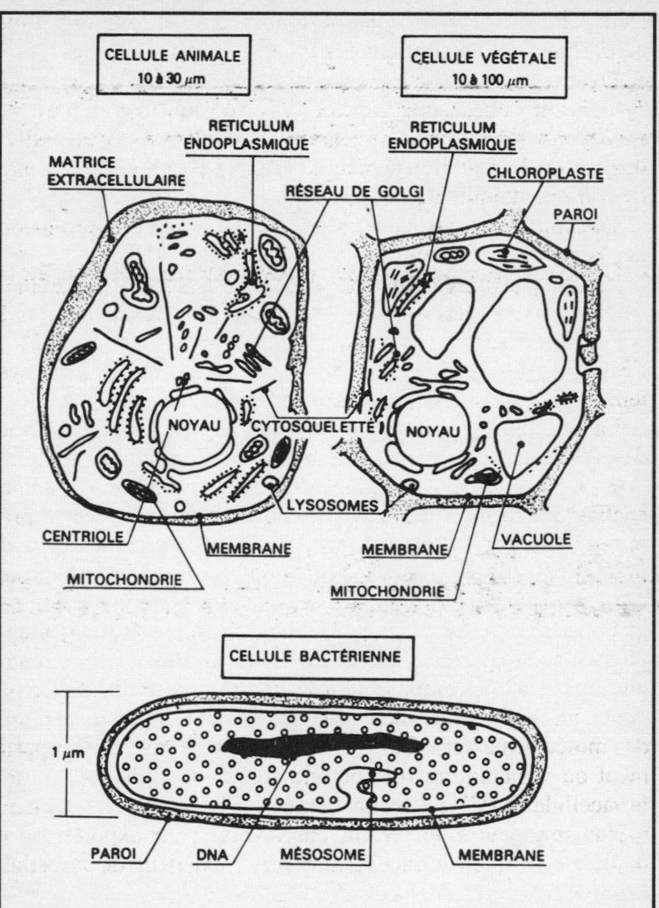

Schéma des structures essentielles de cellules bactérienne, végétale et animale. Reconstitution d'après des photographies en microscopie électronique de coupes ultra-fines.

(*Extrait de* TAVLITZKI, J., *12 clés pour la biologie*, Paris, Belin, 1990, p. 159.)

Schéma 2

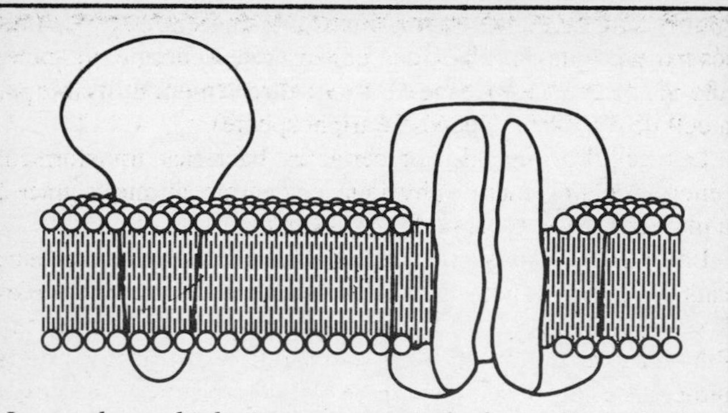

La membrane biologique est constituée de protéines placées dans une double couche de molécules de lipides (TAVLITZKI, J., *12 clés pour la biologie*, Paris, Belin, 1990, p. 75).

Schéma 3

dans le cytoplasme, ils seront assemblés selon un plan de construction contenu dans le code génétique. Chaque molécule a une durée de vie limitée. La cellule est le siège d'incessants phénomènes de dégradations (catabolisme) et de constructions (anabolisme).
L'équilibre est dynamique…

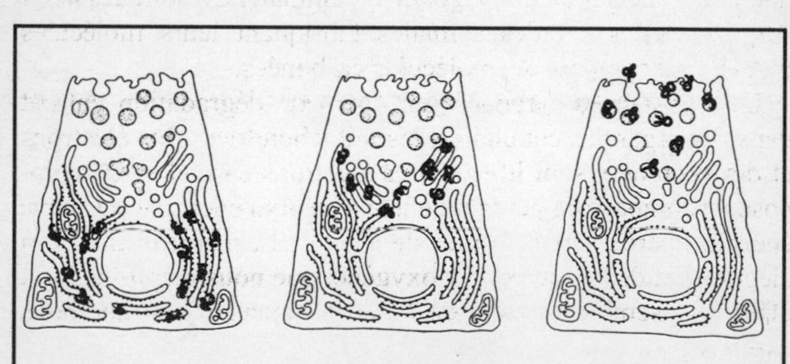

Synthèse et excrétion de protéines (points noirs) dans une cellule du pancréas (TAVLITZKI, J., *12 clés pour la biologie,* Paris, Belin, 1990, p. 74).

Schéma 4

Pour former de nouvelles molécules, liaisons entre acides aminés par exemple, la cellule doit dépenser de l'énergie. La molécule qui permet le stockage d'énergie directement utilisable par la cellule est l'ATP (adénosine triphosphate).

Les cellules végétales et certaines bactéries transforment l'énergie solaire, énergie physique, en énergie chimique grâce à la photosynthèse. Ce sont des *autotrophes*.

Les plantes vertes possèdent de la chlorophylle contenue dans des organites particuliers, les chloroplastes. Les molécules de chlorophylle contiennent des électrons qui cascadent le long d'une chaîne de transporteurs sous l'action des photons de la lumière. La chlorophylle récupère alors des électrons en provoquant la dissociation de la molécule d'eau. Les protons ainsi formés s'accumulent tandis que le dioxygène est libéré dans l'atmosphère.

Le transfert d'électrons provoque un stockage de protons. La fuite canalisée des protons stockés libère l'énergie nécessaire à la formation d'ATP. Les végétaux utilisent cette énergie pour synthétiser des molécules carbonées : sucres, amidon à partir du carbone du dioxyde de carbone de l'air et de l'hydrogène de l'eau. Ces molécules carbonées représentent potentiellement de l'énergie chimique et non plus solaire.

Les animaux consomment de la matière carbonée pour vivre, que ce soit de la matière végétale ou animale. Ce sont des *hétérotrophes*. Les cellules animales fabriquent leurs molécules d'ATP en dégradant les molécules carbonées.

Les substances carbonées en cours de dégradation entrent dans des organites cellulaires, les mitochondries. Des électrons et des protons y sont libérés. Les électrons cascadent de composé en composé en perdant de leur potentiel énergétique : cette énergie libérée sert à former de l'ATP ; l'accepteur final des électrons et des protons est l'oxygène, que nous respirons à cet effet. L'ensemble formera de l'eau la vapeur d'eau que nous expirons.

$$O_2 + 4e^- + 4H^+ \rightarrow H_20$$

Outre le phénomène de la *respiration* nécessitant de l'oxygène (voie aérobie), certaines cellules hétérotrophes disposent d'une autre voie pour fabriquer de l'énergie sans oxygène, sans mitochondries. Cette voie anaérobie s'appelle la *fermentation*. Elle est moins rentable énergétiquement mais permet à des cellules de vivre sans oxygène.

Régulation et communication

L'autonomie de l'être vivant se réalise à travers des relations de dépendance avec le milieu.

Ce sont les variations du milieu extérieur qui déclenchent les mécanismes régulateurs, autant à l'échelle cellulaire qu'à l'échelle de l'organisme.

Voici un exemple : le refroidissement du milieu extérieur provoque la baisse de la température interne des animaux ; or, chez les homéothermes, celle-ci doit rester constante. Dès que cette valeur s'écarte de la norme, une sécrétion d'adrénaline accélère le catabolisme dans de nombreuses cellules, libérant de l'énergie calorifique, et la température interne s'élève.

L'action régulatrice consiste à annuler la variation qui la déclenche. C'est une *rétroaction négative* de l'effet sur la cause. Une telle régulation suppose des capteurs qui détecteront les variations, un centre qui collecte les données, les intègre et les traite puis élabore un message, lequel agira sur des organes cibles dont le métabolisme sera modifié afin de recaler le paramètre à réguler dans des valeurs acceptables pour l'organisme.

Un paramètre physiologique : pH sanguin, taux de glucose sanguin, d'oxygène, etc., est maintenu par un double système de rétroaction négative, l'un corrigeant une baisse de la valeur, l'autre une hausse. La valeur « idéale » du paramètre à réguler n'est jamais obtenue, celle-ci oscille entre les deux valeurs limitées par les systèmes de régulation. Ici aussi, l'équilibre est dynamique.

Le *système nerveux* et le *système hormonal* sont deux moyens de communication à l'intérieur de l'organisme. Ils peuvent agir indépendamment l'un de l'autre mais souvent ensemble. Prenons le cas de la régulation de la température interne chez l'homme.

Quel est le rôle du système nerveux dans cette régulation ? Des récepteurs sensibles à la température sont localisés dans différentes parties du corps : des récepteurs périphériques situés dans la peau et des récepteurs centraux situés dans le cerveau. Deux types de récepteurs cutanés, les uns sensibles au chaud, les autres sensibles au froid sont les premiers à réagir à une baisse de la température extérieure.

Ce sont des cellules nerveuses qui codent les variations de température sous forme de différences de potentiels électriques qui se propageront le long des fibres nerveuses. Ces messages élémentaires s'appellent potentiels d'action : ils ont tous la même intensité mais la fréquence des potentiels d'action (nombre de potentiels d'action par seconde) varie selon l'intensité de la stimulation sensorielle. La variation d'amplitude de la température est codée en modulation de fréquence de potentiels d'action.

D'autres thermorécepteurs situés dans une région du cerveau sont sensibles à la température du sang. Le centre intégrateur est logé dans l'encéphale : c'est l'hypothalamus. Il reçoit les messages nerveux provenant des récepteurs sensoriels, intègre les informations reçues et commande les divers effecteurs en envoyant des messages nerveux moteurs. Pour lutter contre le froid, les effecteurs seront par exemple les muscles du squelette qui se contracteront volontairement ou involontairement (frissons). Cette régulation est rapide.

Le système hormonal lui, agira avec un certain retard. Parmi les glandes hormonales mises en jeu dans cette régulation, des organes situés au-dessus des reins, les surrénales : médullo et cortico-surrénales. Les premières sécrètent l'adrénaline.

La production d'adrénaline est obtenue par stimulation nerveuse des médullosurrénales à partir de l'hypothalamus. C'est un exemple de coopération entre communication nerveuse et hormonale.

Une hormone est un messager chimique, actif à faible dose, libéré par un organe et transporté dans le sang jusqu'aux cellules au niveau desquelles il exerce son action. Ici, les cellules cibles sont les cellules du foie dont le rôle est notamment de stocker le glucose excédentaire dans le sang. Sous l'effet de l'adrénaline, le métabolisme des cellules hépatiques est modifié, elles libèrent leur glucose.

Ces deux modes de communication ont des points communs. Une cellule nerveuse ou une cellule hormonale stimulée libère soit un neurotransmetteur, soit une hormone ; ce sont des molécules qui ont une configuration spatiale, une forme définie. Une cellule cible réagira au messager si elle possède sur sa membrane des récepteurs ayant une forme complémentaire du neurotransmetteur ou de l'hormone.

Les récepteurs sont des protéines fichées dans la membrane de la cellule cible. La reconnaissance entre la serrure (récepteur) et la clé (molécule informative) déclenche une série de réactions intracellulaires qui ont pour but à la fois d'amplifier le message reçu et d'adapter le métabolisme de la cellule cible en fonction de la régulation à opérer.

Grâce à ces modes de communication, un être vivant représente une unité. C'est une des difficultés qui rend l'expérimentation biologique difficile. Séparer une cellule, des organes d'un être vivant ne peut permettre de rendre compte de la totalité d'un mécanisme sur un organisme.

L'être vivant préserve son intégrité

Un être vivant est l'expression d'un ensemble d'instructions codées sous forme d'ADN. Elles contiennent les caractéristiques de l'espèce à laquelle appartient l'organisme, mais aussi des caractéristiques individuelles qui font de chaque être vivant issu de reproduction sexuée un être unique.

Par exemple, les cellules de l'homme ne peuvent utiliser directement des protéines de poisson. La protéine avalée va être d'abord être digérée, la réduisant ainsi en acides aminés élémentaires, ceux qui constituaient l'enchaînement de la molécule protéique. La protéine de poisson a perdu sa spécificité. Pour reformer une protéine humaine, les acides aminés seront assemblés dans une cellule à partir d'un plan contenu dans l'ADN du noyau.

Pour préserver son unicité, un être vivant possède un système de protection ; le *système immunitaire*. L'organisme doit être capable de discriminer un élément étranger d'un de ses constituants propres et d'élaborer une réaction de rejet.

Certaines des protéines cellulaires, présentes à la surface de la cellule, sont des « marqueurs du soi », expression du patrimoine génétique de l'organisme. Un élément étranger (*anti-*

gène) sera reconnu comme tel s'il présente à sa surface des motifs moléculaires différents. Des cellules immunitaires (*lymphocytes*) et des molécules (*anticorps*) synthétisées par une catégorie de lymphocytes neutraliseront l'antigène. Chaque anticorps est une protéine possédant une forme complémentaire de l'antigène, celui-ci est inactivé quand le complexe anticorps-antigène se forme.

Mieux, le système immunitaire gardera en mémoire ce premier contact avec l'antigène et pourra lutter plus efficacement s'il est à nouveau en contact avec ce même antigène.

Le virus du SIDA détruit spécifiquement les cellules immunitaires, laissant l'organisme incapable de lutter contre toute infection.

La vie naît de la vie

Lorsque Schwann formule la théorie cellulaire, la question de la *génération spontanée* provoque des débats chez les biologistes.

Cette théorie soutenait que des cellules peuvent se former spontanément à partir de substances matérielles du milieu ambiant grâce à une « force vitale ». C'est ainsi qu'étaient interprétées, par exemple, l'apparition soudaine de vers sur des aliments.

A partir du XVIIe siècle et au fur et à mesure que l'observation d'animaux de plus en plus petits et de leurs œufs est possible, la théorie de la génération spontanée recule, sauf pour les microbes qui ne semblent provenir de nulle part. Pasteur, grâce à une démarche scientifique rigoureuse, accumule les expériences pendant vingt ans. En 1860, il prouvera que les microbes qui contaminent un milieu proviennent de l'air. La vie est précédée d'une autre vie.

Les cellules dérivent les unes des autres par division cellulaire. Deux processus sont possibles : l'un permet à partir d'une cellule d'obtenir deux cellules rigoureusement identiques à la première ; c'est la reproduction conforme ou *mitose*. L'autre se déroule lors de la formation des cellules reproductrices, ovules et spermatozoïdes : c'est la *méïose*.

La reproduction conforme est le mode de reproduction utilisé par les êtres unicellulaires (formés d'une seule cellule) : bactéries, protozoaires. Chez les êtres pluricellulaires, la mitose sert à former des milliards de cellules à partir de la cellule-œuf formée lors de la fécondation. Elle sert aussi à remplacer les cellules mortes ; toutes les cellules ont une durée de vie variable, limitée : par exemple, les globules rouges vivent 120 jours et les cellules nerveuses parfois plus de 80 ans. Ces dernières ne peuvent pas être remplacées ; le capital de neurones acquis pendant la vie embryonnaire diminue de 200 000 cellules par jour.

Les cellules obtenues par mitose sont identiques à la cellule de départ, ce qui signifie qu'elles contiennent la même information génétique, la même séquence d'ADN. La structure même de l'ADN permet une réplication semi-conservatrice d'une molécule d'ADN en deux molécules identiques (voir la structure de l'ADN dans l'article Gène et le schéma 1).

Après la réplication de l'ADN, étape préparatoire à la mitose, il faut le répartir équitablement entre les deux cellules. En fait, l'ADN n'est pas nu, il est entortillé sur lui-même, enroulé sur des protéines. De même, il n'y a pas qu'une seule molécule d'ADN mais plusieurs. Lorsque la cellule se divise, ces molécules d'ADN adoptent un aspect particulier, en forme de bâtonnets : les *chromosomes*. Les chromosomes ont des formes et des tailles variées, mais chaque chromosome possède son homologue à l'aspect identique. Le patrimoine génétique d'un être vivant est donc constitué de paires de chromosomes homologues, chez l'homme 23 paires. Grâce à la duplication de l'ADN, pendant un cours instant la cellule contient le double des gènes (voir ce mot). Les gènes sont également répartis lors de la division cellulaire.

Chaque cellule a un nombre de divisions limité au cours de sa vie.

Les cellules reproductrices possèdent la moitié du nombre total de chromosomes d'une cellule banale. Lors de la fécondation, deux cellules sexuelles, l'une mâle (spermatozoïde) l'autre femelle (ovule), s'uniront pour donner une cellule-œuf.

L'œuf contient le patrimoine génétique complet du nouvel individu, sous forme de paires de chromosomes homologues : chaque paire est constituée d'un chromosome paternel apporté par le spermatozoïde et d'un chromosome maternel apporté par l'ovule. A partir de la cellule-œuf se formeront toutes les autres cellules de l'être vivant par reproduction conforme. Revenons à la formation des cellules reproductrices ou méiose.

Pendant la première étape, les chromosomes homologues, répartis aléatoirement dans le noyau, vont se regrouper par paires. Ils pourront même échanger des segments d'ADN entre eux (voir art. Gène). Puis les chromosomes de chaque paire se dissocient et se répartissent dans chacune des cellules.

Il existe à ce moment beaucoup de combinaisons possibles. Deux conséquences : le patrimoine génétique des cellules reproductrices ne contient, en quantité, que la moitié du patrimoine héréditaire du géniteur ; mais aussi la variabilité génétique de ses gamètes sera très grande. Le nombre de possibilités de gamètes tous différents génétiquement est de l'ordre de huit millions pour un être humain.

La méiose est donc une source de variabilité génétique. Dans ces conditions, la probabilité pour un couple d'avoir deux enfants identiques à l'issue de deux fécondations différentes est presque nulle.

Chaque être vivant qui naît d'une reproduction sexuée est donc un être unique.

Évolution des formes de vie

Jusqu'au XIXe siècle, l'idée dominante chez les biologistes était le *fixisme* : selon cette doctrine, les espèces ne sauraient dériver les unes des autres.

Aristote (IVe siècle avant J.-C.) rangeait les espèces selon une échelle graduée, avec en bas la matière inanimée, plus haut des organismes dépourvus d'esprit, issus de génération spontanée, puis les insectes, reptiles, oiseaux, mammifères dotés d'un peu d'esprit, à mi-hauteur l'homme moitié corps moitié esprit, et au-dessus Dieu.

Plus tard, la description biblique de la création interdisait toute idée d'évolution sous peine de s'opposer à l'Église : « *Il y a autant d'espèces que l'Être Infini produisit à l'origine de formes diverses* » (Linné, 1738).

A partir d'observations, de comparaisons, deux scientifiques vont faire émerger la *théorie transformiste* ou *évolutionniste* d'après laquelle les espèces vivantes ne sont pas fixes et distinctes mais variables et susceptibles de se transformer les unes dans les autres. Ces deux scientifiques sont Darwin et Lamarck.

La notion d'*espèce* est définie sur des critères de reproduction : deux individus sont de même espèce s'ils sont capables de se reproduire entre eux et si leurs descendants sont eux-mêmes fertiles. La théorie transformiste permet de comprendre un grand nombre de faits : biogéographiques, anatomiques, paléontologiques et embryologiques. Nous prendrons un exemple dans chaque domaine.

Darwin (début du XIXe) voyage autour du monde, notant ses observations de naturaliste et ramenant nombre d'échantillons. Sur l'archipel des Galapagos, il s'intéresse aux populations de pinsons. Ceux-ci sont légèrement différents d'une île à l'autre, mais présentent de nombreux traits communs que l'on retrouve chez les pinsons du continent situé à 900 kilomètres de là. Darwin pense que l'isolement des îles a permis aux pinsons continentaux de s'installer et de conquérir tous les milieux de vie disponibles ; d'une île à l'autre on trouve des pinsons vivant au sol et se nourrissant de graines, d'autres vivant sur les arbres se nourrissant de fruits etc., chaque conquête s'accompagnant d'une modification de la forme du bec.

L'anatomie comparée des vertébrés actuels fournit d'autres arguments. Le bras et la main de l'homme, du dauphin, l'aile d'un oiseau ont une organisation osseuse identique, quel que soit le rôle rempli par le membre. Les différences portent sur la taille et les proportions relatives des segments du membre. Le plan d'organisation est commun. D'autres exemples peuvent être pris, le système nerveux par exemple.

Les paléontologistes ont daté les fragments d'êtres vivants dont beaucoup d'espèces ont aujourd'hui disparu. Les poissons puis les batraciens apparaissent à la fin de l'ère primaire. Les reptiles se développent à l'ère secondaire, puis c'est le tour des oiseaux, des mammifères. Dans quelques cas, on peut retrouver sous forme fossile toutes les étapes successives de l'évolution d'une espèce actuelle. Chez les équidés fossiles, du tertiaire au quaternaire, dix espèces se succèdent, conduisant d'un petit mammifère à cinq doigts au cheval actuel à un seul doigt.

L'embryologie montre que le développement de l'embryon

d'une espèce passe par des stades qui rappellent les états embryonnaires d'animaux ancestraux. Au début de sa formation, l'embryon humain présente des traces de fentes branchiales, un cœur qui a la forme d'un tube avec deux cavités, caractéristiques que l'on retrouve chez les poissons actuels. Dans l'hypothèse transformiste, ces formes embryogéniques sont des restes du passé des vertébrés aquatiques, ancêtres de l'homme.

Ces faits n'étaient pas tous connus de Lamarck et Darwin ; néanmoins l'un et l'autre ont essayé de proposer des mécanismes de l'évolution.

Lamarck (1744-1829) pense que lorsque le milieu change, de nouveaux besoins apparaissent, l'être vivant utilise certains organes plus que d'autres : **la fonction crée l'organe**. Ces modifications adaptatives seraient selon lui, héréditaires et transmissibles à leurs descendants.

Darwin (1809-1882) est frappé par l'énorme productivité des espèces, source de variabilité mais aussi par la faible survie des individus d'une génération à l'autre. Il met en évidence la nécessaire compétition entre les êtres vivants pour subsister dans un milieu dont les ressources naturelles sont limitées. Or, dans une même espèce, tous les individus ne sont pas semblables génétiquement. Seuls les individus porteurs de variations individuelles qui les rendent plus adaptés au milieu subsisteront. C'est la sélection naturelle qui laisse survivre les plus aptes. Les individus ainsi sélectionnés transmettront à leurs descendants les caractéristiques qui les favorisent. De génération en génération, les variations favorables s'accumulent et l'espèce évolue.

Par la suite, ces deux écoles s'opposent et se développent séparément.

L'apparition d'une nouvelle discipline, la génétique, allait permettre de réfuter l'hypothèse des caractères acquis. Les transformations qui affectent les cellules des organes d'un individu au cours de sa vie ne peuvent modifier le patrimoine génétique de ses cellules reproductrices. Mais dans ce cas, comment y aurait-il évolution ?

Hugo de Vries (1886) fait émerger le concept de mutation repris par le généticien Morgan (1866-1945). Les *mutations* seraient les seules variations héréditaires possibles. Une mutation est une modification accidentelle, aléatoire, de la séquence des quatre molécules de base qui constituent l'ADN (voir plus haut). Elle apparaît sous l'action de facteurs mutagènes, des rayonnements par exemple.

La sélection naturelle ne conserve que les mutations favorables. L'évolution ne progresserait pas par sauts brusques, mais par l'accumulation progressive de plusieurs mutations créant soit de nouveaux arrangements entre les caractères existants, soit une nouvelle caractéristique.

Dans les années 1940, J. Huxley amorce la *théorie synthétique de l'évolution* mais elle subira encore de nombreuses évolutions elle aussi (!) dans les années à venir.

Selon J. Ruffié, s'inspirant des thèses de J. J. Monod,

> **« Le monde vivant est un extraordinaire édifice fait de paliers successifs d'intégration. Cet édifice est parcouru en permanence par deux mouvements de sens opposés :**
> **— un mouvement ascendant, celui de l'information génétique. A chaque étape de ce mouvement apparaissent des propriétés nouvelles. Toute modification aléatoire, au niveau moléculaire, se traduit par des mutations dans les niveaux supérieurs. Le hasard suit une voie ascendante.**
> **— un mouvement descendant, qui est dû aux forces de la sélection. Elles s'exercent vers les paliers inférieurs. La nécessité suit une voie descendante.**
> **C'est de la rencontre de ces deux mouvements, remettant en cause indéfiniment les équilibres établis, que naît le phénomène évolutif. »**

L'enrichissement prévisible de cette théorie sera due aux nombreux travaux qui concernent les mécanismes de la *spéciation* (création d'espèces nouvelles).

Une population forme un *pool génétique* constitué d'individus tous différents et ayant des caractéristiques communes liées à l'espèce. L'isolement géographique et les mutations assurent peu à peu une divergence génétique entre individus qui conduira à des populations incapables de se reproduire entre elles.

La barrière de fécondité s'installerait d'abord puis les espèces entreraient en compétition les unes avec les autres.

La sélection naturelle jouerait au niveau des espèces et non pas à la suite d'une lutte entre individus pour leur survie.

D'autres découvertes pourront faire évoluer ces théories.

L'intégration de l'ADN des virus dans le patrimoine génétique d'un organisme contaminé est-elle un facteur d'évolution ?

Connaître mieux les mécanismes de la micro-évolution grâce à la biologie moléculaire permettra-t-il de nous apprendre les mécanismes de la macro-évolution ? Notamment comment intégrer l'échelle de temps qui représente des millions de siècles ? La vitesse d'évolution semble d'autant plus rapide que l'espèce considérée est d'origine récente. Pour l'être humain, la vitesse d'évolution est fulgurante, surtout si on prend en considération le progrès technique et pas seulement l'évolution morphologique. Le temps est un paramètre important en biologie.

L'histoire de la vie

La formation de la terre date de 4,5 milliards d'années. Au fur et à mesure que la terre se refroidit, la croûte terrestre se déforme, les plaques continentales se déplacent, créant de nouveaux océans, des montagnes. Des roches datant de 3,5 milliards d'années révèlent l'existence de fossiles.

Cette première forme de vie fut unicellulaire de type procaryote, des bactéries. L'atmosphère terrestre ne contenait pas d'oxygène, pas d'ozone. Les rayons ultra-violets rendaient la vie aérienne impossible. Ces cellules primitives utilisaient le processus métabolique le plus simple pour fabriquer leur énergie : la fermentation, utilisant des molécules carbonées en suspension dans l'océan. Il s'agissait d'une forme de vie hétérotrophe.

Puis des bactéries autotrophes capables de réaliser la photosynthèse sont apparues. Grâce à la photosynthèse, l'énergie lumineuse du soleil, de grandes quantités de matière carbonée ont été produites ainsi que de l'oxygène.

L'oxygène présent dans l'eau a d'abord été piégé par toutes les substances capables d'être oxydées (fer, etc.). Un milliard d'années plus tard, l'oxygène fut libéré dans l'atmosphère. Il se forma une couche d'ozone bloquant les rayonnements ultraviolets, permettant ainsi la conquête de la terre ferme.

Vers 1,5 milliards d'années, les cellules eucaryotes (voir plus haut) apparaissent. Elles se sont formées probablement par association (symbiose) de plusieurs procaryotes différents à l'origine des organites : chloroplastes, mitochondries. La reproduction sexuée se développe chez les eucaryotes ; elle permettra une variabilité génétique très grande, source d'évolution. Cent millions d'années plus tard se créent des organismes pluricellulaires.

REPÈRES

LENAY, C., *L'Évolution, entre la bactérie et l'homme*, Paris, Presses Pocket, 1992.

MORELLO, D., *Au cœur de la vie, la cellule*. Paris, Presses-Pocket, 1991.

TAVLITZKI, J., *12 clés pour la biologie*, Paris, Belin, 1990.

JACOB, F., *Le Jeu des possibles, essai sur la diversité du vivant*, Paris, Fayard, 1991.

DE ROSNAY, J., *L'Aventure du vivant*, Paris, Seuil, 1977.

SCRIVE, M., *Biologie et génétique*, Paris, Messidor/La Farandole, 1990.

MONOD, J., *Le Hasard et la nécessité*, Paris, Seuil, 1973.

GOULD, S. J., *Le Pouce du panda*, traduit par J. Chalbert, Paris, Grasset, 1982.

Id., *La Mal-mesure de l'homme*, Paris, Poche, 1983.

DARWIN, C., *Voyage d'un naturaliste autour du monde*, 2 tomes, La Découverte, Paris, 1985.

RIDLEY, M., *L'Évolution*, Paris, Pour la science, Belin, 1989.

BLANC, M., *Les Héritiers de Darwin : l'évolution en mutation*, Paris, Seuil, 1990.

TORT, P., *La Pensée hiérarchique et l'évolution*, Paris, Aubier, 1983.

TORT, P., dir., *Darwinisme et société*, PUF, 1992.

Id., *Dictionnaire du darwinisme et de l'évolution*, PUF, 1995.

▶ **Bioéthique, Gène.**

POUR ALLER PLUS LOIN

Le lecteur, étant parvenu jusqu'à ce dernier chapitre, n'en est plus au *niveau zéro* de la culture scientifique. Il peut s'être toutefois contenté du mode le plus rapide de lecture, ou bien encore estimer ne pas avoir suffisamment saisi telle ou telle explication. Dans un cas comme dans l'autre, il souhaite conforter son **initiation**.

Pour aller au-delà et atteindre déjà une culture scientifique (celle que, par exemple, un professionnel de la science peut posséder dans une spécialité autre que la sienne), des documents plus difficiles existent.

On peut enfin, tout en maintenant une exigence culturelle, vouloir accéder à la spécialisation et — pourquoi pas ! — aboutir à un métier scientifique.

Nous allons essayer d'indiquer quelques pistes dans chacun de ces trois cas. Cette présentation n'a évidemment pas la prétention d'être exhaustive. D'abord, parce que le nombre de livres, de revues etc., qui paraissent, est infiniment trop grand. Ensuite, parce qu'il n'y a pas de recette unique. Enfonçons une porte ouverte : chacun **se** construit sa propre culture, dans le domaine scientifique comme dans les autres, et donc avec la manière et les instruments qui lui sont propres. Mais il lui faut sans doute **suivre davantage l'actualité,** qu'il n'aurait à le faire sur d'autres sujets. C'est pour cela que nous commencerons par des conseils relatifs à ce suivi.

L'actualité des sciences et des technologies

Le grand outil actuel de *médiation* — la télévision — diffuse peu d'émissions scientifiques à des heures raisonnables. Cela peut changer. En attendant, les sciences ne sont gâtées par aucune chaîne.

L'actualité immédiate est donc surtout du ressort de la presse quotidienne. Certains journaux ont, bien sûr, tendance à privilégier le sensationnel, vérifié ou non. Au lecteur d'apprécier. En attendant, s'il lit le mercredi le supplément *Le Monde des sciences et des techniques*, il disposera d'articles solides, rédigés par des journalistes compétents.

Pour un suivi moins proche, il faut s'adresser aux revues. Laissons de côté, pour l'instant, les revues hyper-pointues pour spécialistes. Il y a, en principe, deux niveaux de publications généralistes.

• Celles qui sont explicitement destinées à des publics de non-scientifiques. Les principales sont *Sciences et Vie, Sciences et Avenir*, et *La Revue du Palais de la découverte, Québec-Sciences* également en élargissant à « l'espace francophone ». Je me garderai d'un jugement global. Certains articles sont bons, d'autres… le sont moins ! La troisième est moins moderne dans sa présentation, mais est quand même agréable à lire. Les autres sont réalisées par des journalistes professionnels. Leur formule (et leur nombre de lecteurs) les conduit à suivre l'actualité de près. Les numéros spéciaux des deux premières, consacrés à un seul thème, sont souvent très bons.

Ne pas oublier les revues pour adolescents, que les adultes peuvent très bien lire sans déchoir (la remarque vaut pour les livres). A savoir : *Sciences et Vie Junior, Science et Nature*, ainsi que des mensuels, comme *Phosphore*, qui comportent parfois des dossiers scientifiques intéressants et présentés de manière agréable.

• Celles qui visent plutôt un public dont le niveau de culture scientifique est déjà élevé. Ce sont *La Recherche* et *Pour la Science* (édition française de *Scientific American*). Il ne s'agit, ni pour l'une, ni pour l'autre, de vulgarisation. Le scientifique lit sans problème les articles sur sa spécialité, comprend ceux qui portent sur des spécialités proches, et saisit en général le sens des autres articles. Il faut y ajouter les articles sur la politique de la science, science et société, l'archéologie, l'histoire des sciences, etc., qui sont en général accessibles à tous.

En bref, un lecteur ayant une bonne culture scientifique (sans être pour autant un professionnel) acquiert, à la lecture de ces deux revues, une vue d'ensemble sur ce qui se fait, les questions en débat, etc., même s'il ne suit pas le détail de certains articles. On peut y ajouter *Sciences et Technologies*, la revue de la Société des Ingénieurs civils de France.

Les revues des deux catégories citées comportent, dans chaque numéro, des analyses d'ouvrages scientifiques. C'est extrêmement précieux, dans la mesure où l'on peut ainsi repérer les livres recelant les renseignements que l'on recherche à un moment donné. Ceci étant, les librairies les plus modernes possèdent aujourd'hui des CD-Rom où, à partir de mots clés bien choisis, l'on peut trouver les livres parus sur tel ou tel sujet. Ces techniques informatisées se développant, il deviendra bientôt très facile d'entreprendre de telles recherches documentaires.

Plusieurs publications spécialisées de (bonne) vulgarisation émanent du mouvement associatif; il n'est pas possible de les citer toutes. Par exemple, *Ciel et Espace* qui traite d'astronomie, *Pen ar Bed* (de la Société de Protection de la Nature en Bretagne), la célèbre *La Hulotte*, etc.

Quelques initiatives originales et intéressantes : *Alliages*, revue explicitement de culture scientifique et technique, publiée par ANAIS (Nice, sous la direction de J. M. Lévy-Leblond) ; *Culture technique*, animée par J. de Noblet...

Une approche globale préalable

Sans que cela constitue une nécessité absolue, il me semble qu'une vue d'ensemble du « paysage scientifique », de ses tenants et de ses aboutissants, présente l'intérêt de « dresser un peu le décor », avant que d'aborder des sujets plus spécialisés.

On peut, à cet usage, recommander différents ouvrages. Par exemple :

ALLÈGRE, C., *Introduction à une Histoire naturelle*, Paris, Fayard, 1992.

ASIMOV, I., *L'Univers de la science*, Paris, InterÉditions, 1986.
BOORSTIN, D., *Les Découvreurs*, Paris, Seghers, 1983 (republié récemment dans la collection *Bouquins*).
JARROSSON, B., *Invitation à la philosophie des sciences*, Paris, Seuil, 1992.

Initiation

Les livres ne manquent pas. Comme pour les revues, il ne faut pas sous-estimer les collections pour adolescents, qui valent aussi pour des adultes. Par exemple, la collection *Explora* (coproduction Hachette/la Villette) ou encore *La Science et les Hommes* (Messidor/La Farandole, si elle est republiée par l'éditeur qui vient de reprendre cette maison).

Quelques autres titres :

Dictionnaire de Physique et de Chimie, collectif, 2 t., Paris, Hachette, 1978-79.
RADVANGI, P., et BORDRY, M., *Histoires d'atomes*, Paris, Belin.
GAMOW, G., *M. Tompkins*, vient d'être réédité chez Dunod.
MATTAVER, M., *Monts et Merveilles. Beautés et richesses de la géologie*, Paris, Hermann, 1989.
DE ROSNAY, J., *L'aventure du vivant*, Paris, Seuil, 1988.
JACQUARD, A., *Moi et les autres. Initiation à la génétique*, Paris, Seuil, 1983.
SCRIVE, M., *Biologie et génétique*, Paris, Messidor/La Farandole, 1990.
A.B.C. de la Nature, Sélection du Reader's digest.
MORRIS, P., *Toute la Nature*, Paris, Bordas.
Les observateurs de la Terre, 6 vol., Orléans, BRGM.

Quelques bandes dessinées scientifiques sont également publiées. Par exemple, *Les Aventures d'Anselme Lanturlu*, chez Belin, *Einstein pour les débutants, Darwin pour les débutants*, etc., aux éditions La Découverte. Il ne me semble pas, toutefois, qu'elles soient très simples. Elles aident, sans doute, une personne ayant déjà quelques connaissances à améliorer sa représentation, mais elles sont trop compliquées pour une première approche.

Vulgarisation

La collection publiée par Belin, *Douze clés pour la biologie, ... pour l'électronique, ... pour la géologie, Histoire d'une grande idée : la relativité*, etc. Quelques-uns des livres de la collection *Points-Sciences* des éditions du Seuil (B. HOFFMAN et M. PATY, *L'Étrange histoire des quantas* ; R. FEYNMAN, *La Nature de la Physique*).

SHERWOOD, *Le Monde des sciences, la Chimie*, Paris, France-Loisirs, 1991.

ATKINS *Molécules au quotidien*, Paris, InterÉditions, 1989.

JACOB F., *Le Jeu des possibles*, Paris, Fayard, 1981.

Le Génie animal, Paris, Nathan.

Le Génie végétal, id.

Guide de la faune et de la flore littorale des mers d'Europe, Paris, Delachaux et Niestlé.

Guide des mammifères d'Europe, Paris, Hatier.

Les arbres, omniguide, Paris, Solar.

MICHEL, F., *Roches et paysages ont une histoire*, Paris, B.R.G.M. et Total Éditions.

Du Big Bang à l'Homo sapiens, Paris, Découverte-Junior, Gallimard-Larousse.

Culture scientifique de bon niveau

Pratiquement la totalité des collections *Science Ouverte* et *Points-Sciences* aux éditions du Seuil.

Tous les ouvrages de la collection *Questions de Sciences*, dirigée par D. Lecourt (Hachette/La Villette). Ils ne comportent aucune formulation mathématique et, quand ils sont difficiles à lire, c'est qu'ils traitent de problèmes complexes.

Pratiquement toute la collection *Le Temps des Sciences* aux éditions Fayard (une bonne partie de ces ouvrages est, au bout de quelques mois, rééditée en collections de poche).

Pratiquement toute la collection *Pour la Science*, chez Belin.

JACOB, F., *La Logique du vivant*, Paris, Gallimard.
SMITH, P. J., *La Terre*, Paris, France-Loisirs.
RAMADE, F., *Écologie*, Paris, Édiscience, 1974.
La Forêt, milieu vivant et *Lacs et rivières, milieux vivants*, Éco-guides Bordas.
GODET, J. D., *Fleurs et plantes d'Europe*, Paris, Delachaux et Niestlé.
Guide des oiseaux d'Europe, Paris, Delachaux et Niestlé.
LECLERC, *Microbiologie générale*, Paris, Doin.

Formation déjà plus spécialisée

Les manuels de premier cycle, puis de licence et de maîtrise des Universités.

WILL, C., *Les Enfants d'Einstein*, Paris, InterÉditions.
BALIBAR, F., et LÉVY-LEBLOND, J. M., *Quantique-Rudiments*, InterÉditions.
FANG LIZHI et LI SHUXIAN, *La Naissance de l'Univers*, Paris, InterÉditions.

Etc.

Histoire des sciences

Genre très peu développé en France il y a une quinzaine d'années, il a pris, depuis, une certaine extension.

La littérature, sur ce sujet, est extrêmement diverse. Elle va d'ouvrages facilement accessibles, mettant bien en relief les relations entre l'évolution des sciences et des techniques et celle de la société, aux études très pointues sur une question ou un auteur et qui sont parfois des thèses universitaires adaptées pour être moins arides à lire.

Plusieurs éditeurs ont actuellement une collection d'histoire des sciences. Entre autres :

• Les éditions du Seuil (soit dans la collection *Science ouverte*, soit dans la collection *Points*) :

GOHAU, G., *Histoire de la géologie.*
JACOMY, B., *Une histoire des techniques.*
ROSMORDUC, J., *Une histoire de la physique et de la chimie, de Thalès à Einstein.*
MAITTE, B., *La lumière.*

• Les éditions de La Découverte :

BENSAUDE, B., et STENGERS, I., *Histoire de la chimie.*
DELÉAGE, J. P., *Histoire de l'Écologie.*

• Les éditions Techniques et Documentation (ces livres s'adressent surtout aux étudiants en sciences et aux professeurs du second degré) :

GIORDAN, A., et coll., *Histoire de la biologie* (2 t.).
ROSMORDUC, J. et coll., *La Formation de la physique classique* (I).
MATHIEU, J. P., et coll., *La Physique au XX*e *siècle* (II).
CELNIKIER, L. M., *Histoire de l'astronomie.*

• La célèbre collection *Que sais-je ?* (Presses Universitaires de France) possède toute une gamme d'histoires des différentes spécialités scientifiques. Réussir en peu de pages la synthèse d'un sujet complexe n'est pas une entreprise facile. Les ouvrages sont logiquement d'intérêts inégaux. Ils ont cependant tous le mérite de permettre un accès rapide à une vue d'ensemble de l'évolution de la spécialité.

Par ailleurs, dans les collections précédemment citées, figurent aussi des livres sur l'histoire des sciences.

Les dictionnaires scientifiques et techniques

Ils sont toujours précieux quand on recherche un renseignement précis sur un concept, une théorie…

Il en est de généralistes, comme par exemple le *Dictionnaire des découvertes*, de R. CARATINI (Éditions n° 1) ou le *Dictionnaire des sciences* de L. SALEM (Hachette). Différents éditeurs publient des dictionnaires relatifs à une discipline, en distinguant le public visé. Par exemple, Hachette édite le *Dictionnaire de physique*, de J. P. SARMANT, qui s'adresse aux terminales scientifiques, éventuellement aux étudiants. Le physicien aura plutôt recours au *Dictionnaire de physique* de J. P. MATHIEU, A. KASTLER (Prix Nobel 66) et P. FLEURY. Les Presses Universitaires de France ont un dictionnaire pour pratiquement chaque discipline, destiné aux spécialistes. ANGENAULT, *La Chimie : dictionnaire encyclopédique*, Paris, Dunod, 1991, est par contre un bon outil de vulgarisation.

L'on me dit le plus grand bien des deux volumes, *La Science au présent*, que l'*Encyclopaedia Universalis* a sorti en 1992.

Biographie et autobiographie de savants

Le genre s'est beaucoup développé. Belin lui consacre la collection *Un savant, une époque*. Les ouvrages sur Marie Curie et sa fille Irène ne se comptent plus. Il y a aussi plusieurs livres de souvenirs, écrits par les savants eux-mêmes. Je recommanderais, entre autres pour son humour, *Vous voulez rire, M. Feymann* ?, du créateur de l'électrodynamique quantique, qui se lit comme un roman (Inter-Éditions).

Sujets divers

Les éditions de La Découverte publient périodiquement *L'État des sciences et des techniques*, qui constitue une somme toujours utile.

Les tentatives de prospective scientifique et/ou technologique, les réflexions sur les rapports entre la science et la politique donnent lieu fréquemment à des publications d'ouvrages, souvent intéressants. Citons J. J. SALOMON, P. PAPON, T. GAUDIN...

Les essais divers abondent. Je recommanderais particulièrement *L'Esprit de sel*, de J. M. LÉVY-LEBLOND (Seuil), *Les Confessions d'un chimiste ordinaire*, de J. J. JACQUES (Seuil), *Éloge de la différence* d'A. JACQUARD (Seuil).

Les dénonciations intelligentes des fadaises (financièrement rentables) pseudo-scientifiques (parapsychologie, astrologie, etc.) ne sont pas à négliger, ne serait-ce que parce qu'elles contribuent à former l'esprit scientifique*. Par exemple, *Le Passé recomposé*, de J. P. ADAM (Seuil).

* Les dénonciations, évidemment, pas les fadaises elles-mêmes.

INDEX

IMPRIMÉ EN FRANCE PAR BRODARD ET TAUPIN
6821H-5 - Usine de La Flèche (Sarthe), le 25-08-1993.

pour le compte des
Nouvelles Editions Marabout
D.L. août 1993/0099/273
ISBN 2-501-01790-0